Copyright © 2016 Ler Editorial

ISBN 978-85-68925-20-1

Todos os direitos reservados. Proibida a reprodução total ou parcial, de qualquer forma ou por qualquer meio, mecânico ou eletrônico, incluindo fotocópia e gravação, sem a expressa permissão da editora.

Editora – Catia Mourão
Assistente de edição – Moisés Suhet
Diagramação – Catia Mourão
Revisão – Vanuza Rúbia F. Freitas
Capa – Jéssica Gomes/Magic Capas e Naty Cross

Catalogação na Publicação (CIP)

```
Halice FRS.  Ler Editorial. Abril de 2016
Obsessão. Livro 1 série Amor Imortal
1 ed.  Rio de Janeiro
ISBN 978-85-68925-20-1

1. Ficção, Romance I. Título
CDD 809.915  CDU 821.134.3(81)-3

Índices para catálogo sistemático:
1. Ficção: Literatura fantástica 809.915
```

Direitos de edição

Ler
EDITORIAL

OBSESSÃO

Amor Imortal

Livro 1

Halice FRS

1ª Edição
Rio de Janeiro - Brasil

Índice

06	O INÍCIO
14	CAPÍTULO 1
26	CAPÍTULO 2
33	CAPÍTULO 3
46	CAPÍTULO 4
59	CAPÍTULO 5
72	CAPÍTULO 6
82	CAPÍTULO 7
95	CAPÍTULO 8
102	CAPÍTULO 9
109	CAPÍTULO 10
118	CAPÍTULO 11
125	CAPÍTULO 12
135	CAPÍTULO 13
151	CAPÍTULO 14
163	CAPÍTULO 15
176	CAPÍTULO 16
188	CAPÍTULO 17
195	CAPÍTULO 18
206	CAPÍTULO 19
218	CAPÍTULO 20
238	CAPÍTULO 21
246	CAPÍTULO 22
253	CAPÍTULO 23
262	CAPÍTULO 24
275	CAPÍTULO 25
289	CAPÍTULO 26
297	CAPÍTULO 27
306	CAPÍTULO 28
312	CAPÍTULO 29
318	CAPÍTULO 30
324	CAPÍTULO 31
333	CAPÍTULO 32

Agradeço a Deus, pela inspiração. A Thaís, Tássia, Lizzie, Racca e Vel que desde o início acreditaram nessa história. Especialmente às amigas leitoras da Irmandade Obsession que me incentivam a tornar esse sonho em realidade. A Edivania e Luana que a divulgaram, tornando minha criação conhecida e amada nos *websites*.

∞

Dedico essa história aos meus pais.

O início

Brasil — 1842

O corpo ardia. A visão turva dificultava o reconhecimento dos caminhos pelos quais passava. Não que pudesse assimilar os detalhes a sua volta com o mundo estando invertido. O único detalhe que não lhe escapava, além do flanco feminino, era que tudo continuava irritantemente verde, como todas as paisagens que viu desde que chegou àquele país de selvagens. E naquele instante, cheirava a terra molhada, mato e sangue.

Sua garganta secou e sua boca se encheu de saliva ao reconhecer as notas de ferrugem e sal.

Incomodado, Ethan McCain tentou — sem sucesso — mover os braços que, inertes à sua vontade, balançavam de um lado ao outro às costas de sua captora. Compreendia que estava sendo carregado nos ombros daquela mulher só não conseguia atinar como era possível, sendo ele tão pesado. Inabalável, ela conversava com outra que os seguia de perto.

Apesar de Ethan ser fluente naquela língua, estar ardendo em febre dificultava seu entendimento. A mente parcialmente entorpecida registrava frases soltas, desconexas.

— ...vai matá-la, Sabina.
— Não... medo dela.
— Você... prometido não repetir.
— Não... lembro. Você... preocupa demais, Bete.

Ethan desistiu de tentar entender. Decorridos minutos incalculáveis, ele notou o cheiro acre de fumaça, sentiu dores súbitas e lancinantes que percorreram todo seu corpo.

Quando as mulheres pararam, Ethan soube que tinham chegado ao seu destino, fosse este qual fosse. Sem cuidado ele foi largado ao chão, quando o corpo da mulher que o carregava foi lançado longe após um empurrão.

Como Ethan caiu, ficou. Sem força alguma, os braços em uma posição estranha, o rosto prensado contra a terra úmida. Ouvia gritos distantes: os delas, os dele.

Ethan mordeu os lábios, ignorando a dor e se concentrou no que diziam as mulheres para descobrir o que acontecia.

— Como... pôde? — dizia a terceira mulher, furiosa. — Eu tinha proibido... atacarem humanos!

— Não é fácil para nós como é para você, Raca!

— Tentem! — esta vociferou. — E por que trouxe esse?

— Ele... meu! — exclamou a mulher que o carregou todo o trajeto. — Revele a marca!

— Não... mais tempo! Perdeu muito sangue... Ele logo morrerá!

Morrer?! Ele não queria morrer! Ethan quis gritar o mesmo para elas, contudo um bolo compacto bloqueava sua garganta ressequida, impedindo até mesmo que gritasse de dor. Sentia-se insignificante largado como um traste velho naquele chão coberto de pequenas pedras e musgo.

As mulheres continuavam a discutir como se ele nem ali estivesse.

— Não morrerá! Ele vai... um de nós. Eu... meu sangue!

— Você o quê?! — Raca gritou.

— Quero... para mim! — replicou Sabina. — Ache a marca!

— Espero que... morra como... outros!

— Não morrerá. Fiz tudo... dessa vez.

Após ouvir um bufar exasperado, Ethan percebeu passos próximos até que dedos frios se fechassem em seu pulso. Ele foi arrastado e novamente deixado próximo a uma fogueira. As pedras do chão arranharam sua pele. Ele podia sentir o cheiro de seu próprio sangue. O odor agradou a Ethan, porém logo foi esquecido ao ser virado de bruços, violentamente. Sua camisa, já rasgada, foi aberta de baixo a cima para expor suas costas.

— Coloquem as... no fogo e tragam as sementes — ouviu a voz de Raca.

As duas mulheres que o trouxeram correram para atender a ordem dada por aquela que era, sem dúvida, a líder do grupo de... Do quê?... Indígenas? Que falta fazia Henry. Sim, Henry!

De súbito uma imagem aflorou na mente enevoada de Ethan, lembrando-o do motivo de estar naquele matagal. Seu pai, Henry McCain — antropólogo fervoroso — o convenceu a tirar férias para que acompanhasse até o Brasil. Propôs que descansasse das obrigações legais em Vila Luseia, na Amazônia, enquanto ele se dedicava a sua paixão pelos povos indígenas.

Ainda que Ethan não participasse do mesmo entusiasmo, ficava particularmente feliz em ver o encantamento do pai perante a oportunidade de conhecer a vida selvagem da região. Sabia que Henry esperava manter contato direto com as muitas tribos, assim como escrever seu estudo sobre os hábitos e a vida dos índios brasileiros.

Pai e filho estavam acampados às margens de um dos muitos afluentes do rio Amazonas. Ethan lendo um grosso livro sobre Direito à luz precária de um lampião, Henry apreciando algumas frutinhas nativas que ganhou naquela tarde de um grupo de locais, quando as duas belas mulheres se aproximaram.

Apresentaram-se. As vozes eram suaves, envolventes e em nada se assemelhavam às índias de cor estranha e corpos flácidos. As duas ostentavam formas voluptuosas, mal cobertas por peles de animais. Extasiados, pai e filho puderam ver os braços e pernas esguias, os seios fartos que se insinuavam pelo couro da blusa improvisada. Com a pele muito branca, elas pareciam brilhar ao luar.

Ethan se sentiu atraído por Sabina, Henry se encantou por Bete. A memória de Ethan falhava por causa da febre a da dor, mas ele lembrava que em pouco tempo, cegos pela luxúria, tomaram cada uma para si. Desprovidos de cavalheirismo, reserva ou pudor, possuíram as duas mulheres com paixão incontrolável. A lembrança, vívida, provocou em Ethan uma crescente excitação a despeito de toda dor que pudesse estar sentindo.

De súbito um cheiro forte e estranho encheu o ar, trazendo um prenúncio funesto. Ethan aguardou o que viria com a respiração suspensa. Foi quando o fogo líquido atingiu suas costas apagando qualquer lembrança tórrida com aquelas mulheres. Já paralisado pela dor constante, ele gritou a plenos pulmões enquanto um filete em brasa escorria e se espalhava por sua escápula esquerda.

As mulheres a sua volta guardaram silêncio. Ele não conseguia ver seus rostos, pois o seu próprio estava espremido contra o chão de terra molhada, contudo parecia que vivenciavam um momento solene.

"Revele a marca". "Ache a marca" Sabina tinha dito. Ethan questionou-se que espécie de ritual macabro tomava parte, involuntariamente.

Sua pele ardia e sangrava, sabia estar em carne viva. Quando acreditou não poder sentir dor pior, os dedos da torturadora apertaram seu ferimento, fazendo com que mais uma vez gritasse em desespero, sendo impossível reprimir impropérios e blasfêmias que lhe vieram à boca.

Ethan ouviu a risada da líder.

— Esse... forte! Se viver será uma incrível criatura!

Criatura?! A quem aquela selvagem tratava por criatura? Ele queria gritar com ela, ordenar que parasse a tortura. Contudo as palavras viravam grunhidos grotescos em uma língua ressequida. Alheia aos pensamentos de sua vítima, Raca esfregou algo poeirento e áspero sobre o ferimento, fazendo com que Ethan liberasse outra torrente de pragas e palavrões, todos ininteligíveis.

Com sua visão periférica, Ethan viu a mulher remexer a fogueira com um graveto. Quando a ponta chamejante saiu de seu campo de visão a seleta plateia prendeu a respiração, indicando novo mau agouro. Logo ele sentiu o graveto em seu corpo. De imediato o fogo lambeu sua pele injuriada mais uma vez. Ethan sentiu o cheiro de pólvora e carne queimada. Então a escuridão o engoliu. Estava morto.

Morto em seu mundo apenas. Um novo Ethan despertou com as vozes. Apesar da incredulidade ao ver-se vivo, Ethan se manteve quieto, por instinto. Estava de bruços sobre uma maca improvisada. O tecido áspero arranhava seu peito. Cheiros novos provocavam suas narinas. Os sons da mata pareciam ecoar em seus ouvidos assim como as palavras sussurradas lhe chegavam limpas, fáceis de entender.

As três mulheres conversavam distraidamente. Sabina estava ao seu lado, escovando lentamente seus cabelos com os dedos longos. Bete, ao lado de Sabina, dizia para Raca, a sua esquerda:

— Eu avisei a ela para que não o trouxesse.

— Eu o queria para mim — Sabina explicou com um resmungo. — Eu tinha certeza de que daria certo dessa vez. Senti que somos iguais.

— Essa loucura precisa ter um fim! — Raca exclamou. — Não há lenda alguma. E mesmo que existisse, você não pode forçar o destino. Se esse aí fosse para ser seu, já viria marcado.

— Mas pode ser ele! O óleo revelou uma serpente, não foi? Como a minha! Olhe com atenção. Eu vejo uma serpente.

Ethan ficou curioso quanto ao que havia em suas costas tanto quanto com a menção de uma lenda da qual participava. Era livre, as mulheres pertenciam a ele, não o contrário. Cresceu acostumado a ter todas elas satisfazendo suas vontades, como *ele* seria propriedade de uma selvagem?

A voz de Raca mais uma vez lhe chamou a atenção.

— É uma serpente alada, Sabina. Nada parecida com a sua. Se a lenda for verdadeira, somente uma marca igual revela sua outra metade.

— Serpente é serpente — Sabina retorquiu irritada.

— Não, minha irmã. Serpentes aladas são dragões. Você disse que esse aí era igual a você, mas estava enganada. A marca revelada indica que ele é pior do que todas nós. Além de ser egoísta e sem escrúpulos, provavelmente nunca amará alguém.

— Posso fazê-lo se apaixonar — Sabina suspirou esperançosa, ainda escovando-lhe os cabelos. — Afinal, ele se interessou por mim, não foi? Nem olhou para Bete. Aguentou minha investida como nenhum outro humano. Pegou-me com força e se rendeu à minha mordida. Não poderia matar uma criatura dessas. Seria um desperdício! Por isso dei a ele meu sangue.

Outro humano? Sabina o mordera e lhe dera seu sangue? Ethan tentou adivinhar o que ela seria, o que esperava que ele fosse. E ele não se considerava um egoísta inescrupuloso. Apenas tomava o que considerava seu. E amava Henry, com certeza.

Com a lembrança do pai, Ethan se perguntou onde ele estaria. Talvez largado em outra maca precária, sendo objeto de desejo de uma daquelas loucas. Se ainda não acreditasse ser vital permanecer quieto teria levantado a cabeça para olhar ao seu redor à procura de Henry. Ethan tentava captar algum ruído revelador quando Bete falou, saudosa:

— O amigo dele também era bom. Cabelos claros. Sempre gostei dos humanos de cabelos claros. Era forte, há muito tempo eu não cruzava com um homem tão... delicioso! — Bete estalou a língua. O som causou arrepios em Ethan. Não parecia bom que ela se referisse ao seu pai no passado. — Gostoso em todos os sentidos. Como homem e alimento!

Em alerta, Ethan ouviu a voz carregada de repúdios de Raca.

— Vocês duas me enojam às vezes. Como podem manter relações com eles enquanto bebem seu sangue até matá-los?

Ethan lutou para manter o coração compassado. O que ouvia era insólito.

— Se um dia você provasse o prazer de matar com amor, entenderia.

— Amor?! — Raca escarneceu do raciocínio dúbio de Bete. — Vocês nem os conhecem! Escolhem suas vítimas à revelia, matam sem piedade e você fala em amor?

De repente algo estalou na cabeça de Ethan. Por mais que não quisesse crer, agora via tudo com clareza. Bete, nua, serpenteava luxuriosamente sobre o corpo mal despido de seu pai, quando o mordeu. Henry sequer notou, sua expressão de prazer intenso revelava que para ele o gesto não passara de um beijo acalorado. O beijo da morte.

Ethan nada pode fazer, pois passava pela mesma rendição macabra e excitante. Enquanto assistia a morte de seu pai, também sentia os movimentos torturantes de Sabina sobre si e os lábios em seu pescoço. Não doía. Antes disso, era extremamente prazeroso sentir o drenar de seu sangue a cada nova investida do quadril feminino.

"Se um dia você provasse o prazer de matar com amor, entenderia", a voz de Bete ecoava. Matar com amor. Matar com amor. Que contradição!

Estarrecido, Ethan aceitou a verdade, estava em um maldito covil de serpentes que atraiam os homens com seus encantos para roubar suas vidas. Nunca acreditou em histórias de terror, no entanto, via estar enganado. As três eram vampiras imundas e pelo que entendeu, tornara-se também uma criatura desgraçada. Ele tentou assimilar o extraordinário, recordou o ferimento que não doía. Os cheiros eram nítidos, os sons. Podia ouvir o murmúrio da água de um riacho distante e vozes alegres.

Era fato, estava mudado.

A raiva veio com a aceitação. Sabina o transformou em um ser vil, sem ao menos questionar se era essa sua vontade. Antes o tivesse matado como Bete ao seu pai. Então a raiva se transformou em fúria. Uma sede intensa fechou sua garganta. Os dedos repulsivos de Sabina queimavam-no, incitando-o a reagir. Se Raca não se intrometesse, talvez a poupasse.

Ethan então abriu os olhos. Presas em sua superioridade confiante as três ainda conversavam distraídas, sentadas sobre esteiras, com as pernas cruzadas. Seria fácil. Raca foi a única que o descobriu acordado, assim como a sua intenção assassina.

— Cuidado!

O alerta foi inútil. Em um movimento rápido, Ethan saltou sobre a vampira ao seu lado e lhe segurou a cabeça. Sabina, por ser estúpida, mereceu uma morte imediata. Dotado de força descomunal, sem compaixão, o novo vampiro lhe torceu a cabeça, desprendendo-a, antes de avançar para Bete. Esta ele prendeu pela garganta. Com um aperto férreo, Ethan a manteve à sua frente enquanto ela se debatia e o arranhava. Sem se importar, ele apenas encarava Raca agachada a dois metros de si.

— Solte-a agora! — Raca gritou. As órbitas vermelhas, injetadas de fúria.

— Não tenho nada contra você, além do fato de ter me queimado. Sei que foi contra sua vontade, então... Se quiser ir embora, vá! Não a seguirei. Caso contrário, acabo com a vida dessa infeliz e com a sua! — Ethan ameaçou entre dentes, mal reconhecendo sua voz, tão rouca e grave.

Para reafirmar sua intenção, apertou mais o pescoço de sua presa. Lentamente, Raca endireitou o corpo, sempre o encarando. Era uma mulher bonita, cabelos longos e negros adornavam um rosto perfeito. Ethan teria apreciado estar com ela se as circunstâncias fossem outras. Contudo, no momento ele a desprezava tanto quanto qualquer uma de suas amigas.

Antes que dissesse qualquer palavra, Ethan captou a intenção de partir nos olhos escuros. O mesmo aconteceu com Bete. Ela estendeu os braços na direção da amiga e pediu com a voz estrangulada:

— Raca... Não... me ...deixe...

Ethan apertou seu pescoço ainda mais para que se calasse. A voz o irritava. As unhas afiadas voltaram a ferir seu braço sem que ele desse alguma importância. A líder daquele covil de cascavéis deu de ombros e, com a voz livre de emoções, disse a Bete:

— Vocês procuraram por isso! Eu sempre avisei que poderia acabar assim. O dia chegou!E quanto a você — disse a Ethan. — Não pense que é melhor do que nós e que ao matá-las irá mudar alguma coisa! Não sei o que lhe motiva, mas...

— Essa desgraçada matou o meu pai! — Ethan vociferou.

— Então vejo que me enganei — ela reconheceu, erguendo os ombros. — Você amava alguém afinal. Mas acredito que esse foi seu último resquício de afeto. Você pode chorar a perda de seu pai, vingá-la e até maldizer-se por ter se tornado uma criatura amaldiçoada. Mas eu sei que você apreciará cada minuto da nova vida.

— Jamais — cuspiu.

— Não tenha tanta certeza. Um dragão se revelou. Você gosta do poder, destruirá sem piedade todos que se colocarem em seu caminho. E agora eu rogo para que a lenda seja verdadeira, pois somente alguém com a marca como a sua poderá subjugá-lo, derrotá-lo.

— Se é como diz... Se eu vou apreciar ser um sugador de vidas. Nada me impede de acabar com qualquer um que tenha essa marca a que você se refere. Acredito que de hoje em diante eu não preciso temer ninguém. Agora suma da minha frente!

Sem um único olhar na direção de Bete, Raca se foi. O grito desesperado de sua prisioneira reverberou pela mata, irritando os ouvidos de Ethan. Era hora de eliminar sua fome.

— Você disse que é prazeroso matar com amor... Espero poder lhe mostrar que pode ser ainda melhor matar com ódio.

Derrubando-a no chão, o vampiro avançou para beber seu sangue, dilacerando o pescoço delgado enquanto sua presa se debatia. O gosto era estranho, como bebida velha e visguenta, mas aliviou a queimação em sua garganta. Em instantes Bete estava morta, a cabeça quase solta. Ethan se sentou ao lado do corpo e olhou a cena a sua volta. Sentia uma vontade inédita de chorar. Por seu pai que fora a única pessoa que lhe importava, por aquelas vampiras ignorantes que foram criadas para ser parasitas. E por si próprio, que descobrira uma satisfação desconcertante ao matar.

Respirando fundo, tentou acalmar seus novos instintos, foi inútil. O sangue velho de Bete não foi suficiente e o de Sabina, mesmo que não tivesse se perdido, não lhe parecia atrativo. Seu corpo clamava por mais, por sangue fresco. A sede o libertou da fúria inicial, então, de súbito os sons do riacho chamaram sua atenção. Ethan apurou os ouvidos, tentando adivinhar a direção. Provavelmente duzentos metros a sudoeste. Nem sequer pensou, apenas partiu.

Ethan correu a uma velocidade impressionante. Em segundos estava a espreita entre as árvores. Um casal de índios se banhava. Talvez estivessem burlando as regras da aldeia ficando na área isolada, a sós. Ele não saberia dizer, não lhe importava o motivo. Tudo que sabia era que o cheiro dos corpos era muito agradável, apetitoso. Pelo clarão no horizonte, soube que logo amanheceria. Baseando-se no pouco que sabia sobre vampiros, Ethan demandou a si mesmo que fosse rápido, pois seria sensível ao sol.

Determinado, ele avançou contra o índio. A mulher gritava, paralisada, enquanto Ethan prendia o homem entre seus braços e cravava os dentes na carne morna. O gosto de sangue era agradável, levemente salgado, quente e vital. Tomou-o quase que completamente antes de largar o corpo aos seus pés, saciado. Talvez, se a mulher tivesse corrido ele não a seguisse, porém ela permaneceu às margens do rio, horrorizada.

Ethan a avaliou com maior atenção. Era jovem, aparentando ser apetitosa em todos os sentidos. Livre do choque, ela passou a chorar e a falar em uma língua estranha. A visão do corpo nu, as palavras indecifráveis e os acontecimentos recentes excitaram o vampiro. Quando se moveu a índia teve um sobressalto. Ethan pensou que ela poderia se acalmar então o semblante moreno se abrandou. Ele considerou engraçada a súbita mudança e pensou então que ela poderia não temê-lo.

De repente, a índia lhe sorriu e Ethan entendeu. Assim como Sabina e Bete subjugaram a ele e ao pai, estava encantando a jovem presa. O índio, largado ao seu lado, já não importava para ela. A vítima não desprendia os olhos do rosto de seu carrasco, fascinada. Ethan avaliou a situação. Não poderia fazer nada para mudar sua condição. Estava satisfeito de vingança e de sangue, contudo, sempre fora um homem fraco aos encantos femininos. A moça de pele ocre não poderia ser comparada às damas que provou, mas inflamava o desejo imenso de experimentá-la por inteiro.

Ao aproximar-se, ela não se moveu. Gentilmente, Ethan correu os dedos pelo pescoço esguio, sentiu a artéria pulsante e salivou. Com a mão livre, Ethan acariciou os lábios da jovem e tocou sua bochecha para enxugar as lágrimas. Os grandes olhos de alcatrão brilhavam para ele em expectativa. Lentamente, o novo vampiro tocou os lábios carnudos com os seus e quando mãos, pequenas e cálidas, tocaram seu peito nu, ele sentiu uma crescente vontade experimentar a incoerência e de descobrir como seria matar com amor.

Capítulo 1

Ela circulava por entre as mesas, carregando com desenvoltura a bandeja repleta de copos. Era linda! O cabelo escuro brilhava sob a luz do ambiente, a boca vermelha clamava por um beijo. Ele, sentado à mesa num canto sombrio, bebericava seu uísque sem deixar de olhá-la. Tentara se aproximar, sem sucesso, contudo viraria o jogo aquela noite.

Ao servir a mesa ao lado, a garçonete levantou o olhar na direção de seu observador. Um estremecimento foi notado por ele antes que ela baixasse as pálpebras, recolhesse alguns copos vazios e seguisse para a cozinha. Ele esperou por três minutos, então deixou o salão para seguir até o beco atrás do bar. Encontrou a garçonete a fumar distraída, olhando as aspirais de fumaça. Vez ou outra a claridade de alguns fogos de artifício iluminava o rosto perfeito.

"Quem está aí?" Ela perguntou alarmada ao notar a presença dele.

"Boa noite", disse o homem com a voz suave, "não se assuste."

"Eu o conheço?" Ela estreitou os olhos na tentativa de enxergar melhor.

"Sim", ele falou ao sair da escuridão. "Você me conhece! Esperava por mim".

Mais alguns fogos espocaram no céu. A garçonete abriu seu melhor sorriso enquanto o admirava. Então, assumindo ar consternado resmungou, "você demorou!"

"Estou aqui agora", ele se aproximou ainda mais e a tomou nos braços. Rendida, ela deixou que o cigarro caísse. Ao abraçar seu captor, subiu as mãos ansiosas para os cabelos dele, enquanto tinha a boca presa num beijo. Ainda que o homem não fumasse, apreciou o gosto de tabaco, assim como o perfume barato, o sabor do batom.

Todos os fatores somados à expectativa de sangue o excitavam. Estimulado, ele a prensou contra a parede intensificando o beijo. A presa correspondia com paixão, era macia e quente. Sôfrega, ela desabotoou a *camisa e lhe tocou o peito. Ele gemeu, maravilhado. Logo lhe acariciava os seios ainda cobertos enquanto descia a boca até o pescoço para beijá-lo.*

Ele era apreciador do jogo de sedução, contudo, aquela mulher o enlouquecia. Seu cheiro era atrativo, seu corpo clamava pelo dele. Quando sentiu as mãos delicadas brigarem com o cinto de sua calça não viu motivos para protelar a posse.

O predador deixou que sua presa o despisse parcialmente, fez o mesmo com ela. Ainda com a garçonete prensada a parede, ele a suspendeu e a acomodou em seu corpo. Os dois abafaram um grito lascivo ao juntar os sexos. A espera valera, ele pensou, cogitando conservá-la. Enquanto arremetia contra ela, lambeu a jugular pulsante, mas não a mordeu. Provar o sangue era seu gran finale.

Engolindo em seco, deixando-a escorada contra a parede, ele desabotoou a frente do uniforme dela. Antes que pudesse atentar para a perfeição dos seios, o céu se iluminou e algo que vislumbrou quebrou todo o encanto. Pequena e rósea, uma cicatriz maculava a pele alva. Via-se uma forma distinta. De imediato a voz agourenta chegou aos seus ouvidos.

"Pois somente alguém com a marca como a sua poderá subjugá-lo, derrotá-lo".

Ele jamais se renderia. Não pararia suas investidas após a descoberta, ainda precisava saciar todas as suas fomes. Infelizmente, porém, não a conservaria. Por um segundo lamentou a perda, contudo, valia sua lei de sobrevivência. Gentil, tocou o pescoço esguio num beijo e o mordeu. Ela sorveu o ar num longo gemido. Ele segurava sua nuca, enquanto bebia o sangue.

Havia um limite seguro, porém, salvá-la deixou de ser opção, então ele foi além, sentindo os espasmos vindos com a satisfação mútua. Sua vítima sequer sentiu os braços da morte envolvê-la, minutos depois.

A garçonete foi depositada ao chão por seu carrasco, que a cobriu decentemente. Ele a deixou recostada contra na porta, onde seria facilmente encontrada. Lançou-lhe um último olhar. Estava prestes a partir, quando algo chamou sua atenção. Ela estava mudada. Ele não conseguia ver seu rosto, contudo os cabelos estavam mais claros. Intrigado, ele se agachou com a mão estendida tentando tocá-la. De repente, dedos frios agarraram seu pulso interceptando o movimento. A voz lamuriosa chegou aos seus ouvidos em um sopro.

"Por quê? Eu poderia amá-lo".

∞

Ethan despertou sobressaltado, porém não abriu os olhos de imediato. Piscou algumas vezes, acostumando-se com a claridade, somente então mirou o teto branco de seu quarto. Passando as mãos pelo cabelo em desalinho, suspirou. Aquela era a terceira vez, na mesma semana, que sonhava com Maria. Não entendia porque a lembrança passou a assombrá-lo.

Sim, era fato que se arrependeu de matá-la sem ao menos ter certeza da similaridade de suas marcas, mas já havia se passado 26 anos. Não era de sua natureza sentir remorso. Na noite fatídica a escuridão era excessiva até mesmo para seus olhos. A luz dos fogos festivos chegava com luminosidade insuficiente, não permitindo que percebesse a diferença entre as cicatrizes. Na ocasião estava ansioso, visto que em seus 162 anos uma fêmea não o instigou daquela maneira. Nem houve outra desde então.

Sem tomar conhecimento do corpo feminino deitado entre os lençóis ao lado e expulsando Maria para o passado ao qual pertencia, Ethan saiu da cama e seguiu para as escadas que lhe dariam acesso ao andar inferior de seu apartamento.

O dia em Nova York estava claro. Os raios de sol atravessavam as paredes de vidro, tornando sua sala luminosa. Sem notar, ele sorriu intimista. Outra lembrança, ainda mais antiga do que a morte de Maria, invadiu-lhe a mente. Recordou de seu primeiro amanhecer como vampiro, quando, completamente arrependido de seus atos, deitou a índia inerte ao lado do amante.

Tinha perdido o pai, a vida, a razão. Sabia que naquele momento a única atitude digna do cristão que fora, seria esperar pela morte. Recordava-se que na ocasião, acreditou nas lendas e mitos que ditavam a sensibilidade dos vampiros ao sol, então se sentou a beira do rio e esperou pela remissão de seus pecados. Contudo, todas as histórias contadas estavam erradas. Os raios solares em realidade queimavam e naquele primeiro contato fizeram sua pele arder de forma insuportável, assim como seus olhos, porém não lhes causaram danos, indicando que jamais seriam fatais, não resultando em morte imediata ou futura.

Ethan sorriu novamente. Tanto melhor daquela forma. Mesmo sendo um boêmio, sempre gostou da luz do dia. Viver eternamente em trevas teria sido extremamente entediante. Bastava a escuridão de sua alma. Provavelmente seu gosto pelo branco fosse uma forma de compensação, pensou, dirigindo-se para as grandes portas à sua direita. Elas lhe permitiriam acesso ao jardim e a grande piscina coberta.

O vampiro se atirou na água plácida, deixando que esta acariciasse seu corpo. Revisitando as lembranças surradas, Ethan recordou que, após se conformar com sua condição, descobriu uma habilidade ímpar em natação. Aprendeu a apreciar as texturas, os sabores e os odores. Com o passar dos anos foi descobrindo preferências. Gostava de sentir o chão sob seus pés, então, sempre que possível, andava descalço. Gostava de sentir a variedade dos tecidos, principalmente se os mínimos fios entrelaçados cobrissem o corpo de uma mulher desejável.

Ele aprimorou seu paladar para bebidas e para o pouco que comia, uma vez que não necessitava de alimento para sobreviver. Quando ingeria algo sólido era somente para manter as aparências. Com a bebida era diferente. Gostava da ardência que o álcool causava em suas veias e do leve torpor em sua cabeça. Assim como gostava da água que corria por seu corpo nu enquanto nadava de um lado ao outro em sua piscina. Nesses momentos tinha a sensação de ser acariciado por inteiro, tornando a atividade em uma experiência luxuriosa.

Distraído, tão entregue a um de seus prazeres, o imortal se sobressaltou ao ver a magnífica forma feminina parada sob o amplo batente da porta de vidro. Ethan intimamente ironizou sua falta de atenção. Tinha esquecido por completo sua conquista. Atraído pela visão, nadou até a borda e cruzou os braços sobre os ladrilhos, analisando-a.

— Bom dia — murmurou sua visitante. — Posso me juntar a você?

— Por favor! — Ethan respondeu, estendendo-lhe a mão.

Nua, sem demonstrar nenhum pudor, ela se sentou na beirada da piscina e deixou que ele a levasse para junto de seu corpo. Escovando os cabelos curtos da bela mulher com os dedos, Ethan abaixou o rosto e a beijou. Ethan sabia exatamente como e onde tocar sua convidada. Em minutos ela estava entregue e ele a possuía languidamente, como fizera boa parte da noite.

Quando seus corpos se separaram, Ethan novamente zombou de si mesmo, nem ao menos recordava o nome daquela mulher. Sabia apenas que a encontrou no Blue Note, que lhe pagou algumas bebidas antes de levá-la diretamente para a cobertura e então para sua cama. Ah, sim... e que seu sangue era delicioso.

Afastando-se dele com um sorriso de satisfação no rosto lavado, a loira nadou até o lado oposto. Depois de apoiar os braços na borda da piscina sem se importar com a exposição dos seios fartos, comentou:

— Seu apartamento é muito bonito, mas é um lugar estranho para se viver.

— Estranho para quem? — Ethan questionou, apoiando-se a borda da mesma forma que ela para admirá-la.

— Para todo mundo — ela bufou e contorceu o rosto em uma careta debochada como se respondesse ao óbvio.
— Não sou como todo mundo — Ethan comentou divertido.
— Definitivamente não é... — a loira concordou com um sorriso malicioso. — Mesmo assim, eu nunca imaginei que existisse alguém como você que morasse na Wall Street.
— Não devo ser o único.
— Mas você poderia morar em qualquer lugar — insistiu.

Possuidor de um humor variável onde todos os sentimentos alcançavam limites extremos, repentinamente Ethan se enfadou. Aos seus olhos, a loira escultural já não era tão atraente tendo em vista sua limitação. Ele não gostava do normal, de regras pré-estabelecidas, de bom comportamento. Era entediante recair no mesmo assunto com as mulheres que trazia para sua cobertura. Acaso era obrigatório viver em ruas meramente residenciais?

Se fosse o correto, ele queria ser o transgressor. Apreciava a mistura arquitetônica do antigo com o moderno dos prédios à sua volta. Seu *covil* estava no coração empresarial e financeiro de Manhattan, cercado de ganância e poder onde todos os dias executivos frios devoravam-se uns aos outros. Ethan apreciava a beleza poética de sua analogia antropofágica. Comprazia-se ao imaginar seres frágeis, sendo tão ou mais impiedosos do que ele.

De qualquer forma, para Ethan seria um transtorno viver cercado de vizinhos bisbilhoteiros. A alta frequência feminina chamaria a atenção. Ali, ninguém veria quando bebesse delas além do recomendado. Nessas ocasiões, chamava um táxi para a privacidade de sua garagem particular e, depois de manipular a memória do chofer e da jovem debilitada, deixava apenas a recomendação para que ele a levasse a um hospital.

Somente uma vez, no ano anterior, houve o falecimento misterioso de uma jovem antes que conseguisse socorro. Generosamente, Ethan assumira a defesa do taxista acusado de estupro e vampirismo. Como era de se esperar, provou, mediante a apresentação de um teste de DNA, que o homem de 52 anos não tinha sequer tocado a vítima. Após uma moção bem-sucedida, o caso nem chegou a ser julgado. Desde então redobrou seus cuidados, contudo, como seria possível manter seu estilo de vida se morasse em bairros residenciais?

Ao inferno com padrões! Voltando sua atenção à loira que lhe sorria de modo coquete, retrucou por fim:

— Exatamente. Posso morar em qualquer lugar — antes que ela insistisse no assunto maçante, prosseguiu: — Escute. Hoje terei um dia cheio. Vou providenciar um táxi para você. Ele lhe deixará onde desejar.

— Estou com o dia livre. Não posso esperar por você?

Não fosse o resquício de um cavalheirismo passado, Ethan teria rido. Lá estava a repetição do óbvio. Evidente que estaria disponível para esperar. Ela e qualquer outra que cruzasse seu caminho. Previsível. Exausto das mesmices femininas, Ethan especulou se algum dia conheceria uma mulher que fosse diferente das demais. Pouco provável. Pesaroso por sua pouca sorte, imprimiu um tom falsamente consternado a voz.

— Lamento meu bem — não se lembrava mesmo do nome —, mas não será possível! Hoje tenho um julgamento importante e só os deuses sabem quando estarei livre. Talvez saia para uma pequena comemoração após minha vitória.

— Nossa! — A loira se admirou e ironizou contrariada. — Quanta confiança!

— Eu sempre ganho!

Sua voz soou sombria. E com certeza sairia depois do julgamento. Não para comemorar, mas para receber seu real pagamento e livrar a cidade da ralé.

Pelo brilho que cruzou seus olhos a mulher percebeu que estava indo longe demais. Instintivamente, zelando por sua integridade emocional, resolveu aceitar a oferta.

— Agradeço o taxi, obrigada!

— Melhor assim — Ethan disse, simplesmente. — Venha! Por mais que aprecie a vista, é hora de se vestir.

Deixando a piscina, seguiram para o andar superior em silêncio. Ethan a mantinha sempre a sua frente, não gostava que lhe vissem as costas. Quando chegaram à suíte, a mulher ainda tentou se insinuar ao que ele, gentilmente, declinou a proposta de tomarem banho juntos. Nunca concedeu tal intimidade à mulher alguma. Não começaria por abrir exceções a uma presa obtusa. Após alegar a necessidade de fazer algumas ligações, Ethan vestiu a calça de seu pijama e saiu, deixando sua companhia — agora incômoda — à vontade.

Ao descer, seguiu para o gabinete anexo ao *living room*. Logo se sentava em sua cadeira de couro. Ato contínuo tomou o telefone e ligou para sua secretária. Bastou um toque para ser atendido. Antes de sua saudação, ouviu a voz feminina, aborrecida, sussurrada.

— *Acaso sabe que dia é hoje e que horas são?* — Ethan imaginou que teria clientes à sua espera quando ela baixou ainda mais o tom e acrescentou: — *Estava quase subindo até aí para tirá-lo da cama a tapas.*

Ethan sorriu divertido. Por mais que a escolhida de seu melhor amigo lhe irritasse às vezes, era engraçada a forma abusada com que se dirigia a ele. A mulher de compleição delicada nunca o temeu. Sinceramente gostava dela.

— Calminha! Hoje é quinta-feira e ainda nem passa das nove horas.

— *Isso mesmo! Três clientes estão aqui a sua espera e às dez horas Thomas você tem de estar no tribunal! Hoje é o dia decisivo e ele gostaria de rever detalhes...*

— Joly, Joly... — interrompeu-a. — Eu sei... estaremos lá para o espetáculo! Os últimos atos são sempre os melhores. Eu não perderia de encená-los por nada!

— *Não gosto quando você fala assim, confirmando minha condição de atriz.* — Joly se queixou, ainda com a voz baixa. — *Já basta eu sentir como se de fato atuasse numa peça sempre que venho assumir meu papel de funcionária exemplar.*

— Deixe de lamurias, Joly. Você gosta da encenação. O que mais você faria com todo o tempo livre que dispomos? — Ethan completou para provocá-la. — Ninguém pode desperdiçar a eternidade em completo ócio!

— *Eu desperdiçaria* — Joly riu discretamente. Ethan riu com ela, então se lembrou do motivo de sua ligação.

— Joly, eu preciso que providencie um táxi o mais rápido possível.

— *Eu sabia!* — exclamou tornando a ficar aborrecida. — *Quando vai parar com isso?*

— Quando eu tiver a mesma boa sorte do meu querido amigo Thomas — respondeu bajulador. — Antes disso, preciso continuar minha busca incessante.

— *Sei* — foi sua resposta seca. — *Não demore!*

Poucos minutos depois, quando Ethan revisava algumas anotações, sua visitante chegou à porta. Vestida e sem a maquiagem da noite anterior, ela não pareceu tão bonita. Ethan nada falou, não gostava das despedidas. Preferia quando não passavam a noite, liberando-o de lidar com elas na manhã seguinte.

Para sua sorte, ela demonstrou não estar com ânimo para conversas, pois deu meia volta e seguiu até o grande sofá de linho branco disposto na sala de estar. Ainda agradecia o afastamento quando, aos dois toques de seu telefone, soube que o táxi solicitado já estava à disposição. Sem se dar ao trabalho de atender, deixou o gabinete.

— Sua condução chegou — anunciou. — A corrida já está paga. O taxista tem instruções de levá-la para onde desejar.

— Obrigada! — a loira se levantou e foi até ele. Sem cerimônias lhe tocou o peito nu. — Vamos nos ver de novo?

Antes de afastar a mão e enlaçar a mulher pela cintura para conduzi-la até o elevador, Ethan pôde ver em seus olhos verdes o que se passava em seu íntimo. Como todas as outras, ela alimentava esperanças reais de que fossem manter um relacionamento duradouro. Às vezes o carisma natural de sua condição era extremamente inconveniente. Começava a ser entediante ter de apagar a memória de quase todas as mulheres com as quais se relacionava.

— Claro que nos vermos novamente meu amor...

Após colocá-la no elevador, presenteou-a com seu melhor sorriso e a tocou no rosto para que o olhasse diretamente antes de ordenar:

— Esqueça-me!

Enquanto sua convidada piscava, confusa, Ethan apertou o botão do térreo. Antes que as portas se fechassem, ele se foi. Caso a mulher olhasse à frente, o *hall* já estaria vazio.

Ethan desceu ao 40º, andar onde funcionava a McCain & Associated, vestido de forma impecável em um terno Armani completo cinza chumbo, quinze minutos depois que sua companhia sem nome — e agora sem rosto —, ter partido. Entrando na antessala, sorriu ao ver a expressão contrariada de Joly. Ignorando-a deliberadamente, cumprimentou quem o esperava e se dirigiu para o escritório, sendo logo seguido por sua secretária.

— O teatro está cheio hoje — provocou-a ao assumir sua cadeira, depositando a pasta que trazia sobre a mesa.

— Sim — ela não se fez de rogada. — E sua platéia está impaciente.

— Quais são os atos de hoje?

Sem se abalar com a provocação, ela os apresentou:

— Os pais de um riquinho metido a delinquente querem que você o tire da cadeia. Assalto a mão armada. Foi preso em flagrante. — Com uma careta, cochichou: — Já falaram até em *habeas corpus*...

— Com certeza esse não é primário — ponderou Ethan, abrindo a tela de seu notebook. — Não gostei desse. Passe para Andrew.

— Para Andrew?... Tem certeza?

— Pelo jeito é o tipo de caso que ele adora... Se ele não quiser, passe para qualquer outro ou para Seager. Ele é o mais novo aqui, não pode reclamar de nada.

— Certo! — Joly anotou em seu caderninho e continuou: — Uma viúva suspeita de ter assassinado o marido e...

— Viúva? Não vi mulher alguma na antessala — ele comentou, intrigado. — Ela teria se retirado por um momento talvez?

— Ethan Smith McCain! — ralhou Joly.

— Que foi? — Ethan perguntou com simulada inocência. — Só estou curioso!

— Sei — ela revirou os grandes olhos negros. — E não, ela não está aí. Mandou um representante. Pelo que entendi, ainda não foi acusada formalmente — antes que Ethan dissesse qualquer coisa, ela acrescentou decidida: — Vou encaminhá-la para Thomas.

— Ei! — Ethan a encarou de cenho franzido. — Desde quando você decide essas coisas?

— Desde agora! Não discuta comigo. Sua agenda está praticamente tomada até o final do ano. E já bastam as distrações avulsas que arruma, não precisamos de problemas com as clientes. — Sarcasticamente, perguntou: — Em que momento apagaria as lembranças da viuvinha? Antes ou depois que ela assinasse o cheque?

Ethan se preparava para responder como ela merecia, quando a porta de sua sala foi aberta e Thomas Miller, seu melhor amigo e marido de Joly, entrou.

— Pegue leve com Ethan, amor. — Thomas enlaçou a esposa pela cintura e beijou seus cabelos escuros. — Posso ouvi-los do corredor.

— Você e mais ninguém — retrucou Joly, aborrecida. — Alguém precisa colocar um freio nesse...

— Então. — Thomas a interrompeu sabiamente, já a guiando até a porta. — Preciso resolver uns assuntos com Ethan. Tenho certeza de que você poderá reclamar com ele depois.

Gentilmente a fez sair e fechou a porta. Logo se sentava à mesa de Ethan, em uma das cadeiras reservadas aos clientes.

— O quanto a ama? — Ethan perguntou enraivecido.

Thomas riu divertido.

— Estou falando sério — Ethan reiterou. — O dia que ficar viúvo, não me culpe.

— Você a ama e é correspondido — disse Thomas placidamente, recuperando-se do riso. — Se eu não tivesse certeza de se tratar de um amor fraterno, teríamos sérios problemas.

Ethan não retrucou. Ainda estava aborrecido, mas não se irritaria verdadeiramente com o casal. Conhecia Thomas desde a infância, quando Henry McCain adotou os Estados Unidos como sua segunda pátria. Cresceram juntos, foram colegas de faculdade. Quando Ethan retornou de sua viagem ao Brasil, órfão e mudado, sabia que ele era o único com quem poderia contar. Sua reação ante a novidade não foi das melhores. Houve a incredulidade, a repulsa e a compaixão antes que finalmente viesse a aceitação.

Na ocasião, ainda que matasse indiscriminadamente, Ethan sequer esteve tentado a atacar qualquer um dos Miller, contudo, quando Thomas caiu de um cavalo naquele mesmo ano e o médico lhe segredou que provavelmente este ficasse paralítico, não houve dúvidas. Apesar dos veementes protestos, e mesmo sem saber como fazer, Ethan resolveu transformá-lo. Sua recuperação foi vista como milagre.

Quando foi preciso aplacar a sede inicial, Thomas como sempre surpreendeu Ethan ao se recusar a matar, algo que sempre condenou. Bebia sangue humano, sim, porém sem causar danos. Servia-se também de sangue animal. Ethan experimentou certa vez, no entanto, considerou a mistura deprimente. Reconhecendo seu esforço, Thomas deixou de recriminá-lo. Em especial quando anos depois, Ethan decidiu ser seletivo, matando somente a escória. E assim, respeitando as respectivas escolhas, um fez companhia ao outro.

Como filho único, Ethan herdou a fortuna de seu pai que, além da casa em Chicago, incluía a mansão e as terras arrendadas na Inglaterra. Thomas não tinha posses, porém ser filho de família abastada lhe garantia boa situação. Sendo assim, ricos e imortais, deixaram seus afazeres para se entregarem aos prazeres mundanos. Eram considerados mulherengos, inconsequentes e boêmios. Não se importaram até que a juventude inabalável começasse a ser notada.

Este fato se somado ao aumento dos desaparecimentos e os relatos de doenças estranhas que levavam a anemias inexplicáveis, não somente em Chicago como em todas as cidades vizinhas, levantariam suspeitas perigosas ao segredo compartilhado. Antes que alguém mais supersticioso aventasse que tais acontecimentos estavam ligados a criaturas míticas, os vampiros decidiram sair em viagem para nunca mais regressar. Relutante em deixar quem amava, Thomas ainda se correspondeu com sua família até que cada um perecesse.

Por muitos anos seguiram com o mesmo estilo perdulário e farrista. Senhores da própria vida, viajaram, frequentaram as altas rodas da sociedade americana e européia. Influentes, eram bem relacionados. Faziam bons contatos com investidores que lhes incluíam em seus negócios lucrativos. Assim, a vida imortal associada a contas bancárias inesgotáveis lhes proporcionava uma vida de prazeres ilimitados. Entretanto, com o passar dos anos, a farra ininterrupta os esgotou e se tornou insatisfatória. Eram donos do mundo, sim, porém inúteis.

A mudança viria em sua segunda temporada em Paris. Em uma manhã de clima ameno, sem sol, quando passeavam pela Praça Louis XVI, encontraram Joelle Lefreve, sentada num dos bancos, chorando por seu velho pai, advogado vitimado pelo derrame. Com sua tragédia pessoal a jovem francesa os inspirou a quebrar a monotonia. A ideia de retomar a antiga profissão foi discutida posteriormente. Durante o encontro estavam mais interessados em consolar a moça chorosa.

Ambos notaram sua beleza, sendo que Thomas foi além do interesse momentâneo, indicando discretamente ao amigo que se mantivesse afastado. Ficou claro para Ethan que ele se apaixonara desde o primeiro instante pela frágil francesa de grandes olhos negros e cabelo castanho, preso num coque malfeito. Naquela mesma noite, ao seduzi-la, em um gesto confiante próprio dos enamorados, Thomas revelou sua condição e, com a aprovação de Joelle, transformou-a.

Estavam juntos desde então. Mais de 115 anos se passaram sem que nunca se separassem. Conheceram outros de sua espécie, não muitos. Alguns os ridicularizavam, considerando que se rebaixavam ao trabalharem, e partiam. Outros viram na advocacia um passatempo divertido e rentável, e ficaram. Estes eram Andrew Kelly, sua companheira Samantha e recentemente, Seager Holmes.

Atualmente, Ethan e Thomas eram donos de uma fortuna incalculável. Além das muitas contas e propriedades espalhadas por alguns países, Ethan era dono também do edifício no qual se encontrava: o NY Offices. Um arranha-céu com 49 andares que abrigava, além da cobertura duplex onde morava, a McCain & Associated, agências de viagens e publicidade, corretoras de imóveis, despachantes e consultores financeiros, restaurantes e cafés.

Morar sobre seu *camarim*, exatamente como Joly se referia ao seu escritório, era providencial. Sim, Ethan não deixou de ser um *bon vivant*, mulherengo e perdulário, no entanto, raras vezes fora negligente em suas atuações, não justificando a bronca de sua secretária. Como advogado, ele sabia que poderia se valer de bons argumentos para negar a assertiva do amigo, entretanto resolveu se calar e esquecer o comentário maldoso de Joly.

— Não tenho problemas em ser fratricida — Ethan replicou por fim, já livre da bronca, levando Thomas a novamente sorrir.

— Muito bem... Então, agora vamos ao que interessa. — Thomas sugeriu, assumindo sua postura séria.

Ethan o imitou, pegando suas anotações para que discutissem o que seria feito naquele dia, concentrando-se em suas falas para a peça que estava prestes a encenar. O último dia de julgamento de Michael J. King seria dali a poucas horas e Ethan desejava que fosse breve. Ansiava por uma noite cheia depois do expediente.

Capítulo 2

*S*tacy Hall chorava inconsolável. Apesar de não conversarem, Dana sabia que daquela vez o pranto não era por sua tia morta e sim, por ela. Subitamente a mãe a olhou aflita, segurou suas mãos unidas e passou a falar rapidamente.

"Mamãe, eu não a escuto", Dana falou. Sua mãe se desesperou. Movia os lábios e gesticulava, parecia ter pressa.

"Eu não a escuto", repetiu em vão. Stacy passou a mover os lábios lentamente. Dana se concentrou em lê-los. Então as palavras lhe saltaram aos olhos.

"Não se iluda." Com o entendimento veio o som irritante encheu o ar e, à medida que aumentava, a imagem de sua mãe se dissipava. Dana lhe estendeu a mão na tentativa de retê-la. O som intermitente a aborrecia.

"Mamãe", ela chamou. Stacy se foi.

∞

Ao despertar, Dana estava sentada em sua cama, com o suor escorrendo pelo pescoço. O despertador apitava insistente num bip-bip ininterrupto. Estendendo o braço, ela o desligou. Seu marcador mostrava: 6h30. Hora de levantar.

Completamente desperta, a moça olhou na direção da grande bola de pelos negros que dormia aos seus pés. Sorrindo para o gato dorminhoco, passou as mãos pelos cabelos úmidos de suor e se deixou cair de costas sobre os travesseiros.

Mais um dia! Felizmente era quinta-feira, praticamente final de semana.

Com um suspiro, Dana se arrastou para fora dos lençóis e, como de costume, foi até a porta que dava para a pequena sacada de seu quarto. Sorriu ao contemplar a *vista:* uma parede de tijolos aparentes. Se saísse para a sacada e olhasse à esquerda poderia ver a copa de uma árvore, algum carro estacionado e um pedaço do prédio em frente ao seu, nada mais.

Deixando a porta aberta para que o vento matutino corresse livre por seu pequeno apartamento, Dana partiu para o banho. Antes que a água alcançasse a temperatura ideal, despiu a camisola de algodão e entrou sob o jato deixando que os pingos grossos e velozes batessem em sua cabeça, rogando que levasse a imagem da mãe aos prantos pelo ralo. Não entendera o aviso. Com quem ou com o quê, ela não deveria se iludir?

Não tinha como descobrir a partir de um sonho nada revelador, então se dedicou ao banho. Depois de 10 minutos, Dana o finalizou e retornou ao quarto. Ao abrir a porta de seu guarda-roupa se deparou com a camisa masculina pendurada entre suas peças. Automaticamente, correu os dedos pelo tecido preto e macio da manga, sentindo uma imensa falta de seu namorado, Paul Collins.

Como sempre acontecia quando o advogado estava às vésperas de um julgamento importante, encontravam-se pouco. Havia cinco dias que não o via, sendo o último encontro expressivo a comemoração de seu próprio aniversário, meses antes.

Saudosa, Dana decidiu procurar por Paul caso ele não lhe telefonasse antes da hora do almoço. Depois de escolher as roupas que usaria, ela conferiu às horas: 6h48. Teria que correr ou se atrasaria. Ainda seria preciso chegar ao metrô. Gemendo teatralmente à lembrança desanimadora, lamentou que seu carro ainda estivesse na oficina mecânica. Nessas ocasiões — que se tornavam constantes — Dana se arrependia de não atender a insistência de Paul para que trocasse seu Accord 2006.

Quando estivesse estabelecida em seu emprego pensaria na possibilidade. Por enquanto deveria apenas se ocupar de se arrumar. Após conferir as horas mais uma vez, olhou em direção ao seu gato. Que vida maravilhosa as dos felinos. Basicamente comer e dormir.

— Acorde seu preguiçoso! — Dana disse afagando sua cabeça.

Sorrindo para o bichano, Dana vestiu a calça preta de linho leve e uma blusa cor-de-rosa, os scarpins escolhidos eram da mesma cor da calça. Maquiou-se minimamente e se penteou diante do grande espelho que ficava ao lado de sua cama. Os cabelos castanhos — claros num tom incomum — lhe caiam pelos ombros, domados. Dana não se considerava bonita, mas aprovou o conjunto da obra. Sorrindo para o reflexo da mulher arrumada, alcançou sua bolsa, disposta sobre a poltrona florida e saiu.

Como que para compensar o movimento intenso dos últimos dias, o trajeto até seu trabalho transcorreu tranquilamente. Quando ganhou as ruas, deixando a escadaria do metrô, ergueu o rosto para receber o vento outonal em sua pele. Enchendo os pulmões com os odores da Manhattan, Dana caminhou apressada as três quadras restantes até chegar ao seu destino.

Logo entrava no edifício antigo onde funcionava o jornal no qual trabalhava em regime de experiência como jornalista, o *Daily News*.

Apressada, Dana cumprimentou o porteiro e correu para aproveitar o elevador que já subiria. Quando finalmente chegou à redação, seu coração acelerou como na primeira vez. Dana adorava aquela cacofonia. O dedilhar incessante nos teclados dos computadores, os toques de telefone e as vozes. Aquele era o som da notícia.

No dia seguinte completaria três meses que fazia parte daquele universo. A oportunidade veio através de seu futuro sogro. Pedro Collins, um banqueiro esnobe de Charleston. Pedro e Billy Jones — seu patrão — eram amigos desde o colegial. A princípio Dana relutou em aceitar a "indicação" ao editor-chefe, porém, como nada conseguia por conta própria, restou a ela agradecer e pegar a chance de trabalhar num jornal de expressão.

E seria efetivada, Dana sentia. Sem exageros, escrever era sua vida. Simplesmente adorava pesquisar, redigir e criar artigos. Confirmando tal entrega, ela se encontrava completamente absorta quando o telefone ao lado de seu computador tocou, horas depois.

— Dana Hall — Seu tom era profissional, os olhos fixos na tela repassando a última frase escrita.

— *Bom dia, anjo. Serei breve.*

— Paul! — Contente, ela minimizou a página com seu texto incompleto e pediu: — Não tenha pressa. Posso falar... Sinto sua falta.

— *Eu também. Por isso gostaria de encontrá-la esta noite.*

— Mas o julgamento é amanhã.

— *Sim, mas preciso vê-la. Há cinco dias não nos encontramos.*

— No meu apartamento ou no seu? — Dana sorriu, ansiosa.

— *Na verdade, vou estar livre depois das seis horas. Gostaria de levá-la a uma happy hour no Loeb, que me diz?*

— Perfeito!

— *Você se importa de nos encontrarmos lá? Já pegou seu carro?*

— Vou buscá-lo assim que sair daqui. Não se preocupe, eu encontro com você no Loeb.

— *Combinado! Então nos vemos à noite. Tchau, meu amor.*

— Tchau, meu amor!

Com um suspiro enlevado, Dana recolocou o fone no gancho. Distraidamente levantou os olhos e se sobressaltou ao se deparar com Melissa Evans a encará-la por sobre a divisória.

— Ah... O amor! — suspirou Melissa, em um exalar apaixonado.

Dana não pode deixar de rir de sua expressão patética. Então perguntou divertida.

— Deseja algo em especial além de suspirar por uma breve conversa ao telefone?

— Deixe de ser implicante, Dana!... Eu acho lindo o relacionamento de vocês. Não pense que é inveja, mas eu gostaria de encontrar um amor assim.

— E eu tenho certeza de que conseguirá — disse sinceramente. — Você merece!

— Obrigada!... Mas enfim, vamos ao trabalho. Tenho uma matéria para você. Está interessada? Sei que gosta do tema.

— O que seria?

— É para o caderno de variedades. Preciso para segunda-feira, pois será publicada na terça — rindo, provavelmente da expressão ansiosa no rosto de Dana, Melissa por fim, contou: — Como o assunto está na moda o editor-chefe me pediu uma matéria sobre vampiros.

— Vampiros?!

Dana se animou. Era novamente a criança fascinada pelo assunto. Ser uma vampira mirim era corriqueiro nas festas de Halloween desde que descobriu as criaturas em uma série de gibis. A voz de Melissa veio de longe.

— Dana?... — Dedos foram estalados diante de seus olhos. — Você está aí?

— Desculpe...

— Então? Vai fazer ou passo para outro?

— Não!... Eu faço — confirmou rapidamente.

— Certo! Preciso disso na segunda para a edição de terça, não se esqueça.

Dana assentiu e voltou ao trabalho. O dia passou depressa e, sem que percebesse, já era hora de ir para casa. Ansiosa por encontrar com Paul, ela se permitiu uma pequena extravagância, indo de taxi até a oficina mecânica. A despesa extra serviu apenas para descobrir mais cedo que seu carro permanecia sem conserto.

Frustrada, Dana correu as três quadras da oficina até seu prédio, rogando que não se atrasasse. Ao fechar a porta de seu apartamento atrás de si, Black se espreguiçou e sentou sobre o sofá. Com um ligeiro afago na cabeça negra, Dana correu até o quarto já despindo as roupas, escolhendo mentalmente o que usaria. Em verdadeiro feito histórico, estava pronta em apenas quinze minutos.

Antes que saísse verificou a água e a ração de Black, pegou a bolsa e um casaco longo que levaria apenas por precaução e partiu para seu encontro.

De volta à rua, precisou andar uma quadra até que conseguisse um taxi. Gostava daquele lado pouco movimentado em East Village, mas às vezes tanta placidez chegava a ser irritante.

Refreiou o mau humor infundado quando entrou no veículo. Não era culpa de ninguém, muito menos de uma rua calma, se estava impaciente. Após indicar seu destino ao motorista, respirou fundo e fechou os olhos. Logo estaria com Paul. O trânsito de final de tarde, ameaçava contradizê-la. Sorte estar com um taxista experiente que evitou as ruas e avenidas de tráfego intenso, fazendo-o somente em lugares de inevitável necessidade.

Dana não conseguia acreditar na proeza, mas às 7h05 estava sentada a uma mesa do Café Boat House, ao lado da lagoa. Ela sequer admirou o estilo neoclássico do local, estava habituada. Pediu um cappuccino. Para se distrair durante a espera, tirou o netbook da bolsa e começou a esboçar sua matéria sobre o tema tão conhecido: vampiros. Antes que terminasse a segunda frase, seu celular tocou.

— Alô! — atendeu distraída.

— *Anjo, você já está no Loeb?*

— Sim, acabei de chegar. — Então se deu conta de que era para ele estar ao seu lado, não lhe telefonando. — Você não vem?

— *Sim!... Mas surgiu um fato novo que tenho de averiguar a veracidade.*

— O que eu faço? — Dana perguntou pesarosa. — Vou embora? Posso ir para seu apartamento se desejar.

— *Você está de carro?*

— Não estava consertado — respondeu desanimada.

— *Então fique onde está! Não vou me atrasar tanto assim que seja preciso adiar o que combinamos. Tome alguma coisa sem mim. Um pouco antes das oito horas, eu passo aí então seguimos para outro lugar.*

— Está bem — concordou resignada. — Não demore!

— *Pode deixar. Eu te amo!*

— Também te amo — dito isso deixou o celular sobre a mesa e retornou sua atenção aos seus adorados vampiros.

Seu cappuccino foi entregue. Dana bebericou tomou o primeiro gole e então o esqueceu. Seus dedos trabalhavam frenéticos no teclado mínimo de aparelho. Escrever sobre as criaturas da noite era quase que natural para ela, como se fosse amiga íntima de algum dos seres míticos. Concentrava-se a tal ponto em sua redação que teve um sobressalto quando sentiu o toque em seu ombro.

Preparou-se para ver o rosto querido de Paul, porém terminou por encarar um dos garçons.

— Desculpe-me senhorita, mas estamos fechando — disse pesaroso.

— Claro! Eu é que peço desculpas — falou, conferindo o relógio na tela: 7h55.

Após pagar pelo cappuccino, praticamente intocado, recolheu suas coisas e saiu para o parque. Tentou localizar o namorado, porém ele não atendia o celular nem ao telefone de seu apartamento. Dana imaginou que ele provavelmente estivesse a caminho, considerando ser melhor esperá-lo próximo ao Café para que não se desencontrassem. Logo sentava num banco de onde veria a chegada de Paul.

A noite estava agradável. Os casais passeavam de mãos dadas, algumas pessoas corriam pela calçada coberta por folhas secas ouvindo seus ipods, outras apenas andavam distraídas com seus animais de estimação. Dana gostava muito daquele espaço verde no meio da cidade. Apesar de ter crescido em uma área urbana, Dana sentia como se estivesse em casa, cercada por todas aquelas árvores centenárias. Era reconfortante. Com um suspiro profundo, aspirou e expirou o ar, antes de desligar-se de tudo o que via ao seu redor e voltasse sua atenção à matéria.

Deixando o netbook em sua bolsa, pegou um bloco de anotações e começou a escrever rascunhos para que não perdesse o fio de raciocínio ou a forma que abordaria o tema. Absorta, não percebeu o passar das horas nem a diminuição da frequência do parque. Quando se lembrou de conferir as horas em seu celular, já passava das nove. Dana começou a se preocupar verdadeiramente com Paul.

Por alguns minutos ficou dividida entre à vontade de seguir para seu apartamento ou esperar. A segunda opção era imprudente, porém Dana não queria arriscar um desencontro. Resolveu então ficar um pouco mais, distraindo-se ao divagar sobre castelos na Transilvânia e belos espécimes masculinos, donos de dentes retráteis e charme inigualável. Repassou quantas vezes imaginou aqueles rostos lindos, voltados para seu pescoço a sugar seu sangue. Sorrindo nostálgica, mais uma vez se perdeu no mundo mítico — levemente excitada —, desligando-se da realidade.

Dana voltou para ao mundo real minutos depois, desperta por passos apressados. Ao olhar em volta, viu que se tratava de três atletas de última hora. O mais baixo e loiro vinha à frente, seguido dos dois outros homens, altos e fortes, seguranças provavelmente. O baixinho deveria ser alguém importante, ela considerou. Quando a pequena comitiva passou ao seu lado e o líder da corrida olhou em sua direção, Dana o reconheceu de imediato: Michael King, o contrabandista de drogas e armas, cujo julgamento acontecera naquela tarde.

Dana lamentou intimamente a incompetência da promotoria. Se aquele indivíduo corria livre pelo parque à noite era porque, à tarde, tinha sido absolvido das acusações.

King — como gostava de ser chamado —, passou por ela avaliando-a descaradamente. Dana repudiou a expressão especulativa, sentiu-se suja. Asco era tudo que nutria por pessoas como ele que viviam da exploração da dependência química de uma parte da população, algumas vezes, pouco esclarecida. Tipos como ele destruíam a juventude e a segurança pública, fazendo parques como aquele, perigosos para pessoas como ela.

Virando-lhe o rosto, enojada, Dana procurou saber as horas: 10h45. Era tarde demais, ela se admirou com seu completo desligamento. O tempo passou sem que notasse. Era evidente que não tinha motivos para esperar mais. Arriscaria aparecer no apartamento do namorado mesmo correndo o risco de não encontrá-lo. Seu senso de preservação lhe dizia que um desencontro, desde cedo, teria sido preferível a ficar ali.

Capítulo 3

Aquela era uma noite perfeita. Como todo início de outono o clima em Nova York era ameno, ainda inspirando passeios ao ar livre. Talvez por essa razão King corresse pelas calçadas do Central Park, completamente distraído, acompanhado de perto por dois de seus seguranças particulares, ao invés de estar em casa sob a proteção irritante de suas paredes. Melhor para Ethan McCain.

Percebia-se no rosto de Michael King que ele aspirava o ar da liberdade com prazer. Quem o encontrasse, dificilmente imaginaria que se livrara de ser condenado por tráfico de drogas e armamento pesado. Tampouco, que seu julgamento tivesse acabado há poucas horas. Quando seu advogado de defesa, em suas considerações finais, desmereceu todos os argumentos e provas frágeis de um estarrecido representante da promotoria, não restando opção aos jurados além de absolvê-lo e ao juiz, Adam Simpson, ditar o veredicto favorável.

Espreitando-o em meios às arvores, Ethan viu o momento em que King cruzou com a jovem sentada em um dos bancos. O tom de cabelo indefinido dificultou ao vampiro uma prévia classificação, loira ou morena. Em qualquer das versões, era um tipo comum e causou estranheza por se encontrar sozinha num lugar tão perigoso, ela não deveria estar ali.

Mesmo estando longe, Ethan percebeu a forma apreciativa com que seu cliente a avaliou, aprovando-a antes de seguir seu caminho. Se o traficante cogitou a ideia de voltar para cortejar a jovem desavisada estava irremediavelmente enganado. King não viveria além da próxima curva. Quando se dirigisse com seus guarda-costas para a área isolada do parque o vampiro agiria.

Não foi preciso esperar. Logo o King e seus seguranças atravessavam um trecho adequado para o ataque. O vampiro se adiantou para que suas rotas se cruzassem. Sabia que sua presença não era notada quando falou:

— Como vai King? Noite boa para uma corrida, não?

Michael parou, abruptamente, a uns cinco metros de Ethan. Seus seguranças imediatamente se posicionaram entre eles, as mãos nas costas, segurando suas armas. Tolos, o vampiro debochou silenciosamente.

Estreitando os olhos para adaptar sua visão ao escuro, o traficante reconheceu o advogado afinal.

— Deixem de bobagem rapazes — disse aos seguranças. — Ele é conhecido!

Estes relaxaram, porém não completamente. Michael se voltou para Ethan com um sorriso zombeteiro no rosto.

— O que faz aqui à uma hora dessas? Acaso está me seguindo?

— Exatamente.

O sorriso galhofeiro de King morreu.

— Não entendi. Um dos cheques gordos que lhe entreguei voltou ou o quê?

— Não voltou. Minha conta bancária foi elevada em algumas cifras. Obrigado!

— Então o quê...? — O homem demonstrou certa impaciência. — O que quer de mim?

— Nada, vim apenas matá-lo.

Ao se calar, Ethan viu os seguranças sacarem as armas e apontarem em sua direção.

— Esteve bebendo, McCain? — Michael debochou. — Ou o ar viciado daquela corte velha poluiu seu juízo?

— Dificilmente aconteceria. Não viciaria em algo tão fraco.

— Ah, entendi... Você deseja um pouco do que meus meninos podem oferecer a você. Não precisa me ameaçar para conseguir o que tenho de melhor.

Ledo engano. Ethan jamais tocaria no que os *meninos de King* ofereciam pelas ruas e para ter o seu melhor teria de matá-lo. Ansioso por esse momento, em ação precisa, o vampiro correu em torno dos seguranças e quebrou seus pescoços antes que efetuassem qualquer disparo. Ao término de seu movimento, King o encarou com olhos arregalados.

— Quem é você? — perguntou abobalhado, quando foi erguido pela gola do moletom.

— Você me conhece, esqueceu? Eu o livrei da prisão esta tarde e agora vou livrar as ruas de você.

Ethan curvou um dos cantos da boca em um sorriso incompleto, esfregando a ponta da língua no canino proeminente e afiado antes de prosseguir:

— Mas não custa nada me apresentar corretamente. Quem sou eu? Sou Ethan McCain. Advogado criminalista por profissão e defensor das leis... Ah, sim!... Infelizmente para você também sou um vampiro.

— Só pode estar louco, McCain! Vampiros não existem e você acaba de infringir a lei. Matou dois homens!

— Detalhes, detalhes... Eu nunca disse que defendia todas as leis. — Ethan cantou revirando os olhos antes de afastar o moletom para ter melhor acesso à jugular de sua vítima. O traficante maximizou ainda mais os olhos, divertindo o imortal com seu pavor. — Adeus, King! Dê um "oi" a todos os infelizes que você mandou para o inferno quando chegar por lá.

Antes que sua presa pronunciasse qualquer palavra, o vampiro tapou sua boca com uma das mãos e enterrou os dentes em seu pescoço. Michael se debateu enquanto o bebia, porém logo perdeu as forças e em instantes estava morto.

Satisfeito com seu real honorário, Ethan depositou o corpo ao chão. Aproximou-se então dos dois outros corpos, pegou uma das armas e disparou contra o pescoço do traficante, no local exato onde mordera. Sabia que a perícia concluiria que o tiro foi efetuado após a morte, atestaria a falta de sangue no cadáver atingido e todo o blá-blá-blá técnico habitual, contudo não encontrariam os vestígios de sua mordida uma vez que não foi nada cuidadoso com a investida.

Tomando o devido cuidado de apagar suas digitais, Ethan jogou a arma ao lado dos mortos e limpou qualquer vestígio de sangue que pudesse haver em sua boca. Aspirando o ar noturno, arrumou o grosso casaco preto sobre os ombros e tomou o caminho utilizado por King para chegar àquele ponto.

Poucos metros à frente, Ethan viu a moça apreciada por seu ex-cliente afastando-se com pressa. Creditou-lhe tão pouca importância que tinha se esquecido dela por completo. Sabia que ela não presenciara sua ação, no entanto, era evidente que ouviu o disparo, justificando o martelar frenético do coração humano que chegava nítido aos seus ouvidos. Por vezes olhava sobre o ombro, visivelmente alarmada.

Que fosse embora, ele pensou indiferente. Ignorando-a, Ethan olhou para o céu sem lua e arrumou, mais uma vez, a gola de seu casaco. Preparava-se para seguir o caminho oposto, quando aconteceu. De súbito o vampiro estreitou seus olhos e voltou o rosto para aquela que se afastava a passos largos. Ainda pôde ver os cabelos flutuarem ao sabor da mesma brisa que trouxe o odor atrativo.

Involuntariamente todos os músculos do seu corpo imortal se retesaram em expectativa. Ethan se questionou que novidade seria aquela, afinal, nunca reagiu tão prontamente à fêmea alguma, nem a Maria. Aquele cheiro o atordoou por um segundo. Pêssego misturado a um odor conhecido que deixava machos como ele em alerta e que a tornava totalmente desejável. Ela exalava excitação. O sangue fresco que corria nas veias do vampiro fervilhou. Quando percebeu já a seguia. Ethan a acompanhava pelas sombras, farejando o vento leve que trazia o aroma aliciante.

Como se percebesse sua aproximação, ela apertou os passos. Para Ethan a perseguição se tornou uma caçada. Precisava alcançá-la, conhecê-la, porém sem assustá-la. Com certeza, lembraria de perguntar o nome daquela vez. Não que pretendesse cumprimentá-la corretamente na manhã seguinte. Queria-a naquele instante. Poderia encantá-la e atraí-la para outra das tantas partes escuras do parque e quem sabe, provar um pouco de seu sangue enquanto copulasse com ela.

Sim, seria exatamente o que faria, determinou deliciado, deixando fluir seu desejo. Seu plano não teria falhas, pois o odor que o corpo dela exalava, indicava que estava pronta para recebê-lo. Provavelmente esteve todo o tempo no parque vazio a espera de um macho. Ethan ponderou que talvez ela fosse uma prostituta à caça de clientes.

Com a conclusão, sorriu satisfeito. Ele seria um bom cliente. Pagaria o quanto pedisse e com certeza não a debilitaria. Se ela mostrasse ser tão boa durante sua posse quanto seu cheiro prometia, ele a manteria por muito tempo como tantas outras que conheceu.

Enquanto a seguia, Ethan a analisou com maior interesse. O cabelo — que agora via ser castanho claro — era volumoso e levemente ondulado. Não conseguia distinguir como era o corpo feminino, apenas adivinhá-lo pelos contornos do casaco bege. Ela era esguia. Sua estatura mediana estava elevada pelo salto alto das sandálias pretas que usava. Não se vestia com ostentação, contudo parecia elegante. Se fosse profissional do sexo, seria uma de luxo. Mas então... por que diabos ela estaria caçando clientes no Central Park tarde da noite?

Ethan ficava cada vez mais atraído por aquela criatura intrigante. Arrependeu-se por não ter reparado melhor em seu rosto quando teve a chance. Lembrou-se que a considerou comum e sorriu autocrítico pela pouca percepção. Aquela fragrância a tornava o oposto do comum e tudo que era raro o interessava. Deveria encerrar com a perseguição avaliativa e abordá-la.

Estava prestes a diminuir a distância entre eles, deixando de vez as sombras para revelar sua presença quando ela se chocou contra um homem surgido do nada. Protetoramente, este passou os braços à sua volta, estreitando-a em um abraço afetuoso. Por instinto, Ethan recuou para as sombras e, por entre as árvores, avançou alguns passos.

A jovem estava assustada, tanto que por um instante se debateu antes que um lampejo de reconhecimento cruzasse seus olhos castanhos. Ethan os viu e guardou na memória, junto ao seu odor. Reparou também no homem, considerando seu rosto familiar. Ela se atirou contra ele de um salto, apertando-o em um abraço.

— Que bom que você veio! Eu estava apavorada!

A voz lamuriosa e abafada contra a gola do casaco masculino chegou nítida até Ethan, distraindo-o. Ele notou que era de um timbre perfeito, quase musical mesmo que estivesse assustada. Nada bom! Sentenciou. Estaria fadado a se agradar por tudo naquela criatura ímpar?

— Desculpe meu atraso. Aconteceram tantas coisas. Fui direto para seu apartamento. Como você não estava e não atendia ao celular resolvi vir verificar se ainda estava aqui — disse o recém-chegado, acariciando os cabelos fartos. Ethan não saberia dizer o motivo, mas tal gesto o desagradou. — Dana por que não foi embora quando percebeu que eu não viria?

Dana. Dana. Dana... O nome se fixou na mente de Ethan. Sim, ele se agradaria de tudo.

— Eu não sei... — ela choramingou. — Podemos sair daqui? Ouvi um tiro. Vamos logo.

— Um tiro?... Onde? — O homem a desprendeu de seu pescoço e a encarou. — Dana alguém pode estar precisando de ajuda!

— Ou não... pode ter sido acidental... Exibicionismo... Não sabemos... Vamos embora e então chamamos a polícia.

— Dana é meu dever como cidadão e...

— Paul, eu estou implorando! Tire-me daqui! Você é advogado, não investigador!

Advogado. Sim, ele o conhecia. O escritório onde trabalhava pertencia a Harry Turner, o segundo mais procurado da cidade — o primeiro era o dele próprio. Ethan considerou a coincidência interessante. Um de seus colegas de profissão era o dono do seu novo objeto de cobiça. Claro que pelo modo íntimo que se tratavam só poderiam formar um casal. O vampiro sorveu o ar e o expirou, ligeiramente decepcionado.

Por um instante sentiu surgir o instinto primitivo dos primeiros dias de transformado, quando, sem remorsos eliminaria quem se interpunha entre ele e sua presa para tomar dela o que bem quisesse, porém logo voltou ao seu normal. Há mais de um século era uma criatura civilizada e não mataria por uma copula. Entre resignado e frustrado, Ethan assistiu a "Dana de Paul" o convencer a ir embora, e deixou que se fossem.

O casal seguiu abraçado até o outro lado da rua, onde o homem moreno a ajudou a entrar em um Lexus preto estacionado em local proibido com o pisca - alerta ligado, antes de manobrar e entrar no trânsito, ainda pesado apesar da hora. O vampiro cogitou segui-los, contudo preferiu não se dar ao trabalho. Melhor seria esquecer aquele encontro e seguir como se nunca tivesse sido atingido por aquele cheiro viciante.

Tentou se convencer de que a atração que sentiu não passou de empolgação pelos momentos estimulantes que vivenciou. Não faltava em Nova York mulheres para satisfazê-lo. Decidido procurou por seu celular no bolso da calça de sarja e discou o número conhecido rapidamente. Três toques depois Ethan foi atendido.

— Desculpe-me por acordá-la — falou sem pesar. Após ouvir um resmungo sonolento, acrescentou pouco se importando se seria conveniente à mulher. — Preciso vê-la. Em cinco minutos passo aí para buscá-la. Vista o casaco que lhe dei e desça como está. Não demore. E mais uma coisa... Por acaso você teria pêssegos?

Após a confirmação, exclamou:
— Perfeito! Traga um.

Ethan suspirou satisfeito enquanto guardava o aparelho no bolso. Por mais que as mulheres tentassem se valorizar, reclamando da hora ou do dia, sempre vinham a ele. Cada vez mais se agradava de seu arranjo repentino. Não teria em seus braços uma Dana apetitosa, mas nada impedia que outra lhe desse a satisfação carnal que ela despertou. Laureen seria tão boa quanto se assim desejasse.

Sorrindo, Ethan seguiu para seu carro, um BMW grafite estacionado a algumas quadras da 5ª Avenida. Deixou o parque para trás e ganhou a noite. Tinha cumprido seu papel ao livrar o mundo de um ser asqueroso como King, agora tentaria livrar sua mente das imagens de Dana no corpo desejável de Laureen.

Ansiando por se livrar da excitação vinda com a mistura inocentemente perigosa de fruta e luxúria, Ethan atravessou boa parte da Madison Avenue e transversais em alta velocidade até chegar na 82nd Street em Yorkville onde Laureen morava. Antes de estacionar, viu-a em frente ao portão, sonolenta, a segurar um pequeno embrulho. Seu pêssego.

Cada vez mais ansioso Ethan parou ao seu lado com a porta do carona aberta. Assim que se acomodou no assento do carona, Laureen lhe sorriu, totalmente recuperada do sono.

— Senti sua falta, Ethan — disse, aproximando-se para tocar seus cabelos da nuca.

O vampiro a olhou de relance enquanto saía de sua rua, em alta velocidade. Quadras depois, ainda sem responder, ele a olhou de soslaio quando foi obrigado a obedecer à sinalização em um cruzamento movimentado demais, onde não poderia arriscar uma infração. Laureen era uma mulher bonita. Seu cabelo loiro escuro descia um pouco além dos ombros e os olhos, eram de um azul profundo. Ethan desejou que fossem castanhos.

— Trouxe o pêssego? — perguntou por perguntar, impaciente.
— Sim... — Laureen respondeu indicando o embrulho. — Está aqui! Quer comê-lo agora?
— Não... quero que você o coma.

Obediente, Laureen desembrulhou a fruta e, adivinhando a intenção oculta no pedido, começou a saboreá-la lentamente. O vampiro admirou os lábios se moverem de forma sensual. Sem que pudesse evitar, imaginou que outros lábios reproduziam o mesmo movimento. Imediatamente o desejo sentido se agravou.

Ethan voltou à realidade quando buzinaram, pedindo passagem. Sem demora, desviou os olhos da cena e acelerou rumo ao seu edifício. Sempre que possível mirava a bela mulher que degustava o pêssego com lenta devoção. O cheiro da fruta impregnava o interior do carro, fazendo com que a lembrança dos cabelos ondulantes de Dana aumentasse sua excitação. Logo passou a acariciar os cabelos de Laureen na altura da nuca.

Esta fechou os olhos e soltou um gemido abafado enquanto chupava o último naco da fruta solicitada. No caso dela não precisava adivinhar os contornos do corpo, conhecia-o nos mínimos detalhes. Laureen era uma de suas preferidas. Deliciosa e ousada. E naquela noite lhe prestaria um imenso favor. Escondendo o embrulho com os restos do pêssego no bolso do casaco que usava, Laureen voltou sua atenção para Ethan. Inclinando-se em sua direção, estendeu a mão e levemente apertou sua coxa, próximo a virilha.

— Eu fui obediente — disse, lânguida, imprimindo maior força em seu aperto. — O que eu ganho em troca?
— O que você quiser — Ethan respondeu entrando no jogo.
— Eu quero... Isto!

Indicando sua escolha, Laureen subiu a mão até a rigidez masculina e a massageou. Ethan se surpreendeu ao reconhecer que não conseguiria chegar até seu edifício. Conhecia a cidade como a palma de sua mão, contudo, a súbita alienação não o deixava saber onde estava. Apenas registrou que a rua era pouco movimentada, perfeita. Tão logo estacionou, afastou o assento e o reclinou.

— Tire o casaco. Quero vê-la — ordenou. Não tinha tempo para ser gentil.

Laureen o obedeceu, revelando aos olhos famintos uma camisola minúscula de renda preta. Ethan estendeu a mão e tocou o ombro de pele alva e perfeita, macia, quente. O coração humano batia acelerado, reagindo ao seu toque. Era tudo que o vampiro precisava.

— Venha! — chamou-a para seu colo.

Ethan gemeu de puro deleite ao ser atendido; sentia o cheiro, sabia que assim como a mulher do parque ela estava pronta. Como se não bastasse, mesmo no escuro ele podia vislumbrar a fome cruzando as íris azuis e, mais uma vez, desejou que fossem de outra cor.

— Feche os olhos — demandou, prendendo-a pelos cabelos da nuca.

Laureen cerrou as pálpebras e entreabriu os lábios, expectante. Ethan, aspirando ao hálito de pêssego, fechou os próprios olhos e imaginou outro rosto. Deixando-se iludir pela doce fragrância, beijou sua acompanhante com fúria. E então, a humana que despertou sua luxúria estava ali. Dana retribuiu seu beijo com a mesma intensidade enquanto pressionava seu quadril contra o dele. Como represália à provocação, Ethan puxou-lhe os cabelos para se apossar de seu pescoço; chupando-o, sem mordê-lo.

Ainda presa, a moça afastou o casaco de seus ombros largos e desabotoou sua camisa para tocar o peito forte. Ethan logo desceu as mãos pelas costas femininas até as nádegas arredondadas e apertou a jovem contra si. Sua Dana gemeu enquanto se contorcia sobre sua rigidez, procurando prévia satisfação. Ethan preferia tê-la completamente, então se afastou somente o necessário para que ela lidasse com o cinto, o botão e o zíper de sua calça, eliminando todas as barreiras. Livrando-a da calcinha mínima, posicionou-a sobre si e a fez descer sobre seu membro hirto. Ambos gemeram alto quando seus corpos finalmente se encaixaram um ao outro.

Segurando-a pelo quadril, Ethan ditou a velocidade dos movimentos. Estimulado pelos gemidos da Dana imaginária, o vampiro ansiou saciar todas as suas fomes. Permitindo-se salivar, lambeu a lateral do pescoço delgado e o mordeu para se deliciar com o sangue quente e jovem enquanto investia contra o corpo macio. Os derradeiros gemidos da moça chegavam aos ouvidos do imortal ainda como um lamento, excitando-o ao ponto de acompanhá-la na satisfação final.

Ethan lambeu o pescoço, cicatrizando o ferimento causado por seus dentes pontiagudos, enquanto o corpo dela ainda estremecia junto ao seu. A moça caiu enfraquecida sobre seu peito, arfante. Ele deixou que ela deitasse a cabeça em seu ombro e lhe acariciou os cabelos. Ainda sem olhá-la, entregue ao seu delírio, apreciou a textura dos fios que se espalhavam por seu braço. Pegou uma das mechas e aproximou ao nariz.

— Eu realmente sentia sua falta.

Então, o cheiro errado nos cabelos loiros e a voz fina o colocaram de volta ao beco escuro. Toda satisfação se foi no instante que seu corpo reconheceu não ter possuído a jovem do parque, sim, uma substituta conseguida às pressas.

Ethan sentiu a raiva crescer em seu íntimo. Não saberia dizer se da situação inusitada, uma vez que nunca se enganara daquela forma, de si mesmo, por desejar de modo insano uma humana que vira por apenas poucos minutos ou de Laureen, por não ter sido capaz de satisfazê-lo.

— Volte para seu assento — ordenou sem gentileza, repentinamente incomodado pelo contato dos corpos. — Vou levá-la de volta ao seu apartamento.

— Mas eu pensei... — Ela se calou no segundo em que uma espécie de rosnado ressoou no interior do carro. O peito de Ethan rugia furioso.

— Vou levá-la para casa — repetiu enquanto se recompunha.

Logo voltava seu assento à posição normal e ligava o motor. O ronco suave encheu a noite. Enquanto manobrava, Ethan se amaldiçoou por ter sido fraco. Olhando de soslaio para Laureen, resolveu culpá-la pela irresponsabilidade. Irritou-se ao ver duas lágrimas rolarem pelo rosto feminino e, desejoso de descontar nela toda raiva que começava a nutrir pela mulher desconhecida, demandou, azedo:

— Pare de chorar e se recomponha. Preciso levá-la embora, pois não poderia desperdiçar minha noite com você.

∞

O vampiro despertou com o bater violento de uma porta. Abriu os olhos exatamente quando Thomas descerrou as persianas que cobriam a parede de vidro de seu escritório. A claridade dissipou a escuridão de súbito, irritando as íris sensíveis. Ethan não entendeu a ação, pois o amigo sabia que a luz excessiva feria seus olhos.

— Feche isso, agora! — ordenou enquanto virava o rosto.

— O quê...? Está doendo? — Thomas debochou.

— Thomas, eu estou avisando... Se me obrigar a ir até aí vou fazê-lo se arrepender — Ethan rugiu.

Ouviu-se um impropério e, em segundos, a sala mergulhou na penumbra. Thomas conhecia seu mau gênio e não se atreveria a desafiá-lo. Olhando em sua direção, viu que o amigo de quase dois séculos, bufava enquanto abanava um jornal nervosamente.

— Irresponsável! — Thomas o acusou. — Quando vai parar de fazer essas coisas?

— Bom dia para você também, Tommy — o vampiro cumprimentou ao se sentar, passando as mãos pelos cabelos em desalinho.

Olhando à sua volta, Ethan viu a garrafa de uísque com apenas dois dedos do líquido âmbar, sobre sua mesa. Desceu o olhar para o chão e descobriu o copo caído ao lado do sofá. O casaco e a camisa largados de qualquer jeito sobre o carpete da sala, assim como os sapatos e as meias. Imaginou que sua aparência não destoava da bagunça ao seu redor. Lembrou-se da noite anterior, de como correu escada acima e, sem paciência para chegar ao seu apartamento, seguiu direto para o escritório onde se entregou ao leve torpor que bebidas destiladas lhe proporcionavam.

Lembrou-se do início da madrugada, quando deixou Laureen, ainda chorosa, no mesmo lugar onde a pegou. Necessitando desforrar sua frustração, nem se deu ao trabalho de lhe apagar a memória. Ela que lembrasse como fora usada e descartada. Repassando seus atos impensados, algo lhe ocorreu. Seria possível que alguém os tivesse visto enquanto estavam na rua deserta? Se assim fosse, por que o fato sairia nos jornais logo na manhã seguinte?

Ethan se perguntou ainda se a placa de seu BMW estivesse nítida na foto e que esse fosse o motivo da bronca de Thomas. Um escândalo, mesmo que por razões banais como atentado ao pudor, seria prejudicial para a credibilidade que competentemente construíram para McCain & Associated. Principalmente quando o que mais desejavam era a boa e velha privacidade que não só endossavam sua imagem impoluta como encobria a verdade sobre sua condição de imortal.

Sem desviar os olhos de Thomas, que esperava por uma resposta a sua pergunta, Ethan ignorou completamente a ironia do amigo e suspirou. Preparando-se para rir quando este lhe insultasse comparando-o a um tarado, perguntou:

— Qual é o problema dessa vez?

Sem nada dizer, Thomas se aproximou do sofá e jogou o jornal aberto na página policial sobre seu colo. Os olhos de Ethan, ainda um tanto sensíveis pela claridade instantânea e recente, focalizaram a manchete.

∞

"Terror e Morte no Central Park"

Após ser acionada por denuncia anônima, a polícia encontrou o corpo de Michael John King, 49 anos, e os de seus dois seguranças particulares: Eric Jefferson, 27 anos e Joseph Varner, 31 anos, em uma das calçadas do Central Park. Michael, conhecido empresário do ramo automobilístico, que tinha sido notícia nos últimos dias devido ao julgamento que se realizou na tarde anterior à sua morte, no qual foi absolvido da acusação de tráfico de entorpecentes e...

Ethan interrompeu a leitura. Sua vontade era fazer o amigo engolir pedacinho por pedacinho daquele tablóide de quinta, somente para refrescar-lhe a memória. Agitando o jornal na direção de Thomas, perguntou incrédulo:

— Veio me incomodar por isso?!... Você sabia que eu o mataria!
— Vou acreditar que não leu tudo! — Thomas exclamou exasperado. — Recuso-me a confirmar minhas suspeitas a crer que fosse sua intenção fazer o que está descrito aí.

As palavras do amigo tiveram o poder de confundir Ethan, despertando-lhe a curiosidade. Sem demora, baixou os olhos para a página e leu o restante da matéria.

∞

... armas, devido á defesa exemplar de Ethan McCain. Lamentavelmente o bom desempenho do famoso criminalista foi vão.

Contrariando as estatísticas que apontam Nova York como uma cidade relativamente segura, as mortes brutais e animalescas de Michael J. King e seus seguranças vêm mostrar que a realidade é outra. Não se pode considerar, esta, uma cidade segura quando ela abriga um animal. Pelos indícios, os corpos foram drenados de todo o sangue e seus pescoços dilacerados. Ainda que tenha saído incólume pela porta da frente do Tribunal de Justiça, Michael era conhecido das páginas policias por seu suposto envolvimento com o mundo do tráfico.

Mas, ainda que colecionasse desafetos, sua morte não seguia os padrões de execuções entre traficantes rivais. Então só nos resta questionar: Quem ou o quê seria capaz de tamanha atrocidade? Teriam sido vítimas de alguma seita satânica? Vampirismo: Tema tão em voga que tem mexido com o imaginário juvenil? Estaria se formando uma nova gangue influenciada pelo modismo macabro ou seria obra de um psicopata? Seja qual for a resposta. Uma certeza é valida: Até que essas mortes não sejam desvendadas e seus responsáveis punidos, passear no Central Park à noite não é uma boa opção.

Nota da Redação: *Até o fechamento dessa edição os corpos se encontravam no local do crime onde eram submetidos á analise de peritos...*

∞

Ethan amassou o jornal antes de terminar a leitura e encarou Thomas, controlando-se para não gritar com o amigo.

— Você acredita mesmo que eu seria capaz disto? — Ethan perguntou entre dentes, abanando o jornal.

Thomas não se intimidou. Igualmente reprimindo sua indignação, replicou:

— O que eu deveria pensar? Você tem esse... "hábito" de matar seus clientes e...

— Somente aqueles que eu acredito que mereçam morrer — Ethan o interrompeu.

— Gostaria de entender como você determina quem merece morrer.

— Muito mais de cem anos de convivência e você ainda não sabe? — Ethan perguntou debochado. — Anote para não esquecer. Eu mato a ralé, a escória da sociedade. Tipos como Michael, bandidos, assassinos... Eu tento livrar o mundo de pessoas assim.

— Você não é Deus, Ethan! — Thomas alteou a voz. — E definitivamente não é um justiceiro, mas não vou entrar no mérito da questão. Preciso entender o que aconteceu naquele parque, mesmo tendo uma vaga ideia. Para ser totalmente sincero, eu sempre temi que esse dia chegasse.

— Que dia?! — Ethan se colocou de pé, atirando o que sobrou do jornal ao lado do sofá. Thomas não se moveu um milímetro.

— O dia que você passaria dos limites — respondeu impassível.

— Eu não fiz isso — vociferou.

— Você não matou King? — Thomas o desafiou a negar.

— Sei que não sou Deus — Ethan ergueu o queixo, encarando o sócio e amigo —, nem o cara bonzinho, mas ainda assim matei todos eles — admitiu. Thomas abriu a boca, porém antes que proferisse qualquer palavra, foi impedido pela voz poderosa. — Matei-os, sim, bebi o sangue de King... Contudo não sou o responsável por isso — afirmou, apontado o jornal amassado aos seus pés.

Os dois vampiros bufavam, encarando-se, sem nunca se moverem. A desconfiança de Thomas o irritava, mas não era o suficiente para uma briga. No momento Ethan sabia que precisava descobrir, tanto quanto seu sócio, o que tinha acontecido depois que deixou os corpos para trás. Cedendo, Ethan finalmente interrompeu o contato visual, fechando os olhos.

Como na noite anterior, amaldiçoou Dana por distraí-lo com seu cheiro. Não fosse por ela teria percebido o outro vampiro. Disso Ethan não tinha dúvidas, outro imortal se serviu dos cadáveres que deixou na calçada do parque. Só não entendia a ação, pois até onde sabia aquela não era uma prática comum entre os seus. Ainda mais incomum era o fato de ele ter deixado as marcas do ataque. Vampiros no geral eram discretos, mesmo os mais brutais.

Abaixando a guarda, Ethan suspirou e voltou a encarar o amigo. Quando falou sua voz era apaziguadora.

— Thomas, eu lhe dou minha palavra de honra... Não fui eu quem fez isso. — Mais uma vez, apontou o jornal aos seus pés. — Sei que sou impulsivo, mas não sou irresponsável como me acusou. Jamais faria nada sequer parecido.

Ethan assistiu a mudança no rosto do amigo. Thomas sabia que sua palavra tinha força, ele nunca a empenhava em vão. Esperou pacientemente que o amigo desarmasse o espírito de luta e o ouvisse. Passados alguns segundos, ele aquiesceu:

— Está bem, eu acredito em você. Mas quem poderia ter feito tal coisa?

— É o que também quero descobrir — disse, dirigindo-se a sua cadeira.

— Chamo os outros? — Thomas indagou indo se acomodar na cadeira em frente à mesa.

— Não sei... — Ethan pensou por um minuto. — Marque com eles às onze da noite aqui em meu escritório. No momento o melhor que faço é subir e me arrumar. Daqui a pouco é hora do show e não quero irritar Joly novamente. Não há como mudar o que está feito.

Tomada a decisão, Ethan levantou-se, recolheu suas roupas e se dirigiu à porta. Thomas o deteve.

— Ethan, me desculpe por ter desconfiado de você. É que... quando li seu nome, o que tinha acontecido e a citação a vampiros eu...

— Tudo bem, Thomas! Sei que não facilito algumas vezes e que você não aprova o que eu faço. Só peço que, por favor, nunca mais me considere capaz de tal imaturidade. Ainda que vampiros *não existam*, nunca é sábio aventar a possibilidade.

Thomas apenas sorriu, e Ethan se foi. Ao chegar à cobertura, largou suas coisas e se deitou no sofá. Depois de cobrir os olhos com o braço mais uma vez se recriminou. Como se não bastasse se iludir, agora surgia aquele fato novo. Um imortal inconsequente solto em Nova York.

Ethan questionava o motivo pelo qual o vampiro não veio até ele. Qual a razão de se alimentar de restos? Determinado a elucidar a questão, ele se dirigiu ao seu quarto. Antes de retirar o restante de suas roupas, conferiu as horas em seu relógio de pulso: 6h30 da manhã de sexta-feira.

Nu, finalmente seguiu ao banheiro. Tomaria um banho demorado e deixaria que a água corresse por seu corpo, levando os vestígios de Michael, Laureen e principalmente de Dana.

Capítulo 4

Árvores retorcidas se fechavam a sua volta. Queria deixar o banco, mas estava presa. O estampido cortou o silêncio opressor. Ela se libertou do transe e, sem conseguir respirar, tentou alcançar a saída. Suas pernas pesavam, por mais que andasse, não chegava à parte alguma. A noite sem lua agravava a escuridão. Precisava sair dali, estava sendo seguida. Não por uma pessoa, sim, por algo que farejava como um animal. O vento soprou. Deveria gritar? Tentou. Não foi capaz de emitir qualquer som. Precisava de ar. Aquilo se aproximava. Precisava de ar. Aquilo a queria para si. Precisava de ar. Queria arrastá-la para a escuridão. Ar. Estava perto... Perto...

∞

— Não!

Dana acordou com seu próprio grito. Aspirava o ar em desespero, sem perceber que estava sentada agarrada às cobertas, suando frio. Ao sentir a mão de Paul em suas costas, sobressaltou-se. Assustada, pousou os olhos na porta envidraçada da sacada e, de súbito, sentiu a necessidade de cobri-la. Era como se estivesse sendo observada.

— Anjo... você está bem? — perguntou Paul, sonolento.

— Eu tive um sonho estranho — a voz de Dana tremeu.

Paul a puxou gentilmente de volta ao colchão e a abraçou, fazendo com que ela se acomodasse de encontro ao corpo seminu.

— Quer contar? — ele perguntou, acariciando seus cabelos.

— Eu não me lembro...

Dana tentou esquecer a sensação de estar sendo perseguida pela força maligna. Fosse o que fosse, agigantava-se com a proximidade. Não tinha rosto, apenas uma mão ossuda e fria que a segurou pelo ombro. Sim, lembrava-se do sonho com riqueza de detalhes, mas não desejava reproduzi-los.

— Esqueça então... Tente dormir novamente. Eu estou aqui — Paul a apertou ainda mais, protetoramente.

Sim, ele estava. Insistira em ficar ao notar o desespero de sua namorada. Dana, de um modo geral, não era covarde. Seu pai, Martin Hall, costumava dizer que seu senso de perigo era falho e sua irresponsabilidade da noite anterior somente comprovou a tese. Talvez, pelo adiantado da hora, o estampido que quebrou o silêncio tenha desencadeado a cautela tardia, inibindo até mesmo a curiosidade típica dos jornalistas.

Dana creditava o perigo pelo qual passou à sua atração quase patológica por vampiros. Quando Paul lhe chamou a atenção ainda no carro, nem arriscou defesa própria. E levar uma bronca do namorado advogado, não era nada agradável. Por sorte, passado o sermão e a parte das recomendações, ele se calou.

Já no apartamento, caíram nos braços um do outro, mas, apesar da falta sentida, o som ainda ecoava nos ouvidos de Dana não permitindo que correspondesse ao namorado. Atenciosamente, Paul a abraçou durante quase uma hora enquanto conversaram sobre temas amenos. Dana acreditou que ele partiria, porém foi surpreendida pela declaração de que passaria a noite. Evidente que ela adorou a iniciativa. Sobrava muito espaço em sua cama de casal quando estava sozinha enquanto Paul permanecia em Hamilton Heights, em seu próprio apartamento.

Aspirando o cheiro que vinha dele, ela se aconchegou ainda mais no corpo quente. Tê-lo ao lado dava a ela uma segurança indescritível. Erguendo um pouco a cabeça, ela o admirou. Paul era um homem bonito. Considerava ter tido sorte por ele se apaixonar quando ainda estava na faculdade. Não estudaram juntos. Conheceram-se numa das muitas festas promovidas pelos universitários de Yale. Paul apareceu certa vez. Passava o final de semana na casa de um amigo que o convidou a conhecer o campus. Dana dançava com algumas amigas, quando seus olhares se cruzaram. Palavras dele, "encantei-me por você a primeira vista".

Evidente que para uma garota solitária de 22 anos, que sempre se considerou desengonçada, aquelas palavras tiveram o poder de fazê-la se interessar a primeira cantada. Saíram da festa para um barzinho no centro de New Haven. Conversaram até o amanhecer sobre tudo e nada. Ao final do encontro, depois de conduzi-la até o dormitório, sem cerimônia Paul a beijou. Não perderam o contato desde então. Sempre que possível Paul retornava para visitá-la em Connecticut.

Ao se formar, fora convencida pelo namorado a tentar a sorte em Nova York. Agora contavam com três anos de namoro estável, nada mais. Por vezes, Paul criava o clima como se fosse pedi-la em casamento, porém, para alívio de Dana, nunca o fizera. Sim, ela o amava, mas era cedo.

Pontualmente às 6h30 o despertador indicou a Dana que adormeceu sem nem perceber, sem sonhos daquela vez. Estava sozinha. Ouviu que Paul estava no banho. Espreguiçando-se meticulosamente, Dana lamentou não ver seu gato. Como sempre acontecia quando seu namorado estava presente, Black dormiu fora. A antipatia do gato para com estranhos era conhecida, não havendo exceções nem mesmo para Paul, que o dera de presente quando ainda era um filhote.

Com um riso resignado pelas cismas do gato, Dana foi até a sacada. Olhou para a o pedaço de rua que conseguia ver e para o telhado do prédio ao lado. Antes de entrar, Dana acariciou a madeira do batente. Riu novamente, por sua própria cisma com a porta. Não queria se tornar paranóica. Após um suspiro, Dana passou as mãos pelos cabelos e entrou, seguindo até o banheiro.

— Por que não me acordou? — alteou a voz para ser ouvida acima do barulho da água.

— Sei que demorou a dormir. Queria que descansasse um pouco mais — ele explicou.

Mesmo com toda a bruma Dana podia adivinhar os contornos do corpo masculino. Instigada pela visão, recriminou-se por ter estragado a noite. Se pudesse, recuperaria o tempo perdido, contudo, em suas manhãs não haveria tempo para romance. Com isso, ela se forçou a deixar a porta e perguntou já no quarto.

— Preparo o café?

— Aceito apenas uma xícara... Preciso passar por meu apartamento e depois correr para o escritório.

Novamente ela se culpou, todavia, depois do ocorrido, não tinha como ter sido diferente. Enquanto ligava a cafeteira, Dana se perguntou o que teria acontecido no Central Park, se alguém fora ferido. Descobriria em breve, no momento, era melhor cuidar do café de seu namorado. Logo este ficou pronto e, acabava de separar as xícaras quando Paul, ainda úmido, abraçou-a por trás.

— Bom dia, anjo — disse afastando seu cabelo para beijar a pele macia atrás da orelha.

— Bom dia — ela respondeu após um estremecimento.

— Seu café está cheiroso — Paul elogiou, correndo o nariz pelo pescoço delicado, apertando-a contra seu corpo. — Assim como você!

Dana sorriu.

— Eu pensei ter ouvido alguém dizer que precisava correr para o escritório.

48

— Acho que posso me atrasar uns minutos — o namorado retrucou suavemente em seu ouvido, enquanto capturava um seio pelo decote acentuado da camisola.

Dana arfou ao sentir o toque e a rigidez masculina em suas nádegas, porém forçou-se a raciocinar. Mesmo se sentindo culpada, sabia que não seria possível ceder.

— Não temos tempo. Eu também preciso correr e não quero que Harry tenha motivos para chamar sua atenção.

— Eu protesto! — Paul brincou beliscando um mamilo.

— Protesto negado! — Dana sorriu e se voltou para o namorado.

Ignorando as palavras jocosas, Paul a enlaçou pela cintura e a prensou contra a pia. Estava mais excitado. Partia seu o coração não se render aos apelos do namorado, mas não poderia se atrasar. Tinha de ser responsável para finalmente ser efetivada. Decidida, Dana se deixou beijar, contudo, quando Paul tentou alcançar seu seio mais uma vez, ela o deteve.

— Não, Paul. Precisamos ir... — disse com a voz rouca, porém firme.

— Está bem — a voz masculina estava ainda mais rouca. — Se prefere assim...

Paul se afastou. Dana percebeu que ele sequer tinha começado a se arrumar. Estava envolto numa toalha rosa. Ela teria rido se o clima romântico não tivesse se tornado constrangedor, tenso. Sentindo sua culpa triplicar, prometeu antes de fugir:

— Não demoro!

∞

O casal não conversava há mais de dez minutos, tornando o clima no interior do carro insustentável. A responsabilidade de romper o silêncio cabia a Dana, que ineditamente não sabia o que dizer. Vez ou outra ela olhava para o perfil taciturno de Paul e, toda vez que o ouvia resmungar algo ininteligível, perdia a coragem de iniciar uma conversa. Imaginando ser melhor deixar que a bronca arrefecesse Dana olhou para as próprias mãos, dispostas em seu colo. Quando pararam, obedecendo a sinalização, sobressaltou-se ao ouvir a voz receosa.

— Dana... Eu estive pensando... Acho que já está na hora de morarmos juntos.

— O quê?! — De todas as vezes que Dana acreditou que ouviria tais palavras, aquele momento era o mais improvável. — Por que isso agora?

— E por que não agora? — Paul pôs o carro em movimento. — Você sabe que a amo. Estamos juntos há três anos. Nada mais natural dividirmos o mesmo apartamento.

— Paul, eu... não acho que seja o momento.

— Por que não, Dana? Qual o impedimento?

— Você sabe o que penso sobre esse assunto. Quero ter minha família... Com você! Mas primeiro preciso obter estabilidade financeira. Não me formei para ser dona de casa. Quero ser uma boa jornalista. Depois que eu conseguir isso, podemos voltar a falar em morarmos juntos ou... qualquer outra coisa que queira.

— Nossa, Dana!... — Paul exclamou exasperado. — Se você prestasse atenção em como fala... Não a estou convidando para matar alguém é só para morarmos juntos. Uma coisa não anula a outra. Você pode continuar com seu emprego, eu jamais pediria para que ficasse somente em casa.

Tinham chegado à rua do prédio onde Dana trabalhava. Ela sabia que estava tornando o namorado infeliz e não se sentia bem por isso, porém tinha suas convicções e ele as conhecia. Tudo que estava pedindo era um tempo até que pudessem morar juntos ou... casar. Ao pensar na palavra Dana estremeceu. Não entendia o que a impedia de seguir a lógica. Cresceu assistindo ao amor dos pais e desde pequena desejou o mesmo, mas no momento a ideia simplesmente a apavorava.

Decidia como exporia seu temor inexplicável, quando, depois de estacionar em frente ao *Daily News,* Paul se voltou e a encarou, exibindo um sorriso incerto.

— Se bem que eu não me oporia se ficasse somente em casa. Não gosto de dividi-la e odeio os dias que passo sem vê-la. Por mim, você ficaria sempre perto, anjo.

Dana não saberia dizer qual vontade prevalecia. Se o desejo de gritar com ele por cogitar transformá-la em dona de casa ou o de abraçá-lo pela declaração de amor. Decidiu não se render a nenhum dos dois. Precisava correr e se atendesse a qualquer dos impulsos não sairia do carro a tempo de bater o ponto no horário. Suspirando, inclinou-se na direção do namorado e lhe beijou brevemente.

— Eu te amo, Paul. Obrigada pela carona — ao sair do carro, disse pela janela: — Depois conversamos melhor sobre tudo que me disse.

— Está bem — ele concordou, piscando em sua direção.

— Boa sorte no julgamento!

— Obrigado!

E então Paul se foi. Dana esperou o Lexus preto contornar a esquina antes de entrar. Ao chegar à redação, o assunto "morar com o namorado" estava esquecido. Sua curiosidade — deixada de lado momentaneamente — voltou ao acontecimento no Central Park. Dirigindo-se até a mesa de Alan Evans, um dos repórteres responsáveis pela página policial do jornal,

Dana especulou sobre o ocorrido. Encarando-a, o homem baixo e calvo riu incrédulo.

— Você não lê jornais, Dana Hall?

— Claro que leio! Mas hoje não tive tempo — Dana considerou que nada de extraordinário tivesse acontecido. Talvez, como ela mesma dissera a Paul, o disparou tenha sido efetuado por exibicionismo. Fosse como fosse, precisava saber. — Então, vai me dizer ou não?... Você sabe o motivo do tiro?

— Tiro? Não sei nada sobre tiros — ele franziu o cenho. — Do que está falando?

— Eu estava no Central Park ontem, por volta das onze horas, e ouvi um disparo — ali, na segurança da redação, Dana se sentiu uma covarde por não ter verificado com os próprios olhos do que se tratava. Alan a encarava ainda mais incrédulo.

— Você estava lá?!

— Sim... Sei que não devia, mas... Isso não vem ao caso. Vai responder ou não?

— Bem... Ninguém sabe ao certo o que aconteceu. Mas acredito que se você estava lá, correu perigo sem saber.

— Por quê? — Dana estava cada vez mais curiosa.

— Leia você mesma — Alan pegou uma edição do jornal e entregou a ela.

Agradecida, Dana pegou o exemplar e se dirigiu à própria mesa, deixou a bolsa no encosto da cadeira e se sentou, com os olhos postos no jornal. A cada palavra Dana sentia seus pelos se eriçarem. Michael J. King fora vítima de um ataque mórbido. Rapidamente ela associou o disparo aos seguranças. Talvez, um deles tivesse tentado deter o agressor. Dana especulou quem teria força suficiente para subjugar três homens fortes.

A matéria citava a ação de uma gangue. Provável... e para sua surpresa, o envolvimento das criaturas que amava. Vampiros em Nova York?... Impossível!

De qualquer forma, Dana sentiu imenso alívio, pois nenhuma vida inocente fora tirada. Não poderia ter certeza quanto aos seguranças, mas em relação a King, o mundo estava melhor sem ele. Outro nome chamou sua atenção na matéria: Ethan S. McCain. Segundo Paul — e a maioria dos cidadãos de Manhattan —, McCain era um dos melhores advogados da cidade, quiçá *o melhor*. Para confirmar seu brilhantismo, o notório traficante fora absolvido das acusações.

Dana pensou ironicamente que o tal McCain poderia ser o melhor e ter cumprido seu papel a perfeição, mas a real justiça fora feita afinal.

Livre de seu medo e saciada sua curiosidade, Dana colocou o jornal de lado e se dedicou aos seus afazeres. Tinha muito a redigir e ainda precisava se concentrar na matéria para Melissa. Como sempre acontecia quando se dedicava ao que mais gostava, o tempo passou depressa. Seu almoço fora um sanduiche, comprado numa lanchonete próxima ao jornal. O tempo restante gastara ao escrever sobre os vampiros; sem citar o ocorrido na noite anterior. Vez ou outra se flagrou a imaginar imortais passeando pelo Central Park.

Na última divagação, tal visão causou-lhe arrepios. A lembrança da noite passada mostrava que o cenário tranquilo não combinava com sua visão de calçadas envolta em neblina e árvores retorcidas. Dana estremeceu e voltou ao trabalho. O restante do dia passou sem que notasse e logo era hora de voltar para casa.

Estava exausta. Negou o convite de Melissa e de outros colegas da redação para uma *happy hour* e seguiu direto para seu apartamento. Ao chegar, atirou as chaves na mesinha ao lado da porta, Black veio se enroscar em suas pernas. Dana sorriu e se abaixou para pegar o grande felino em seu colo.

— Por onde andou? — perguntou, passando seu nariz no focinho gelado de seu gato. — Quando vai parar de ser tão antissocial?

O gato negro piscou preguiçosamente em resposta. Dana deduziu que sua expressão demonstrava indiferença, como se não se importasse em ser sociável com o namorado de sua dona. Dana zombou de si mesma, ao colocar o gato no chão. Agora desvendava expressões faciais de felinos. Logo ela que não conseguia desvendar os problemas de sua própria vida.

Durante o banho, Dana pensou sobre a proposta de Paul. Desejava estar de coração aberto e preparada para aceitar, mas sabia que não conseguiria. Não quando estava tão perto de conseguir o que sempre desejou: trabalhar em um bom jornal.

E ainda tinha a família de Paul. Os pais do namorado não a aprovavam por ser uma *ninguém*, filha de um reverendo provinciano e de uma dona de casa sem formação. Dana nunca esqueceria a noite em que Paul a apresentou aos Collins. Sua expectativa se transformou em decepção logo nos primeiros minutos do jantar, no qual foi analisada abertamente por Pedro e Teresa. Esnobes ao extremo consideraram uma excentricidade de sua parte — ofensa até — preterir seu adorado filho para exercer uma função que eles consideravam exclusividade masculina. Arcaicos!

Evidente que Paul veio em sua defesa, alegando apoiá-la em todos os seus projetos. E foi depois desse argumento que Pedro Collins teve a brilhante ideia de contatar um velho amigo que por acaso era o editor-chefe do *Daily News*. Ainda durante o jantar, pediu que desse uma chance à amiga querida de seu único filho. Dana tentou recusar a oferta por saber que a iniciativa nada mais era do que a tentativa hipócrita de demonstrar ao filho que eles se importavam, mesmo que não a aprovassem. Infelizmente Paul ficou satisfeito com a ajuda, não deixando alternativa a Dana a não ser aceitar e agradecer.

Dana suspirou e tentou se livrar das lembranças até que terminasse seu banho. Logo estava na cozinha vestida em sua calça de moletom favorita e em uma camiseta rosa. Ainda a bloquear pensamentos conflitantes, preparou seu jantar para em seguida preparar o de Black.

A noite estava agradável. Dana apreciava o início do outono. O calor excessivo do verão cedia lugar à brisa fresca. Como em todas as noites, as janelas e a porta de sua sacada estavam abertas para que o vento corresse por todos os cômodos. Ao olhar para o sofá, viu que seu gato gostava do vento manso tanto quanto ela.

Deitado de patas para o ar, Black dormia a sono solto. Sorrindo, ela voltou sua atenção para a massa que preparava. Estava sem muita paciência para pratos elaborados, então se contentaria com o bom e velho espaguete e uma taça de vinho tinto. O gato seria sua companhia enquanto apreciasse a ração de peixe favorita.

Minutos depois, acomodada no sofá, com o prato de macarrão fumegante nas mãos e a taça de vinho sobre a mesinha de centro, Dana voltou a pensar em Paul. Por um momento se arrependeu de não ter ligado para saber como fora o julgamento. Considerou que talvez fosse o caso de ir ao encontro dele. Remexendo o macarrão no prato, suspirou aborrecida. De súbito, sua fome se foi, então Dana levou seu prato até a cozinha e o colocou no forno.

Retornou à sala em tempo de ver Black levantar a cabeça e farejar o ar. Com um miado agudo, deixou a refeição pela metade e veio na direção de sua dona, passou por ela e saiu pela janela da cozinha sem olhar para trás. Paul estava no prédio. Em minutos ela confirmou a indicação do gato ao ouvir Paul destrancar a porta com suas próprias chaves. Dana o esperava sentada no sofá. Não pôde deixar de reparar no quanto Paul parecia abatido. Depois de pendurar seu paletó no gancho atrás da porta, sem nada dizer, foi se sentar ao lado da namorada.

Ainda em silêncio, ele indicou a taça. Ao entender o pedido mudo, Dana assentiu. Paul tomou o vinho de uma só vez. Sério, depositou a taça vazia sobre a mesinha, voltou-se para a namorada e começou a lhe acariciar os cabelos, olhando os próprios dedos enquanto escovava os fios.

Algo estava errado, Dana sentiu.

Alheia ao que o consternava, ela estendeu a mão para tocar o rosto do namorado. Paul fechou os olhos e segurou seus dedos, mantendo-os onde ela o tocara. Após alguns segundos, ele virou o rosto e beijou a palma da mão.

Apesar do clima estranho, o corpo de Dana reagiu de pronto. Reprimindo um gemido, Paul passou a lamber a pele delicada do pulso. O carinho provocou cócegas em Dana que, involuntariamente, tentou recolher o braço.

— Vai se negar novamente? — Paul indagou, ansioso.

— Não! — Dana exclamou, tocando mais uma vez no rosto amado. — Eu senti cócegas. Só isso. Na verdade, eu...

A explicação foi calada por um beijo. Paul a segurou pela nuca, possessivo. Dana estranhou o arroubo, contudo correspondeu com a mesma intensidade. Ainda com os lábios atados aos dela, Paul retirou a gravata e a camisa. Com o dorso despido, interrompeu o beijo e a puxou pelo braço em direção ao quarto. Dana quis conversar, entender o que acontecia, mas temeu gerar nova crise. E, mesmo que estranhasse a paixão excessiva, não recebia nada menos do que desejou a semana inteira.

Deixando-se arrastar até o quarto, Dana foi derrubada de costas sobre a cama. Assistiu imóvel seu namorado se livrar dos sapatos, das meias e o restante das roupas. Nu, ele se debruçou sobre ela para beijá-la com ímpeto redobrado. Apesar da intensidade, em nenhum momento foi rude. Ao contrário, Paul se mostrava carinhoso. Despiu-a com precisão e, aflito, preparou-a para recebê-lo. Dana o acolheu com um gemido incontido e o acompanhou em uma dança lasciva que os libertou da saudade e das inquietações.

— Eu precisei de você o dia inteiro — Paul murmurou, minutos depois, com a respiração já normalizada, apoiando a cabeça em uma das mãos para encarar a namorada.

— Então por que não me procurou? Eu o ajudaria no que quer que fosse — assegurou, sem quebrar o contato visual.

— Você não me entendeu, anjo — ele riu sem humor, baixando os olhos para os lábios rosados. — Precisei de você assim, como estamos agora. Hoje não consegui ser profissional, funcional ou coerente. Não consegui argumentar ou convencer os jurados de que meu cliente era inocente. Tudo que pude fazer foi pensar no porquê de você se negar para mim esta manhã.

Segundo o namorado, era ela a razão pela qual perdera a causa. A revelação a alarmou. Paul nunca demonstrou tal dependência e a novidade a amedrontava. Não sabia se estava preparada para lidar com tamanha responsabilidade, quando muitas vezes não dava conta de comandar sua própria vida. Queria poder confortá-lo, mas nenhuma palavra parecia boa o bastante.

— Você diz que me ajudaria no quer que fosse... — Paul prosseguiu alheio ao temor da namorada. — Teria largado o jornal para se encontrar comigo no meio do expediente, somente para aliviar a falta que me fez?

— Paul, eu...

— Minta para mim, Dana — ele a beijou enquanto pedia. — Minta! Diga que, sim... Que seu emprego não tem importância. Que você largaria tudo para me encontrar. Faça-me crer que perdi minha causa por esse amor insano que sinto por você e não porque sou incompetente.

— Preste atenção ao que está dizendo, Paul — pediu, forçando-o a deitar para se debruçar sobre o peito largo. — Sem dúvida que você não é incompetente, nem preciso mentir. Se você tivesse me procurado, poderíamos ter almoçado juntos.

— Eu não tinha fome de comida, Dana — seu tom era o que quem explica algo óbvio. — Precisava de você!

— Certo, eu entendi — ela respondeu ruborizando —, mas você não precisa me obrigar a dizer que em duas horas de almoço poderíamos ter resolvido esse problema.

Paul abaixou os olhos, fitando a boca da namorada mais uma vez.

— Eu pensei nisso, mas não suportaria três negativas no mesmo dia.

Dana não soube o que responder, pois descobriu que ele tinha razão. Ela teria inventado uma desculpa qualquer para fugir do assunto iniciado no carro. Então o magoaria ainda mais. Não era o certo, mas, olhando para aquele rosto sentido, tranquilizou-o, mentindo como ele mesmo tinha pedido:

— Eu não teria recusado. Sempre almoçamos juntos quando você está disponível.

— Eu sei, mas como hoje não foi o meu dia. Achei melhor não arriscar.

— Desculpe-me — pediu Dana ao lhe tocar o rosto. — O julgamento foi assim tão ruim?

— Foi horrível! Harry está uma fera, pois dava a causa como ganha. Tínhamos um álibi aceitável, testemunhas idôneas... E eu... Eu não soube como usá-los. Só conseguia pensar em você e nessa sensação que me incomoda desde ontem, quando a encontrei no parque e que se agravou com suas negativas.

— Que sensação?

— A de que vou perder você — Paul respondeu, acariciando-lhe o rosto.

— Que bobagem é essa agora? — Era hora de voltar ao assunto. — Nada pode nos separar. Só não estou preparada para morar com você, mas estamos bem.

— Esse é o problema. Para mim, não está nada bem! Não gosto quando ficamos dias separados. Se morássemos juntos, isso seria resolvido.

— Por favor, Paul, não me force a nada... Tente entender... — Dana ergueu o corpo até ficar na altura do rosto de Paul, então lhe beijou a testa vincada. — Eu te amo! Não é porque moramos em lugares diferentes que isso vai mudar. Eu estou prestes a ser contratada pelo jornal. Me dê um ano — pediu, beijando a bochecha do namorado. — Um ano é tudo que peço... Depois voltamos ao assunto.

Paul não correspondeu ao beijo que se seguiu, porém Dana não se deu por vencida. Continuou a beijá-lo, passando a língua em volta dos lábios masculinos, enquanto posicionava o corpo sobre o dele, provocando-o com seus seios. Com um suspiro profundo e torturado, Paul a rolou na cama e se colocou sobre ela, beijando-a sofregamente. Quando o ar lhe faltava, o namorado libertou seus lábios.

— Não vou dar tempo algum — disse roucamente. — Não sei de onde vem o que estou sentindo, mas o medo é palpável. Vou torcer para que tudo acabe como quer e então decidiremos o que faremos. Em troca pela minha paciência, quero que me prometa uma coisa.

— O quê? — Dana perguntou, arfante.

— Que vamos tentar nos ver todos os dias. Não importa a hora ou por quanto tempo.

— Por mim, está bem!... Também sinto sua falta.

— Então prove — ordenou.

Antes que seus lábios se encontrassem, o celular de Paul tocou. O som baixo, vinha da sala. Com um resmungo ele tentou levantar ao que foi detido por Dana que o segurou pelo braço.

— Deixe tocar — pediu.

— Não posso — Paul respondeu. — Nunca se sabe o quanto é importante.

Dada a recusa, Paul se arrastou para fora da cama. Extraordinário seria se ele a atendesse. O trabalho sempre vinha antes. Pelo sussurrar apressado e tenso, Dana pôde perceber que ele estava irritado. Paul demorou a voltar, preocupando-a. A espera a conscientizou da própria nudez então se enrolou no lençol para esperar por ele. Quando Paul finalmente voltou ao quarto, anunciou seriamente:

— Preciso ir.

— Por quê? — Dana sentou. — O que aconteceu? Quem era?

— Harry. Ele quer me encontrar no escritório daqui a quinze minutos.

— Mas agora são... — Dana procurou por seu relógio na cabeceira da cama. — Dez e quinze da noite!

— Eu sei, meu anjo! Tentei argumentar, mas não há muito que eu possa fazer. Ele está furioso por conta do julgamento. Só Deus sabe o que quer comigo uma hora dessas, mas eu tenho de atendê-lo. Já o decepcionei demais por hoje.

Novamente o remorso se fez presente. Não tinha o direto de reivindicar a atenção do namorado quando fora culpada por sua derrota no tribunal. Se Harry o queria por perto, teria de se conformar.

— Preciso ir — disse Paul, aproximando-se para beijá-la de leve. — Mas minha proposta está de pé. Podemos nos encontrar amanhã. Você se importa em ir para meu apartamento?

— Eu adoraria — ela exclamou, resignada.

— Então está combinado! Você passa o final de semana comigo. Amanhã por volta das dez horas da manhã eu venho te buscar.

— Estarei esperando.

Paul a beijou com paixão, porém interrompeu o beijo e se afastou antes que não fossem capazes de parar. Ao deixar a cama, juntou suas coisas e se trancou no banheiro. O banho foi breve e em minutos Paul estava pronto para partir. Dana o esperava na sala, envolta no lençol. Antes de sair, o namorado a beijou e afagou seus cabelos.

— Até amanhã — confirmou.

— Até...

Quando se viu sozinha, Dana rumou para a cozinha e resgatou o espaguete. Ela o aqueceu no forno de microondas e, após se servir de vinho, foi se sentar no sofá; estava faminta. Terminada a refeição, depositou o prato vazio sobre a mesinha, pegou sua taça de vinho e cruzou suas pernas sobre o sofá. Bebeu sem pressa, enquanto repassava a conversa com Paul.

Gostaria de entender qual a origem daquele medo infundado de perdê-la. Possuía suas convicções, mas o amava. Estar com Paul era certo. Talvez fosse o caso de demonstrar melhor seu sentimento, mas não era boa com declarações. Ainda assim, tentaria.

Decidida, descartou o prato e a taça vazia na pia da cozinha. Em seguida tomou um banho breve, higienizou a boca. Quando voltou para a cama, carregava seu livro já surrado sobre Drácula. Em cinco minutos de leitura, Black voltou a lhe fazer companhia. Por vezes o gato a olhava indiferente enquanto se banhava.

— Precisa parar de cismar com Paul, Black. O que farei caso decida morar com ele?

A pergunta pareceu ter sido feita a si e não ao gato. Depois de encará-la, o grande felino se deitou e fechou os olhos.

— Isso, durma seu preguiçoso! Não precisamos de respostas hoje. Ainda temos tempo.

Dana deixou o livro de lado e se preparou para imitar o animal. Olhou para seu relógio: 23h00. Era cedo e aquela, sem dúvida, seria uma longa noite.

Capítulo 5

Como compensação pelo ocorrido no Central Park, o dia transcorreu tranquilo na McCain & Associated. Eram 23h00 e, sentado à sua mesa, Ethan recebia os cinco vampiros que o seguiam. Seus sequazes se espalharam pela sala. Andrew e Samantha estavam acomodados no pequeno sofá de couro preto, Joly e Thomas nas cadeiras à sua frente, Seager recostado contra o vidro da imensa janela.

Ethan apreciava a obediência ferrenha e a pontualidade. Rogava intimamente que nenhum deles estivesse envolvido com o ataque, pois não teria prazer em banir o responsável. Ou talvez tivesse, no caso de um ou dois deles.

— Acredito que todos saibam o que aconteceu no Central Park na noite passada — Ethan tomou a palavra. O grupo assentiu, deixando que ele prosseguisse: — Gostaria de saber se algum de vocês tem algo a me dizer sobre o ocorrido. Prometo não me irritar caso tenha sido um de vocês. Somente preciso saber quem foi.

— Não pode desconfiar de um de nós! — exclamou Samantha, ofendida. Andrew a encarou, repreensivo, porém foi ignorado. — Nos diga você se tem algo a acrescentar.

— Eu não lhes dou satisfações — Ethan retrucou, impassível, encarando a ruiva. — Caso não tenha reparado, é você, assim como todos os outros nessa sala, que deve me deixar a par de qualquer passo.

Ignorando a advertência muda de seu companheiro, Samantha rebateu:

— Não sou sua funcionária! Não lhe devo nada!

— Desculpe-me por discordar — Ethan não alterou a voz uma única nota. — O que conta não são nossos laços trabalhistas, sim, o respeito hierárquico. Cada um de vocês deve obediência a mim, afinal, sou o líder nesse circo de horrores. Então é de suma importância que me digam tudo, e sempre façam o que eu determino. Andrew sabia das condições impostas, sendo assim, acredito que você não tenha sido enganada.

— Não, não fui — respondeu a imortal, altiva. Os olhos azuis faiscando. — E não tenho nada a contar tampouco. Tudo que sei, eu li nos jornais.

— Desculpe-a, Ethan. Samantha está chateada por ter perdido a noite de Ópera — explicou Andrew, apaziguador. — Eu também não saberia o que lhe dizer. Não entendi o que aconteceu.

Ethan pensou em retrucar ao vampiro loiro que pouco lhe interessava os motivos que deixavam sua companheira irritada. Detalhes pessoais não eram de sua conta e, se a programação de alguns naquela sala tivesse de ser mudada continuamente caso fosse preciso, esta seria. O problema era conjunto e precisam achar uma solução satisfatória. Optando por manter a boa educação, respondeu apenas:

— Tudo bem, Andrew. — Ao se voltar para Seager, perguntou: — E você? Sabe da existência de outro vampiro na cidade?

— Não, senhor McCain. Só os que estão nessa sala.

Ethan não se habituava àquela subserviência vinda de um imortal. Queria ser respeitado, mas não gostava que seus iguais se colocassem abaixo de si. No caso do vampiro loiro era ainda pior, pois aquele *senhor* viera com o tempo. Há exatos dois anos, quando o novo sócio já estava com eles há um ano, sempre o tratando como todos os outros. E, contrariando seus inúmeros pedidos, Seager continuava a tratá-lo com deferência.

— Está bem... — Ethan disse por fim, desistindo de uma nova repreensão. — Eu acredito em vocês. Contudo, quero que me avisem caso tenham algum contato com esse vampiro desconhecido. Se possível, tragam-no aqui. Mas se houver resistência, têm minha permissão para eliminá-lo.

— Destruiria um de nossa espécie sem motivos? — Samantha se mostrou exasperada.

— Você não prestou atenção ao que leu nos jornais? — indagou Ethan, à beira de perder a paciência. — Não seria sem motivos. Esse vampiro descontrolado deixou três corpos no Central Park. Esse comportamento pode ser um padrão, então ele tem de ser detido.

— Ao que me consta, quem deixou os corpos foi você — a ruiva retorquiu.

— Samantha! — Andrew exclamou, irritado.

— Deixe-a, Andrew — Ethan anuiu. — Ela tem razão. Eu deixei os corpos para trás. O que torna a atitude desse vampiro ainda mais suspeita. Ele pode ser apenas imaturo ou pode estar tentando me provocar. Porém, seja qual for a sua intenção, esta não pode nos expor. Se esse desconhecido tem algo a resolver comigo que venha de uma vez. Não tenho tempo para joguinhos.

— Farei o que for possível para ajudar, senhor McCain — Seager assegurou, deixando a área da janela. — Acredito que isso deva ser obra de algum novato irresponsável. Não acho que alguém experiente o desafiasse.

— Não duvide, Seager. Não duvide. — Depois de olhar para cada rosto à sua volta, Ethan deu a breve reunião por encerrada. — Bom... Isso era tudo que eu precisava de todos. Agradeço a presença e conto com toda colaboração. Qualquer atitude que tomem em relação ao nosso visitante será bem-aceita. Agora podem ir... Tenham uma boa noite!

Andrew se despediu e levou embora uma esposa ainda inconformada. Seager cumprimentou a todos e saiu em seguida. O casal amigo, que se manteve em silêncio todo o tempo, permaneceu sentado.

— O que você achou, Ethan? — Thomas perguntou ao ficarem a sós.

— Sinceramente, não sei o que pensar... Mas acredito que não saibam de nada. — Ethan levantou e foi se servir de uísque. — Estão servidos?

— Sabe que não bebemos e você deveria fazer o mesmo — disse Joly, torcendo o rosto delicado numa careta de reprovação.

— Qualquer dia desses, mãe — o vampiro riu brandamente da própria piada. Com o copo pela metade, voltou a sua cadeira.

— Estou falando sério.

— Joly, deixe-o — Thomas pediu, conciliador. — Ethan não vai morrer por isso.

Ao se calar, Thomas encarou o amigo. Logo os dois riam da irritação demonstrada pela francesa.

— Vocês dois me irritam às vezes. Podem rir à vontade, mas depois não se queixem, quando algo ruim acontecer. — Para Ethan, que ainda ria às suas custas, acrescentou: — Aposto que ontem à noite você estava sob o efeito de alguma dessas bebidas. Só assim para não ter percebido a presença de outro vampiro no parque.

— Eu não tinha bebido! — Ethan exclamou ao conter o riso.

— Então o que aconteceu? — Joly perguntou, desafiadora. Thomas olhava de um ao outro, então fixou os olhos no amigo e repetiu a pergunta:

— Sim, Ethan, o que aconteceu para que você não percebesse um vampiro tão próximo?

— Eu não sei — Ethan bebeu seu uísque sem encará-los.

— Está mentindo! — Joly acusou, convicta. — Eu o conheço bem, McCain.

— Desculpe-me, Ethan, mas Joly tem razão. O vampiro não poderia ter atacado muito tempo depois de você ter saído do parque. Se assim fosse, ele não poderia ter bebido o sangue dos seguranças, pois este já estaria passado para ser consumido. O ataque deve ter sido quase que, simultâneo. Com certeza você estava perto e alguma coisa desviou sua atenção — o amigo adotou uma expressão de quem se desculpa e prosseguiu: — É isso ou você está mentindo desde o começo.

— Já dei minha palavra de honra que não fiz aquilo. Não vou ficar me repetindo — Ethan sibilou, irritado.

— Então nos conte o que aconteceu — Joly se remexeu na cadeira. — Entenderei se confessar que estava bêbado.

— Também já disse que não bebi.

O vampiro não gostaria de admitir a fraqueza causada por Dana: nunca esqueceria aquele nome. A humana era a culpada. Não fosse por ela teria visto o vampiro exibicionista. A mulher era uma bruxa recriada de seus piores pesadelos para roubar sua tranquilidade, pois não conseguiu esquecê-la a maior parte do dia. Sempre que não estava ocupado com assuntos jurídicos ou tentando entender como funcionava a mente de um imortal carniceiro, flagrava-se a projetar a imagem dela em sua mente e a procurar seu cheiro em suas narinas.

— Foi uma mulher! — A voz de Joly rompeu o silêncio. — Estou certa, não estou?

— Foi uma mulher? — Thomas perguntou, confuso. — Você acha que se trata de uma vampira, meu amor?

— Não sei o gênero de quem atacou os corpos, mas tenho certeza de que uma mulher distraiu nosso amigo aqui — Joly respondeu, batendo palmas, satisfeita com a própria dedução.

— Você deveria gastar sua criatividade no baile anual de Halloween. As crianças carentes de Nova York esperam ansiosas pelas doações — Ethan desconversou, secamente.

Não estava gostando do rumo da conversa e já se encontrava irritado para ainda aturar as graças da amiga. Contudo Joly não se deixou intimidar.

— O baile está bem encaminhado. Será no Hilton... Agora pare de tentar me distrair e responda. Foi uma mulher, não foi, *mon cher ami?*

— Ethan? — Thomas o olhava, incrédulo. — Joly tem razão?

— Pode ter sido — bufou ao se recostar em sua cadeira de couro.

— Eu sabia! —Joly riu com vontade. — Você é incorrigível, McCain! Uma criatura que talvez possa ser hostil ataca bem debaixo de suas barbas, enquanto está salivando por alguma humana... Típico!

— Joelle, eu estou sem paciência hoje — Ethan rosnou ao colocar o copo sobre a mesa.

— Eu sabia que esse dia chegaria — comentou, sem se importar com o mau humor.

— Pelo visto vocês dois somente esperam o pior de mim — o líder acusou, encarando-os. — Meu bom amigo Thomas espera pelo dia em que perderei o controle na hora de matar e você que eu seja um rendido. É isso?

— Desculpe, Ethan — Joly pediu sem pesar —, mas pelo que vejo esse dia está próximo. Que mortal teria o poder de lhe distrair a tal ponto? Quero conhecê-la. Pode nos apresentar?

— Não — sibilou.

— Já apagou a memória dela? Mandou-a embora?

— Não tive a chance.

— Então... Você a matou?! — Joly arregalou os olhos escuros. — O que aconteceu? A pobre tinha alguma marca estranha no corpo? Sentiu-se ameaçado? — Como ele não respondeu, ela perdeu a paciência: — Conte-me, Ethan!

— Não tenho nada para contar — ele se levantou e foi se servir de mais uísque. Quando voltou a sua cadeira levantou os olhos até os amigos. Ambos o encaravam em expectativa. — Já disse, não tenho nada para contar. Eu... eu não a conheci, está bem?

— O quê?! — Joly quase engasgou. — Essa história está ficando cada vez melhor!

— *Ma chérie*, deixe-o em paz. Vamos embora — pediu Thomas, pressentindo que a irritação se agravaria.

— Ah, não... Logo agora? — Voltando-se para Ethan a francesa pediu: — Conte-me... Só preciso saber como isso pôde acontecer... Ethan Smith McCain cruzou o caminho de uma humana que o atraiu ao ponto de cegá-lo e ele não a conheceu?... Eu preciso de detalhes — choramingou.

— Boa noite, Joelle! — Ethan sibilou, visivelmente contrariado.

— Vamos, meu amor! Precisamos preparar nossa partida, esqueceu?

— Não, não esqueci — respondeu cruzando os braços, amuada.

— Final de semana dedicado à degustação? — Ethan perguntou, ignorando a amiga.

— Sim — respondeu Thomas, enlaçando a companheira pela cintura. — Não queria deixá-lo sozinho nesse momento, mas precisamos de algo mais substancial... E já estamos atrasados. Esse assunto novo atrapalhou nossos planos.

— Desculpe-me — por eles Ethan realmente sentia. — Pode ir tranquilo. Eu saberei cuidar de tudo. Se precisarem de alguma coisa, eu...

— Não se preocupe com nada — Thomas o interrompeu. — Partiremos ainda essa madrugada junto com os outros. Teremos o sábado e o domingo disponíveis. Obrigado por se preocupar.

— Não por isso... — ele recostou na cadeira e se despediu: — Boa viagem, Joly... Thomas.

O amigo sorriu e puxou a esposa pelo braço.

— Não pense que se livrou de mim, Ethan McCain — Joly disse à porta.

O companheiro literalmente a carregou para fora. Esgotado pelas emoções, ao ficar sozinho Ethan bebeu mais um gole de uísque e espirou pesadamente. Não condenava tamanha curiosidade, visto que de Joly, nada escondia. Na qualidade de amiga e secretária, era ela quem o ajudava a despachar as humanas pela manhã. Evidente que tomar conhecimento de uma mulher diferente das demais chamaria sua atenção. Seu alarme quanto a um novo assassinato era também justificável. Joly, como Thomas, sabia da *maldição* por trás de sua marca.

As palavras de Raca nunca se calaram, mantendo viva a lembrança de uma possível destruição por aquela que carregasse um dragão como o seu. Maria fora a última, mas antes dela matara duas mulheres marcadas.

Sua reação era reflexiva. Somente se pacificava quando as eliminava. Dentre todas, Ethan sentia apenas pela última. Tarde demais, ele descobriu que a marca no seio de Maria não passava de uma cicatriz rosada, não o mesmo desenho que ele carregava nas costas desde a noite de sua transformação.

De verdade lamentou a morte vã da garçonete, tanto que esta o abalou por alguns dias. Depois dela, não sentiu nada igual por nenhuma humana. Não até a noite anterior. A mortal do parque o atraíra com mais intensidade do que Maria, há vinte e seis anos. E como no passado, sua aproximação fora bloqueada, aumentando seu interesse.

Ethan levantou e foi até a imensa janela para olhar a noite de Manhattan. Dana estava ali, em algum lugar, perdida na *sua* cidade. Talvez dormisse. Talvez estivesse nos braços do companheiro. No peito de Ethan se formou um rugido involuntário ao vislumbrar Dana nos braços daquele advogado de segunda categoria. Não fosse por Paul, talvez ela estivesse na cobertura naquele momento, largada sobre a cama, esperando por *ele*.

Depois de sorver o líquido âmbar de uma só vez, Ethan se preparou para sair. Precisava de alimento e esquecer. Ao deixar o elevador privativo, seguiu até o BMW. Seu interior ainda trazia o cheiro de fruta e sexo. Mesmo fraco, o odor despertou-lhe os sentidos. Ethan ligou o veículo e o acelerou em ponto morto para que o rugido do motor ocupasse todos os espaços em sua cabeça, expulsando Dana. Não conseguiu seu intento, então desligou o motor e apertou o volante. Precisava encontrá-la ou esquecê-la. Difícil decidir.

Ethan voltou a dar ignição em seu BMW, deixou o edifício, saindo para a noite de Nova York. Passava pelos carros em alta velocidade. Cruzou ruas e avenidas. Atravessou sinais vermelhos, sem saber para onde ir. Enquanto seguia pela 5ª Avenida, soube onde desejava estar. Contrariando seu senso, que lhe pedia prudência, voltou ao Central Park. Não conseguia imaginar melhor lugar para estar do que em suas calçadas internas.

Se tivesse sorte poderia encontrar com seus dois maiores problemas. Em seu íntimo sabia que não fazia questão de se deparar com um vampiro desconhecido, sim, com certa mortal de cheiro instigante.

Ethan deixou seu carro em uma das ruas laterais e seguiu a pé até o parque. Depois do que acontecera na noite anterior, não era de se estranhar que naquela não avistasse ninguém próximo à área. Ethan vagou por entre as árvores, correu pelas calçadas até chegar ao local, onde tirara a vida de King. O vampiro farejou o ar. Nada. Nenhum odor que denunciasse a identidade de seu intruso. Indo além, Ethan seguiu para o banco no qual vira Dana. Ele o observou de longe, como se esperasse que ela aparecesse a qualquer momento. Evidente que não viria.

Sem saber a razão Ethan foi sentar no mesmo lugar ocupado pela humana. Tentou aspirar o cheiro dela, mas não o encontrou. De olhos fechado, ele sorriu. Não seria preciso, na verdade. O cheiro estava gravado em sua memória olfativa. Ainda de olhos fechados, Ethan repassou a cena de sua perseguição. Os cabelos soltos ao sabor da brisa, o casaco bege que ocultava o corpo esguio, os pés pequenos nos sapatos de salto alto. A lembrança daquele pedaço de pele alva, fez com que a comichão do desejo corresse por seu corpo. Quando esta culminou numa súbita e violenta excitação, Ethan voltou à seriedade.

— Humana maldita! — ciciou entre dentes.

Sendo tomado por uma fúria involuntária, deixou o banco e o chutou bem no centro, partindo-o em dois. Quando encontrasse com Dana faria o mesmo com ela, parti-la-ia em duas. Não com violência, mas saciaria todo desejo que ela lhe despertou até que não sobrasse muito para o rábula que a levou dali. Depois que terminasse com a garota, aquele arremedo de advogado poderia fazer bom proveito de seus restos.

A partir daquele momento, encontrá-la passou ser questão de honra para Ethan. Contrariado, ele resolveu deixar o parque e correr quantas ruas fosse possível até encontrar seu rastro. Ele a teria! Naquela mesma noite. Arrumava seu casaco para partir, quando ouviu a voz atrás de si.

— Tem um cigarro, amigo?

Ethan se voltou para ver quem era a pobre alma que se considerava seu amigo. Deparou-se com um homem alto — mais alto que ele —, trajando roupas puídas, porém limpas. Apesar do tom amistoso, Ethan sabia que ele não precisava de cigarro algum. O odor que rescindia indicava que seu lance era algo mais pesado.

— Perdoe-me, eu não fumo.

Respondida a pergunta, Ethan lhe deu as costas. Andou alguns metros, ciente de que estava sendo seguido.

— Ei... Cara! — O homem o chamou. — Se não tem cigarro, eu aceito alguma grana.

— Não tenho nenhuma *grana* tampouco. É melhor me deixar em paz — Ethan tentou lhe dar uma chance. — Vá para casa e descanse. É o melhor que tem a fazer esta noite!

Quando ouviu que os passos de seu perseguidor se aproximavam, resignou-se. Precisava se alimentar, não? Ao sentir o forte aperto em seu ombro, deixou-se ser virado de frente para seu agressor.

— Não me diga o que fazer, cara. Passe o relógio!

Ethan nem precisou olhar para seu *Bremont* — edição limitada — para saber que não o entregaria. Depois de segurar os dedos pousados em seu ombro, com força excessiva, afastou a mão de si. O homem o olhou incrédulo.

— Acredito que depois de hoje não precisará saber as horas.

Uma vez dito, prendeu-o pelo pescoço e apertou suas cordas vocais, evitando que gritasse. Enquanto o homem sufocava com seu aperto, Ethan o arrastou até as árvores. Seu ladrão arfou e tossiu, quando o largou no chão, sobre o manto de folha secas e amareladas. O infeliz ainda tentou se arrastar de costas, sendo prontamente puxado de volta pelo pé.

— O que você está...?

Ethan não tinha tempo para conversas. Tapando-lhe a boca, rasgou a gola da camisa e mordeu o pescoço na altura da jugular. Logo sentia o sangue quente irrigando suas veias, o corpo sendo revigorado enquanto o ladrão se debatia. Esse era um dos melhores momentos de seus dias, somente superado quando possuía um corpo feminino, macio e pulsante. A perspectiva de que naquela noite fosse o corpo de Dana fez com que Ethan sugasse o sangue do homem com maior vigor.

Por prudência, não o bebeu todo. Ao se sentir saciado, pegou o fardo morto, cruzou por entre as árvores para jogá-lo no lago. Mais uma vez o Central Park seria notícia, mas não se importou. Encontrar a mulher misteriosa era mais importante do que todo resto.

Livre do corpo, Ethan rumou para a saída do parque. Chegava à calçada, quando sentiu o cheiro familiar. Farejando o ar, correu para encontrar a aparição improvável. Imprimiu tamanha velocidade que por pouco não se chocou contra o vampiro.

— Andrew? O que faz aqui? — perguntou, desconfiado, olhando em volta. — Onde está Samantha?

— Oi, Ethan — ele respondeu, recuperado do susto.

— Oi — respondeu secamente. Questionou-o e exigia respostas. — E então?

— Eu deixei Samantha em casa — respondeu, colocando as mãos nos bolsos da calça e sorrindo em sua direção.

Andrew Kelly, apesar de ostentar uma expressão séria na maioria das vezes, em outras tantas, comportava-se como se a vida fosse uma eterna piada. Ethan gostara do vampiro alto e forte desde o primeiro dia, sentindo a imediata afinidade. Segundo o que contou na época, Andrew foi atraído até Nova York pela curiosidade. Acompanhado de sua esposa, conhecera Thomas e Joelle numa das viagens destinada à alimentação.

O vampiro mais novo — tinha apenas oitenta anos — interessou-se ao conhecer o estilo de vida que levavam e, depois de convencer a esposa, juntou-se a eles. Todos estavam juntos há seis anos. Ainda assim, Ethan não poderia dizer que o conhecia bem. E, depois do ocorrido na noite passada, desconfiaria até da própria sombra.

— Que bom para você — Ethan retrucou. — Mas o que me interessa é saber o que está fazendo aqui. Não passaria o final de semana no Maine? Assim como Thomas?

— Não fique chateado comigo — pediu —, mas eu imaginei que talvez pudesse ajudá-lo se encontrasse o rastro do vampiro que mencionou esta noite. Por isso convenci Samantha de partirmos pela manhã.

— Veio aqui para isso? — perguntou Ethan, ainda desconfiado.

— Sim... pelo visto pensamos da mesma forma. Não é por isso que está aqui? Para procurar por ele?

Ethan abriu a boca e fechou. Jamais revelaria a quem quer que fosse a razão de ter ido ao Central Park aquela noite. Sequer cogitava admitir a si mesmo que estava ali à procura de uma lembrança. Mais uma vez amaldiçoou Dana por expô-lo daquela maneira. Conferindo autoridade em sua voz, respondeu:

— Sim. É por esse motivo — ao confirmar esboçou um sorriso. Precisava se livrar de Andrew para começar sua caçada. — Escute... Pensando bem, não acho que tenha sido uma boa ideia vir até aqui. Já se passaram muitas horas, melhor você voltar para sua adorável Samantha. Eu posso...

— Ah, não Ethan! — Andrew o interrompeu. — Até concordo que seja tarde para encontrarmos algo, mas podemos aproveitar a noite. — Ao perceber o titubear de Ethan, pediu suplicante: — Vamos lá... eu conheço um lugar legal! Sei que você vai a lugares parecidos quando quer companhia — piscou para Ethan. — Samantha não gosta de lugares abafados. Ela prefere ficar longe dos humanos. Só abre exceção para a Ópera — concluiu com uma careta.

Ethan se deu por vencido. Sabia que desconfiavam dele, assim como desconfiava de alguns dos seus companheiros. Se insistisse em despistá-lo para procurar por Dana e outro ataque parecido ocorresse, seria difícil fazer com que acreditassem em sua palavra. E jamais usaria sua fraqueza por uma humana como álibi. Dizendo a si mesmo que teria outras noites para procurá-la, concordou em acompanhar o colega.

— Está bem, mas... já se alimentou? Você não bebe de humanos, não é isso?

— Prefiro não fazê-lo, então não tenho problemas em estar perto deles.

— Se é como diz... — Ethan deu de ombros. — Onde fica esse lugar legal?

— Vamos... eu mostro.

Como Andrew correra até o parque, seguiram no carro de Ethan até a 2ª Avenida, entre as 8ª e 9ª Street. Esse era o endereço que o amigo lhe passara. Guiava sem pressa para a parte sul da cidade. Estava dividido, sentindo-se contrariado e aliviado. Sabia que Dana estava lhe roubando a razão. Tinha problemas reais para solucionar e tudo que fazia era gastar seu tempo livre remoendo a tentativa frustrada de um encontro. Tentando focar no que realmente interessava, Ethan perguntou, casualmente, a Andrew:

— O quanto você conhece Seager?

— Não muito — Andrew respondeu, olhando em frente. — Talvez o mesmo que você e todos os outros. Que ele é advogado e se juntou McCain & Associated pelo mesmo motivo que eu, distração.

— Ele também evita sangue humano, não é?

— Pelo que sei, sim. Já esteve no Maine conosco, mas prefere se alimentar sozinho. Não saberia dizer para onde ele vai quando sua sede se agrava.

— Entendo — Ethan murmurou.

— Por que pergunta? — Andrew olhou em sua direção. — Desconfia dele?

— Não desconfio de nenhum de vocês — mentiu. — Só me dei conta de que não o conheço bem. Assim como não conheço você tampouco — acrescentou ao encará-lo.

— Como não me conhece?!... Estou com você há seis anos.

— Eu sei! Mas conversamos pouco, saímos pouco.

68

— É verdade. Nesse sentido posso dizer que conheço melhor o Thomas. Sempre viajamos juntos para o Maine ou ao Parque Nacional. Agora, com você... Nossos hábitos são diferentes.

— Sei disso.

E apreciava. Ethan evitava o contato direto com os outros vampiros. Apreciava apenas a companhia de Thomas e Joly, seus eternos companheiros. Andrew era agradável, mas dispensável. Sua companheira Samantha era arrogante e esnobe, detestava-a. Tentava aturá-la em consideração ao sócio. De todos, Seager era uma incógnita. Por ser reservado, Ethan não estranhou a mesma postura no vampiro subserviente. Agora, porém, sentia que precisava estreitar os laços que os uniam. Se algum vampiro novo fosse uma ameaça, precisaria da lealdade de todos. Ciente do fato, Ethan sorriu para Andrew.

— Mas vamos mudar isso esta noite, não é mesmo?

— Sim — Andrew retribuiu o sorriso.

— Para onde vamos afinal? — Ethan questionou, aproximando-se da Rua Nove.

— Ali, você provavelmente conhece — disse Andrew, animado.

O jovem vampiro só poderia estar de brincadeira. Se Ethan tivesse contado a Joly o quanto considerara Dana cheirosa e verdadeiramente bela, durante todo o dia, juraria que Andrew teria ouvido atrás da porta e agora lhe pregava uma peça de extremo mau gosto.

Logo descartou a hipótese infundada e observou o lugar que conhecia tão bem. Caçara companhia na casa noturna algumas vezes. Se não estivesse tão perdido em seus pensamentos impróprios, teria reconhecido o endereço imediatamente.

Impaciente, Ethan procurou por uma vaga onde pudesse deixar seu carro, rogando para que alguma pobre alma se atrevesse a roubá-lo, pois precisava de um pouco de ação aquela noite. Em silêncio, dirigiram-se ao La Belle Epoque. Ethan se perguntava que época poderia ser bela se não conseguia se livrar do fantasma de sua *bela* Dana. Ao adentrarem no grande salão, Ethan procurou pelo bar. Beber era tudo que lhe restava antes de arrumar companhia. Não seria a certa, mais uma vez.

— Uísque duplo, por favor — pediu ao barman. Para Andrew, perguntou: — O que vai querer?

— Nada, eu estou bem! Gosto apenas de observar os humanos se divertindo. Me faz lembrar de como eu era. Eu e minha família costumav...

Ethan o bloqueou de sua mente. Talvez, estreitar os laços de amizade não fosse uma boa ideia. Ao receber o copo das mãos do garçom, sorveu metade do líquido de uma só vez. A bebida forte queimava sua garganta, mas de uma forma agradável, nada comparável à queimação provocada pelo desejo de sangue. Em seguida esta se espalhava por suas veias, dando-lhe a sensação de conforto.

Por vezes, Ethan agitava a cabeça na direção do colega, indicando estar ouvindo seu relato, mas seus olhos vagavam pelo salão. Vários casais dançavam ao som do tango. Logo sua atenção foi direcionada a uma jovem dançarina e seu par. Ela se deixava guiar com desenvoltura. A saia de seu vestido negro parecia ter vida própria e se agitava em torno das pernas bem desenhadas. Ela trazia os cabelos castanhos presos em uma trança frouxa, deixando que algumas mechas caíssem em seu rosto.

Ethan podia ver a beleza nos traços. Quando a música chegou ao fim, dando lugar à outra, o suor corria por seu rosto. Ela se afastou de seu acompanhante, abanando-se com as mãos pequenas. Ethan a viu mover os lábios, depositar um beijo no rosto do rapaz e seguir para o banheiro. Sem pensar duas vezes, o vampiro bebeu todo uísque, pediu desculpas a Andrew e a seguiu.

A área dos banheiros ficava numa parte reservada, as únicas pessoas que poderiam vê-lo, seriam aquelas que estivessem no interior do banheiro feminino. Ethan entrou sem constrangimento. Encontrou três mulheres diante do espelho. A morena com o vestido preto banhava o rosto, debruçada sobre a pia, enquanto as outras retocavam a maquiagem. Dirigindo-se a elas, ordenou que saíssem. Quando olharam em sua direção, completou:

— E eu ficarei realmente aborrecido se deixarem alguém entrar.

Ao ficar sozinho com a única que o interessava, olhou-a pelo espelho. Sim, era bonita.

— Acho que errou de lugar, senhor. — Sua voz era agradável, porém aborrecida. — Este é o banheiro feminino.

— Eu sei — disse. — E quero estar aqui.

Ethan não interrompeu o contato visual. Sabia que sua presa gostava do que via. Sempre acontecia da mesma forma. Primeiro o espanto e, depois a recusa, a aceitação. O vampiro não tinha tempo para passar por todas as fases, e encantou-a sem preâmbulos.

— Assim como você quer estar comigo.

— Sim, eu quero — rendeu-se, enquanto ele se aproximava por trás.

Ethan sorriu. Sem deixar de encará-la pelo espelho, ele a enlaçou pela cintura e cheirou seus cabelos. Estes rescindiam a xampu e tabaco. Ele lutou internamente para não se render às comparações. A moça arfou e se apoiou na borda da pia, quando Ethan correu a mão por seu ventre e a apertou junto ao corpo, apresentando sua dureza.

Apreciava tal satisfação, mas queria muito mais. Sem se afastar, subiu as mãos pelo decote, alcançou o laço atrás do pescoço e o desfez. Lentamente, desceu a frente do vestido negro para apreciar o dorso despido. Ante a visão, o vampiro liberou um gemido baixo. Os seios dela subiam e desciam de acordo com a respiração acelerada. Em expectativa ele cobriu os mamilos escuros e os acariciou, desejando vê-la nua. Com fome, baixou o vestido ainda mais até que este caísse aos pés dela. A moça ergueu o quadril, demonstrando sua aceitação. Estava pronta!

Ethan apenas sorriu.

— Qual é o seu nome?

— Hanna...

— Muito bem — disse ao se livrar seu membro dos tecidos limitantes para que pudesse estocá-la. — Prazer em conhecer, Hanna.

Ethan gostava do que via no espelho. Sentia que Hanna talvez pudesse finalmente saciá-lo, pois formavam um excitante casal. Seu erro foi descer os olhos para as costas nuas. A pele branca da moça, aliada à cor de seus cabelos, o arrastou para a lembrança que não deveria ter. Desnorteado, tentou focar no nome certo enquanto se movia.

Hanna... Hanna... Anna... Ana... Dana... Dana...

Fechando os olhos com força, Ethan se rendeu ao engano. Era a mulher misteriosa que arfava e gemia ao receber suas investidas. E com a imagem brincando em seus olhos fechados, Ethan cavou os dentes afiados na nuca macia. Sugou-lhe um pouco do sangue salgado e quente, apenas por vício. Antes da completa satisfação, lambeu a ferida e se movimentou mais rápido tendo o rosto de Dana fixo em sua mente.

Ao finalmente abrir os olhos, Ethan mirou-a através do espelho. Era linda, servira-lhe para aplacar o desejo, mas não fora capaz de fazê-lo esquecer. Frustrado, afastou-se dela e, enquanto se recompunha, notou que a moça estava com dificuldades para se manter de pé. Antes de envaidecer-se reafirmou, irritado, que faria o mesmo com a Dana original. Como Hanna, ao se fartar dela, deixaria que voltasse para seu par.

Sem proferir uma palavra em despedida, Ethan abriu a porta e, fitando as duas mulheres que usou como seus cães de guarda, ordenou:

— Entrem — elas obedeceram debilmente, quando as três o encaravam, ordenou: — Ajudem-na e esqueçam.

Ethan voltou ao salão sem se importar que o tivessem visto. Tudo que desejava era voltar à sua cobertura, nadar e esquecer, caso fosse possível. Ao se aproximar de Andrew, que permaneceu em seu lugar e o encarava incrédulo, anunciou sombrio:

— Vamos agora! Para mim, a noitada acabou.

Capítulo 6

*D*ana corria pelas calçadas conhecidas. As árvores em volta, ocultavam uma presença estranha. Ela sentia o peito oprimido como se lhe faltasse alguém. E era observada. Olhava em todas as direções e nada via. Estava sozinha no parque. Em uma encruzilhada. Chamou por Paul, mas a voz não saiu. Não deveria, mas apreciou a falta de resposta. Apesar de estranho, gostava de ser observada. Gostava da sensação de perigo iminente. Ignorando o medo crescente, passou a procurar entre as árvores. Ela sentia que a força a desejava, queria-a também, mas não conseguia encontrá-la.

De repente, ela sentiu um movimento atrás de si. O que quer que fosse estava perto, muito perto. Soube se tratar de uma pessoa, quando sentiu a respiração incidir em seu pescoço. O ar gelado a excitou, arrepiando sua nuca. Dana virou e se deparou com Paul. A decepção a dominou por um segundo. Então, lembrou que ele era seu namorado. Era ele a quem deveria procurar. Dana tentou se aproximar, mas ele deu um passo atrás, sentido. Ela estendeu a mão para tocá-lo, e ele não estava mais lá. Em seu lugar aparecera sua mãe que disse:

"Não se iluda".

∞

Dana despertou atordoada. O som insistente de uma caneta batendo contra a madeira ecoava em sua mente. Ao erguer a cabeça, deu-se conta de que adormecera em sua mesa de trabalho. Melissa a olhava, curiosa.

— Acorde, Bela Adormecida — disse, sorridente. — Não tem dormido à noite?

Ainda presa ao sono, Dana não soube o que responder. Apesar de ter visto sua mãe e Paul, seu corpo estava excitado, consciente da força que a perseguiu no sonho. Confusa, Dana passou as mãos pelo cabelo e tentou clarear as ideias.

— Sim! Eu tenho dormido bem — mentiu por fim.

Não dormiu nada bem na última semana e sempre que acontecia, tinha o mesmo sonho estranho, no qual era procurada por uma força desconhecida. A princípio, Dana os associou à sua preocupação à matéria sobre vampiros, contudo, entregou-a no prazo. Esta já fora impressa e veiculada na terça-feira anterior. Ainda assim, os sonhos persistiam.

— Bem... não me parece que seja verdade — a amiga retrucou. — Tem visto Paul todos os dias, como você disse que fariam?

— Você sabe que não. — Dana bufou ao recostar na cadeira.

A pergunta da amiga era infundada, visto que ela mesma cancelara um compromisso em seu nome, por se encontrar em reunião com o editor-chefe. Este a convidou para ir à sua sala, na quarta-feira, para parabenizá-la pela matéria. Billy dissera que, associada aos assassinatos recentes, sua narrativa despertou o interesse público, fazendo com que o jornal tivesse uma vendagem acima de seus padrões.

A sessão de elogios se estendeu ao ponto de atrapalhar seu almoço com o namorado. Depois daquela conversa com Billy, Dana soube que seria efetivada. O homem moreno, de feições joviais, afirmou que seu futuro como jornalista seria brilhante e que seria imenso orgulho de tê-la em seu *staff*.

Paul se mostrou satisfeito quando lhe contou o acontecido ao se falarem pelo telefone, naquela mesma noite, como se deram todos os contatos na semana que se seguiu. Apesar da promessa, na prática, esta fora esquecida. Segundo Paul, Harry o sobrecarregava com serviços menores, como uma espécie de punição velada por ter perdido a causa.

Dana, por sua vez, dedicou-se mais ao jornal. Com isso, depois de passarem o final de semana juntos, o casal se encontrou somente na terça-feira à noite, no apartamento de Dana, onde jantaram lasanha, feita por ela, e assistiram a alguns filmes até que fossem dormir.

Não tinham ânimo para saírem na noite fria e úmida, uma vez que desde sábado, uma garoa gelada banhava a cidade. Mesmo estranha e chuvosa, a semana passou depressa. Estavam agora na sexta-feira, dia em que Dana seria informada de sua contratação. Billy, dias antes, avisou que faria questão de cumprimentá-la quando tudo fosse oficializado.

Ao suspirar, Dana mirou o rosto da amiga e se aborreceu por ter sido acordada, por ser questionada, quando as respostas eram conhecidas. Irritada, perguntou secamente:

— Tem algum motivo para me acordar ou só está com vontade de bater papo? Ainda estou em horário de almoço.

— Ah, sim... — Melissa disse como se lembrasse de algo. Contendo um gritinho de excitação, falou: — Billy quer te ver!... Acho que ele tem algo importante a dizer.

Dana afugentou os resquícios de sono; a hora tinha chegado. Seu estômago deu voltas inteiras. Sem saber ao certo se ficaria de pé, ergueu-se e apoiou-se em sua mesa.

— Dana, você está bem? — Melissa correu e se pôs ao seu lado. — Quer um copo com água ou...

— Não — disse e ergueu a mão para detê-la. — Estou bem... Só... um pouco ansiosa.

— Ainda assim era preferível que se sentasse e que bebesse um gole d'água.

— Não, Melissa! É sério. Eu estou bem...

— Tem certeza? — perguntou a amiga, em dúvida. — Se quiser posso te acompanhar até o banheiro.

Dana assentiu e a seguiu. Diante da pia, molhou o rosto e os pulsos. Estava realmente ansiosa. Aquele seria um dos momentos mais importantes de sua vida. Pausadamente, respirou fundo, tentando conseguir algum controle. Depois de secar o rosto e as mãos, olhou em volta. Esquecera-se de pegar a bolsa. Como se entendesse seu torcer de lábios, Melissa lhe estendeu seu batom.

— Trago sempre no bolso — disse, sorrindo. — Nunca se sabe quando vamos precisar...

— Obrigada. — Dana pegou o batom oferecido e reparou no quanto sua mão estava trêmula.

— Tem certeza de que está bem? Posso te acompanhar até a sala do Billy.

— Não precisa... — Sorrindo para demonstrar que estava bem, Dana concluiu ao lhe entregar o batom: — Prometo caminhar em linha reta e não desmaiar lá dentro.

— Se for desmaiar, faça em cima dele. — A colega suspirou, piscando-lhe. — O homem é um tipão!

— Tipão?!... — Dana riu ainda mais, recuperada. — Em qual década você vive?

Dando de ombros, Melissa desencostou-se da parede.

— Eu o acho bonito e *tipão* descreve bem o que penso.

— Está bem... Prometo cair em cima dele, caso desmaie. — Então, arrumando a saia com mãos ainda trêmulas, perguntou: — Como estou?

— Linda, como sempre! — Melissa respondeu ao revirar os olhos.

Dana sorriu, agradecida. Nunca fora linda, mas o elogio a animou. Respirando fundo, marchou para a sala de seu chefe. Não encontrou a secretária, então se aproximou para espiar através do vidro. O editor estava ao telefone e gesticulava, contrariado. Sabendo que não aguentaria esperar por mais tempo, ela deu dois toques no vidro.

Billy a encarou e, movendo seu indicador, sinalizou para que entrasse e sentasse na cadeira à sua frente. Ela obedeceu e esperou. Billy, também aguardava, ouvindo seu interlocutor. Com um suspiro profundo, ele lamentou:

— Se é assim que deseja. Mas saiba que é realmente uma pena! Passar bem — dito isso, Billy recolocou o fone no gancho e sorriu para a jornalista.

— Soube que desejava me ver — ela disse.

— Sim... — Billy se remexeu em sua cadeira, incomodado. — Você está conosco há quanto tempo, Dana?

— Um pouco mais que três meses, senhor — respondeu apenas, resistindo ao impulso de acrescentar "e uma semana".

— Exatamente. Espero que esse tempo tenha sido útil.

— Com certeza eu aprendi muito — disse.

Billy pegou uma caneta a qual passou a dispensar sua atenção, como se evitasse encarar a moça. Dana se sentiu incomodada, sem saber o motivo. Algo estava errado. De repente ela sentiu sua respiração falhar. Forçou-se a respirar, não desejava desmaiar na frente de seu chefe por ser ansiosa ao extremo. Contudo, o clima tenso era palpável. Quando acreditou ser capaz de explodir, Billy rompeu o silêncio:

— É melhor que eu vá direto ao assunto. Danielle, eu sinto lhe informar que a partir de hoje você não faz parte de nossa equipe.

Dana procurou o chão aos seus pés e a voz em sua garganta.

— O... O quê...? Por quê...?

— Dana, veja...

— Eu fiz algo errado? — ela o interrompeu.

— Não fez nada de errado, mas...

— Eu estou enganada ou na quarta-feira passada, nesta mesma sala, o senhor me cobriu de elogios?

— Dana, uma coisa não tem nada a ver com a outra — retrucou, impacientando-se.

— Então...?

Passando as mãos pelos cabelos, Billy a encarou.

— Os elogios foram válidos. Você é realmente talentosa, mas não precisamos mais dos seus serviços. Tente entender.

— Desculpe, mas fica difícil entender algo que não me foi explicado. — Sentindo uma raiva crescente, Dana acrescentou: — O fato é... Você me disse, bem aqui, que ficaria orgulhoso em me manter em seu jornal, em definitivo. O que pode ter mudado em tão pouco tempo?

— Dana... — ele soou contemporizador. — Você tem consciência de que eu não precisaria estar lhe dizendo essas coisas. Para isso temos nosso departamento de pessoal. Contudo, eu quis lhe dar a notícia em consideração à profunda admiração que tenho por você.

Dana tencionou responder, e ele a silenciou com um gesto. Suspirando resignado, como um carrasco que desfere o golpe final, disse sem emoção:

— Mas, se é para citarmos fatos, eu tenho um para você. Nosso jornal não precisava de novos funcionários. Acreditei que pudesse aproveitá-la, mas não será possível. Estamos com nosso quadro formado e não pretendo despedir um funcionário antigo somente para encaixar a namorada do filho de alguém importante. Mesmo sendo ele meu amigo. Negócios são negócios. Compareça segunda-feira pela manhã no DP para que tudo seja acertado. Sinto muito.

Mais uma vez o chão se abriu aos pés de Dana. O mundo parecia estar girando ao contrário. Encarava o homem à sua frente sem recordar o seu nome. Via-o mover os lábios, mas ouvia apenas um zumbido em seu ouvido. De repente a sala rodou e rodou. Ela viu o homem levantar e nada mais.

— Dana! — o chamado vinha de muito longe. — Acorde, Dana! Não me obrigue a chamar uma ambulância.

Dana foi abrindo os olhos lentamente. A claridade a cegava. O rosto debruçado sobre o seu estava disforme.

— Dana! — A voz pareceu alegre. — Que bom que acordou! Acha que pode se sentar?

Ao ouvir as palavras, sentiu uma mão em suas costas, amparando-a. Os olhos ganharam foco e ela percebeu que estava sentada no sofá da sala de Billy. Então tudo veio em sua mente com força total. Fora dispensada sem rodeios. Dana sentiu vontade de fugir dali. Não queria falar com ninguém, ver ninguém. Apenas sumir.

— Preciso ir embora — disse e tentou levantar, somente para cair sentada.

— Acalme-se! Não precisa ter pressa — disse Melissa.

Dana agora a reconhecia. A colega a olhava, pesarosa. Aquele era exatamente o tipo de olhar que queria evitar. Não precisava da compaixão alheia. Depois que estivesse em seu apartamento tudo ficaria bem. Ao olhar em volta, melissa a informou:

— Billy não está. Depois que a colocou no sofá, ele me chamou para te ajudar e saiu. Disse que seria melhor que não o visse.

Quanta deferência! Dana debochou, intimamente. Contudo, no fundo, estava agradecida. Não seria agradável encará-lo. Não depois de tudo o que ouviu dele e de seu desmaio patético. Testando as pernas, Dana levantou. Melissa a amparou por um minuto, então deixou que seguisse sozinha, acompanhando-a de perto.

— Eu estou bem, Lissa.

— Não está nada bem! Seu rosto está branco como papel! Billy me dispensou pelo resto da tarde para que eu a acompanhasse aonde desejasse ir.

Vendo a preocupação estampada no rosto de Melissa, Dana não retrucou.

— Obrigada — disse apenas. — Só vou pegar minhas coisas e ir para casa!

— Se quiser deixar como está, depois eu volto, recolho seus pertences e amanhã eu levo para você.

Sem forças sequer para decidir com praticidade, Dana sorriu agradecida e seguiu em direção à porta. Ao perceber que todos na redação a olhavam com curiosidade, ela ergueu a cabeça e se concentrou em andar com dignidade para não tornar o momento ainda mais constrangedor. Dana foi até sua mesa de trabalho, desligou o computador, pegou sua bolsa e seguiu em direção ao elevador.

Acenou em despedida para alguns que lhe cumprimentaram. Ela sentiria falta deles e agradecia por respeitarem seu momento de dor e não a abordarem com perguntas inúteis. Quando se encontrava no elevador, agradeceu aos céus por ter se lembrado de retirar o carro da oficina. Com isso pôde descer direto para a garagem, evitando a porta de entrada pela qual não voltaria a passar.

Sem se opor, entregou as chaves de seu carro para Melissa e assumiu o assento do passageiro. Nem percebeu o caminho até sua rua. Quando deu por si, Melissa perguntava pela chave de seu apartamento. Ela vasculhou a bolsa como um autômato, a amiga as tomou de sua mão e abriu a porta. Ao ver o sofá, Dana se arrastou até lá e se deixou cair deitada. Sentiu que Melissa tirou a bolsa de seu ombro e seus sapatos.

— O que mais posso fazer por você, Dana? — perguntou, solícita.

— Nada — respondeu, fitando o chão. — Apenas me deixe sozinha.

— Eu não acho que...

— Por favor, Melissa... Eu vou ficar bem! Prometo! Só preciso ficar sozinha.

— Tente ficar bem!... Qualquer coisa me ligue — a amiga falou e lhe beijou a testa.

Ao ver a porta ser fechada, Dana deu vazão ao choro. Sentia seu rosto arder pela humilhação. Sempre soube que não deveria ter aceitado a ajuda dos pais de Paul, só não imaginava que o gesto fosse terminar daquela maneira.

Dana ouviu o toque de seu telefone, contudo o ignorou. Mantendo o raciocínio, ela se lembrou dos pais, de sua mãe, dos sonhos estranhos. Teriam sido premonitórios?

Soluçando alto, Dana abraçou as próprias pernas em posição fetal. A tarde se foi sem que ela percebesse. Aos poucos, o toque insistente do telefone não alcançava seus ouvidos, ela sequer o notava. Quando ouviu a chave girar, foi que percebeu a escuridão. Paul a encontrou sobre sofá, abraçada a uma almofada, chorando, silenciosamente. Depois de pendurar sua jaqueta no gancho atrás da porta, foi até ela.

— Dana, o que aconteceu? Por que não atendeu ao telefone? — perguntou ao se abaixar.

Fungando, ela deixou que ele se acomodasse ao seu lado. Não sabia como dizer que perdera o emprego. Pior. Que a indicação do *sogro* tornara a dispensa em algo ainda mais doloroso. Tampouco saberia a razão de ter sido descartada, visto que não tomaria o lugar de ninguém. Sua contratação serviria para somar. Lembrando-se do quanto fora dedicada à redação e das palavras finais de Billy, Dana se rendeu a um novo surto de lágrimas sentidas.

— Shhh... Diga-me o que aconteceu, por favor — pediu Paul, manso.

— Fui demitida... Me... desculpe... — disparou de uma vez, com o rosto escondido no ombro de Paul.

— Tudo bem, anjo.

— Não... não está nada... nada bem... — replicou ao se afastar, olhando para as mãos.

— Dana, meu anjo, não fique assim — Paul a abraçou pelos ombros.

— Você... não... entende! Era minha chance... Você... mais do que ninguém... sabe o quanto... desejei esse emprego...

Dana tentou em vão enxugar as lágrimas que insistiam em rolar por seu rosto.

— Eu não entendo o que aconteceu... Ou o porquê de ser tão difícil... Sempre tive boas notas... — após um pigarro, ela firmou a voz e continuou: — Era destaque no jornal universitário. Sempre recebi vários convites de estágios enquanto ainda nem era formada. E agora... Os mesmos que me ofereciam emprego sequer me recebem.

— Eu sei, anjo. Você é talentosa! Não sei como ainda não se deram conta! — Dana o encarou. Viu quando Paul mordeu o lábio inferior antes de dizer, receoso: — Posso falar com meu pai e...

— Não! — A voz de Dana saiu um tom acima do normal ao perceber o que ele diria. Respirando fundo, tentou controlar-se e ser firme. — Obrigada... Mas não quero mais favores de sua família. Já foi bem constrangedor aceitar esse... Vou... Vou tentar achar qualquer outra coisa por conta própria. Posso voltar a... Vender matérias avulsas como fazia antes.

— Dana, me deixe cuidar de você. Venha para o meu apartamento. Talvez agora fosse o melhor momento. Sabe o quanto eu quero morar com você, oficializar a união.

— Ainda não é o momento, Paul. — Mais uma vez Dana secou o rosto com as mãos.

Dana apreciava a companhia de Paul, mas tinha suas convicções. Não desejava voltar àquele assunto em tão pouco tempo. Quando arrumasse um bom emprego, com salário anual satisfatório, pensaria em morar com ele. Sorrindo entre as lágrimas, continuou:

— Sabe o que penso sobre isso. Estamos bem como estamos. Sei que nessa semana não conseguimos nos ver todos os dias como prometemos, mas podemos tentar na próxima. — Dana riu sem humor. — Agora tenho tempo livre. No mais, nunca brigamos e nos damos melhor que muito casal considerado normal. Não vamos estragar o que temos.

— Está bem! — Sorrindo tristemente ele concluiu: — Valeu minha tentativa.

Dana lhe sorriu e lhe tocou o rosto com carinho. Paul segurou sua mão ali e fechou os olhos.

— Sabe que eu amo você, não sabe? — ela indagou.

— Tento acreditar que sim — ele respondeu, sorrindo. De repente seu rosto se iluminou. — Eu tive uma ideia!

— O quê?

— Amanhã é sábado, não precisamos acordar cedo... Então vamos sair. Vamos nos divertir.

— Ah... Paul. Eu estou horrível!

— Está adorável com esses olhos vermelhos e as bochechas rosadas.

— Você é um mentiroso, mas obrigada — disse, sorrindo sinceramente.

— Venha! Deixe eu lhe mostrar como poderia cuidar muito bem de você.

Ao pegá-la pela mão, Paul a arrastou até o banheiro. Dana nada disse. Apenas se deixou levar. Ficou encostada na pia enquanto ele ligava o chuveiro e ajustava a temperatura da água. Voltando-se para ela, gentilmente, Paul a despiu e a colocou no boxe. Tirando somente os sapatos, as meias e o cinto, entrou logo em seguida.

— Paul, não!... — Dana protestou. — Suas roupas...

— Sei que tenho outras aqui. — Ele estendeu a mão para pegar seu xampu. Colocando um pouco do líquido cremoso na palma de sua mão, disse: — Agora fique quietinha. Eu cuido de você.

Sem forças para contestar, Dana fez o que Paul recomendou enquanto ele livrava seus cabelos do elástico e começava a massageá-los com o xampu. Em momento algum ele baixou os olhos para seu corpo nu. Parecia mesmo disposto somente a cuidar dela.

Dana olhava para o rosto sério, enquanto Paul estava concentrado na função de lavar seus cabelos. Quando ele a colocou sob a ducha para que a água levasse a espuma, seu coração se encheu de ternura. Comovida com tamanho carinho, novamente chorou. Fechando os olhos para reprimir as lágrimas, Dana sentiu as mãos de seu namorado descer de sua cabeça para seu pescoço e parar em seus ombros. Inconscientemente entreabriu os lábios e tombou a cabeça para trás, para que ele a beijasse.

— Anjo, você não ajuda... — ele gemeu antes de atender ao pedido mudo.

Logo Dana era beijada e prensada contra os azulejos. As mãos de Paul corriam por todo seu corpo, detendo-se vez ou outra em seus seios para apertá-los com força. Talvez o momento pedisse gentileza, contudo Dana sentia uma necessidade descontrolada por ele. Ajudou-o a se livrar das roupas encharcadas para sentir os músculos, sem desprender seus lábios.

Quando mais uma vez, já despido, Paul a prensou contra a parede, Dana pôde sentir que ele estava pronto. Fragilizada, ponderou que não teria melhor tratamento para seu coração ferido do que receber o amor intenso que Paul lhe dedicava.

Minutos depois, com o coração pacificado, acomodada em sua cama, enrolada no roupão branco, Dana admirava o corpo forte do namorado à sua frente enquanto se vestia. Sentia-se feliz por Paul ser capaz de fazê-la esquecer dos problemas e grata por tentar animá-la, mas estava exausta. Não queria sair para lugar algum.

— Paul — ela chamou quando ele acabava de afivelar o cinto. — Vamos ficar aqui... deitados... abraçados. Não quero sair.

— Nada disso! Hoje eu dito as regras. A programação é por minha conta — respondeu puxando-a pela mão para deixá-la em frente à porta aberta de seu guarda-roupa de onde tirou a camisa preta que agora vestia. — Se vista!... E nem pense em me seduzir. Sou um homem decidido. Sempre consigo o que quero e o que desejo esta noite é te levar para dançar.

— Está bem! Está bem!... — sorriu para ele. — Se você não se importa de ser visto com um tomate... Vamos lá!

Paul riu com gosto e a enlaçou pela cintura.

— Você não está parecida com um tomate e saiba que fica linda de olhos inchados. Irresistível!

— Mentiroso — acusou, acompanhando-o no riso. — Agora saia para que eu me arrume.

— De maneira alguma — ele se sentou em sua cama. — Quero participar de todo processo.

Sabendo que ele não se moveria um milímetro, Dana despiu o roupão e o atirou no rosto do namorado. Ao escolher o que vestir, optou por uma calça *jeans skinny* com a lavagem escura e uma blusa de crepe de seda estampada, sobre um corpete preto. Enquanto se vestia tentava ignorar os olhos perscrutadores de Paul. Ponto para ele. Com sua atitude invasiva ele a ajudava bloquear os pensamentos indesejados.

Depois de sorrir para ele, Dana rumou para o banheiro a fim de tentar domar os cabelos e se maquiar. Ele a seguiu e se recostou no batente. Quando Dana fez menção de ligar o secador, Paul a deteve.

— Deixe como está. Gosto do jeito que seu cabelo fica quando seca naturalmente.

— Está certo! Você é quem manda — descartando o secador, Dana apenas escovou os cabelos, vigorosamente, antes de se maquiar sem excessos. Quando estava satisfeita com o resultado, virou-se para Paul. — Então? Como estou?

— Apetitosa — respondeu com os olhos semicerrados. — Porém, vou degustá-la na volta. Agora, vamos para o Meatpacking District, Cielo nos espera.

Capítulo 7

Diante da grande janela de seu escritório, o vampiro olhava a cidade, as luzes dos carros conferiam movimento à cena. O céu, coberto por nuvens carregadas, tornava o horizonte sombrio. Ethan comparou a escuridão à de sua alma, que estava mais enegrecida nos últimos dias. Tomando um grande gole de uísque, ele deu graças aos deuses por finalmente ser sexta-feira, encerrando assim uma péssima semana.

O corpo do assaltante que matou no Central Park não foi encontrado ou o fato mencionado. Ethan não atinava a razão da falta de notícias. Se o intruso atacou ou se simplesmente não deram importância ao fato. Algo de que duvidava.

Para piorar um ânimo já alterado, quando despertou no último sábado, sozinho, teve a má sorte confirmada ao ver a chuva torrencial que anulava qualquer possibilidade de procurar por Dana valendo-se de seu cheiro. Preso em sua inédita obsessão, Ethan teve de se contentar com sua lembrança, como fazia desde que a viu.

Irritado, ainda olhando as luzes da cidade, o vampiro especulou em qual dentre tantos edifícios de Manhattan a humana estaria escondida. Poderia ser há três quadras distante da Wall Street ou no prédio ao lado, ele não saberia. O odor que lhe queimava as narinas, perdera completamente a serventia.

— Inferno! — praguejou baixinho, antes de entornar todo o uísque e voltar a sentar.

Apanhou uma pasta apenas para jogá-la de volta à mesa de trabalho, sem abri-la. Nem mesmo analisar os processos ou montar estratégias de defesa o animava. Justamente ele, o advogado mais entusiasmado entre todos os outros, mortais e imortais.

Ao se recostar em sua cadeira, o vampiro cobriu os olhos e repassou momentos da semana que atravessou como um cão, deixando a vida de todos, ainda pior. Em um único dia se indispôs com Thomas e Andrew ao se recusar a aceitar uma causa. Sem nem tomar conhecimento do delito,

Ethan mandou que fizessem como quisessem e que se não estivessem satisfeitos que partissem, vociferando que não precisava de nenhum deles.

Superou-se no final da tarde ao assustar a humana responsável pela limpeza de sua cobertura, rosnando feito um animal, quando a serviçal perguntou se poderia dispensar a limpeza do gabinete ocupado por ele, visto o adiantado da hora. Talvez Martha ainda estivesse correndo e invocando todos os santos que conhecesse naquele exato momento. Não era de seu feitio assustar quem lhe servia. Nunca ameaçou seus funcionários humanos. Antes disso, recomendava para que seus amigos imortais nunca os tocassem.

Passando as mãos pelos cabelos, Ethan novamente praguejou, questionando-se como uma imagem associada ao cheiro de fêmea no cio poderia mudar sua natureza, tornando-o um completo estranho. Estava insociável, sabia. E de tal forma perturbado que não importava a anônima da vez, sua companhia sempre era *ela*. Todas, sem exceção. Mulheres erradas, de odores variados, que não o satisfaziam, ainda assim, sempre Dana.

Com um bufar exasperado, Ethan foi se servir de mais bebida. Ao descobrir a garrafa vazia, atirou-a contra a parede oposta, impaciente. Esta estilhaçou com estrondo, espalhando cacos mínimos por toda sala.

— Vadia! Bruxa maldita! — insultou aquela que o atormentava.

Com certeza aquela mulher se valia de algum feitiço para atrair os homens e ele, possuidor de um olfato apurado, era a vítima da vez. Era a única explicação! E por estar enfeitiçado deveria exorcizá-la, definitivamente. Até mesmo porque poderia jamais encontrá-la.

Se assim fosse, vagaria como um zumbi à sombra de um fantasma? Não, obrigado!

Ele já fazia parte de uma história de terror, não precisava incorporar outra criatura. Decidido a encerrar aquele caso sem solução, entendeu que a chuva veio para liberá-lo então, ignorando o estado do seu escritório, partiu. Era Ethan Smith McCain e ninguém, em tempo algum, seria maior do que suas vontades. Estava no mundo desde 2 de novembro de 1813. Alguém que viveu tanto, não seria vencido por uma lembrança. E ele nunca seria vencido! Muito menos por uma reles mortal.

∞

Recostado, há pouco mais de uma hora, à parede lateral ao bar, Ethan observava o movimento intenso da casa noturna a girar o copo de uísque entre os dedos. Aproveitava a penumbra para avaliar os corpos ondulantes na pista de dança. O som estridente daquilo que os humanos chamavam de música não o afetava mais. Apenas apreciava a cena como se assistisse a um dos primeiros filmes exibidos, incolores e silenciosos. Saciado de sangue humano, precisava se concentrar em sua segunda caça. Uma que o distrairia dos desentendimentos, da falta de foco para assuntos jurídicos.

Com os olhos postos na pequena pista, ele escolhia aquela que passaria a noite em sua cobertura. Muitas eram promissoras, mas queria uma que fosse especial, que anulasse o sortilégio. A poucos metros, exatamente à frente, uma loira escultural dançava sensualmente, era uma forte candidata. Enquanto ponderava se apostaria nela, um grupo de seis pessoas deixou a pista, abrindo um amplo espaço, revelando outras tantas, mais ao fundo. Foi quando aconteceu.

Inesperadamente... Magicamente... O vampiro a viu.

Ela dançava naquele ponto afastado do salão. Ethan sentiu como se lhe atingissem o estômago ao avistar Dana, multicolorida e brilhante pelo efeito dos globos de espelhos e das luzes estroboscópicas. Todos em volta desapareceram por encanto, restando somente sua bruxa. Não uma saída de sua mente fantasiosa, sim, a verdadeira. E Dana estava ainda mais bonita, vestia calça *jeans* e uma blusa de tecido transparente com estampa indecifrável.

Evidente que ali, não notaria sua proximidade, pois o ar viciado da danceteria rescendia a suor, álcool e cio. Todavia, bastou reconhecê-la para desejá-la mais. Não precisava sentir seu cheiro. Assim como a imagem de seu rosto estava tatuada em sua mente, o odor estava ali, em suas narinas, gravado a ferro.

Os cabelos claros estavam soltos e balançavam suavemente enquanto ela se movia ao som da música. Para a sorte do vampiro, parecia estar sozinha. A chance era única e não seria desperdiçada. Tão logo bebeu o uísque a um só gole, ele partiu para sua abordagem. Ethan avançava mais e mais, ainda alheio, como se só existissem os dois. Vivenciava aquele espreitar como se realmente participasse de um filme mudo, quando, a cinco passos de alcançar a presa cobiçada, alguém surgiu e a beijou, apaixonadamente.

Ethan estacou, sendo visitado pela fúria ao receber outro soco imaginário. Cerrando os pulsos, controlou-se para não cometer um desatino. Após o beijo, alheio ao observador, o casal continuou a dançar com seus corpos entrelaçados, seguindo o ritmo envolvente da *House Music*.

Ao iniciarem outro beijo lascivo, Ethan fechou os olhos e lhes deu as costas. Contrariado, olhou em frente e voltou para o canto ao lado do balcão. Seu pedido ao barman mais pareceu um rosnado. Quando recebeu seu uísque, bebeu-o concentrado no casal libidinoso. O advogadozinho tinha encaixado uma das coxas entre as pernas de Dana, enquanto os dois moviam os quadris em uma dança digna de ser efetuada sobre uma cama.

— Vadia! — Novamente a insultou por *copular* daquela forma perante outras pessoas.

Mais uma vez, Ethan a comparou a uma prostituta. O pensamento ressentido lhe trouxe um fio de esperança. Talvez a jovem nada mais fosse do que uma acompanhante exclusiva de seu colega. Precisava descobrir. Sem deixar de observá-los, Ethan os viu dançar por mais algum tempo antes que o rábula conduzisse Dana pela mão até o bar.

O casal parou no extremo oposto do balcão. A luz amarelada, proveniente da iluminação tubular, reincidia no rosto suado de Dana. Ethan pôde notar que seus olhos estavam inchados. Desejou saber o motivo, para logo em seguida recriminar-se. Nunca se preocupou com humanos e se Dana sofresse, tanto melhor. Que o culpado fosse o advogado de segunda.

— Seria ousadia se eu te oferecesse uma bebida? — soou a voz feminina ao seu lado.

Ethan reconheceu a loira desejável que cogitou abordar antes que a humana infernal roubasse toda sua atenção. Ele teria apreciado a aproximação caso esta não estivesse atrapalhando sua observação.

— Seria — respondeu secamente.

Não costumava ser rude, mas no momento que reafirmava sua atração, começou a odiar todas as mulheres que, de um modo geral, não seriam capazes de libertá-lo. No momento, até mesmo o odor que desprendia da loira o enervava. Por ser linda, contudo desprovida de carisma, Ethan foi ainda mais cruel:

— Espera um pedido formal para sumir de minha vista?

— Você não vale tanto! — A loira sibilou e partiu.

Sozinho, Ethan focou o casal. Reparou que cada um deles fora servido e que se afastaram do balcão. Dana bebia um Martini com uma cereja — talvez não gostasse de azeitonas. Enquanto ela bebericava, Ethan fazia o mesmo com sua bebida. Não conseguia deixar de olhá-la, mesmo que sentisse ganas assassinas toda vez que era beijada ou acarinhada por seu par.

Acompanhando os carinhos, o vampiro sentiu uma satisfação mórbida ao imaginar como seria prazeroso quebrar um a um dos dedos daquele advogado intrometido. Suspirando profundamente, Ethan entornou todo o conteúdo do copo a um só gole. O líquido queimou sua garganta que já incomodava à medida que sua raiva crescia. Raiva dela, que simplesmente não olhava em sua direção, mesmo que por vezes esquadrinhasse seu entorno. E raiva de si mesmo por se revelar um masoquista.

Não havia motivo lógico para continuar a assistir aquela cena, no entanto, ali estava. Quando Dana sorriu para Paul, Ethan sentiu pontadas afiadas atravessarem seu peito, assustando-o. Alguém com tal poder poderia representar perigo, ele considerou ainda alarmado por padecer ao ver o sorriso luminoso dirigido a outro.

Apegue-se aos sinais, disse a si mesmo. Relutante, ouviu a razão que ainda lhe restava e, forçando-se a desviar seu olhar, Ethan perscrutou a pista. Procurava pela loira que lhe oferecera bebida. Ela novamente dançava. Ignorando o casal, Ethan foi até ela para colocar seu plano inicial em prática.

— Olá! — disse-lhe ao ouvido.

— Ei, você! — ela respondeu, erguendo uma sobrancelha. — Mudou de ideia?

— Todos têm direito a mudar de opinião. — Ethan sorriu maliciosamente, apreciando a falta de amor próprio de algumas mulheres, ela continuava interessada.

— Desde que não mude novamente, meu bem... Eu concordo com você — retrucou em seu ouvido, para logo em seguida lambê-lo.

Ethan fechou os olhos e, inconscientemente, viu outra na ação. Estimulado, trouxe-a para junto de si. Encaixou sua perna entre as dela e a prendeu pelo quadril. A loira o enlaçou pelo pescoço, as mãos se perdendo por seus cabelos. Ethan foi obrigado a admitir que, mesmo errado, o cheiro que vinha dela era agradável.

Como seus rostos estavam colados, o vampiro apenas moveu o seu e capturou a boca carnuda. A loira arfou quando ele intensificou o beijo. Em segundos, tendo Dana em sua mente, Ethan quis prová-la. Ao desfazer o beijo, levou a boca ao ouvido feminino.

— Cansei de dançar e você?

— Estou exausta — ela anunciou, arfante. — O que tem em mente?

— Prefiro mostrar — Ethan respondeu de modo sugestivo. — Quer ver?

— Quero...

— Então vamos! — ele chamou, pegando-a pela mão.

— Espere — A loira pediu sem se mover. — Preciso avisar minhas amigas, pegar meu casaco e dar uma passadinha no banheiro.

Ethan a encarou, levemente irritado. Não era como se estivesse fugindo, mas desejava sair da casa noturna o quanto antes. Cogitou dispensá-la e procurar por outra, contudo não se sentia animado com a iminência de uma nova empreitada.

— Está bem! Tem alguma pendência na casa? — perguntou.

— Não. Estou por conta de umas amigas. — Dito isso piscou para algumas garotas à sua volta.

— Certo — Ethan falou, seguindo-lhe o olhar. — Vou esperá-la lá fora, não demore.

Antes que a loira se fosse, o vampiro tomou o devido cuidado de fazer com que cada uma das amigas esquecesse sua feição. Tarefa cumprida, Ethan quitou seu débito e deixou a casa noturna, disposto a banir seu fantasma particular.

Na calçada, encheu seus pulmões velhos com o ar da noite, fria demais para o início de outono. Com os olhos fechados, lutou contra uma voz insistente que o exortava a regressar ao interior da danceteria.

"Sua bruxa ainda está lá", a voz demoníaca lhe soprava ao ouvido. "Talvez o advogado a dispense essa noite... Talvez você devesse apenas..."

— Não — murmurou para si. Aquela obsessão beirava à loucura.

Resoluto, Ethan sorveu o ar mais uma vez. Cismava sobre a possível insanidade, quando o vento soprou em sua direção. Como na noite do Central Park, a essência demoníaca o atingiu como um raio, fazendo com que cerrasse os punhos fortemente. Todos os seus músculos se retesaram numa ação conjunta e involuntária. Com bravura, suspendeu a respiração e virou o rosto na direção oposta. Assim ficou até que lhe tocassem o ombro.

— Ethan McCain?

Resignado, com expressão impassível, Ethan olhou na direção do chamado. O homem ao seu lado era quase da sua altura e escondia parcialmente sua acompanhante. Ethan reparou que aquela era a primeira vez que estava, de verdade, próximo a ela. Soube que não tinha respondido, quando o homem insistiu:

— Você é Ethan McCain, não é?

— Sou — disse, lacônico. — Eu o conheço?

— Na verdade, não. Somos colegas de profissão. Eu já o vi algumas vezes no tribunal — explicou amigavelmente ao estender a mão. — Sou Paul Collins e essa é Danielle Hall, minha namorada.

Danielle Hall. Danielle. Danielle... Ethan saboreou o nome.

Mais uma vez, todos no mundo desapareceram. O vampiro respondeu e apertou a mão estendida por puro reflexo. Seus olhos permaneceram fixos no rosto angelical que se revelou por trás dos ombros de Paul. Então algo estranho ocorreu. Como se ele se importasse com convenções, saber que formavam um casal pareceu limitar ainda mais sua aproximação junto àquela jovem que o olhava com curiosidade e lhe sorria timidamente. Enternecido pelo primeiro sorriso direcionado a ele, Ethan se recriminou por ter pensado coisas horríveis sobre ela.

No minuto imensurável em que estendeu a mão, o vampiro registrou em definitivo a cor dos cabelos dela. Eram castanhos, porém vários fios dourados o deixavam próximo ao caramelo. Ethan assistiu extasiado, os olhos luminosos, claros como os cabelos, pousarem em sua mão estendida. Quando os dedos delicados dela se fecharam nos seus, algo no íntimo do vampiro se partiu. Era como tivesse se quebrado em mil pedaços, como a garrafa de uísque em seu escritório, e somente ela pudesse torná-lo inteiro.

— Prazer em conhecê-la, Danielle Hall! — Ethan provou o nome em sua língua.

E então, os olhos dela se iluminaram como se o enxergasse naquele instante, ofuscando-o com o brilho intenso.

— O... — ela pigarreou — O prazer é todo meu!

A voz, tão próxima, foi como música em seus ouvidos. Hipnotizado, Ethan se entregou à melodia, esquecendo os temores, deixando apenas sua atração por tão poderosa feiticeira.

Quando a mão de Danielle apertou a sua, ele soube que tinha ultrapassado o momento de soltá-la. Sentiu à vontade furtiva de roubá-la e nunca mais devolvê-la. Se o namorado a requeresse o mataria de bom grado, porém se conteve. Sabia que não poderia agir com temeridade. Algo lhe dizia que com Danielle, teria de agir com cautela.

Na verdade, desejou ser diferente, então lhe soltou a mão e deixou que se afastasse. Tentou ignorar a pontada de ciúme, quando ela se apoiou no braço de seu par, visivelmente abalada. O incômodo foi arrefecido ao notar que os olhos de doce não deixaram os seus enquanto o coração humano acelerava e o rubor cobria a face delicada. Ela não lhe era indiferente.

"Você será minha, Danielle Hall!" Ethan determinou em pensamento.

Cedo demais ela baixou o olhar. Contrariado pela privação, sentenciou que seria ela sua muito em breve. Ali, diante do casal, Ethan percebeu uma maneira de encontrar Danielle com facilidade. Algo óbvio que, se não estivesse imprestável por nove dias inteiros, naquele momento talvez fosse ele a estar com ela. Quão simples teria sido simples contatar o escritório de Paul e então chegar até ela através do namorado?

Fora inapto, mas sempre seria tempo de estreitar os laços de amizade. Forçando-se a olhar para Paul, sorriu amistosamente.

— Desculpe-me por não ter me lembrado de você... Também já o vi algumas vezes. Trabalha para Harry Turner, não é isso?

— Trabalho — respondeu Paul, orgulhoso pelo reconhecimento tardio.

— Desculpe-me também por abordá-lo, mas eu sempre admirei seu trabalho. Muitas vezes comentei a respeito com Dana, não é mesmo, meu anjo?

— É verdade... — ela confirmou timidamente. — Paul já me falou do senhor algumas vezes.

Danielle sorriu e baixou o olhar. O peito de Ethan protestou em êxtase e fúria. Ela sabia de sua existência enquanto que ele desconhecia se ela seria de fato um anjo ou um demônio.

— Nada de senhor, por favor... Faz com que eu pareça um velho, Danielle — comentou, imbuído na intenção de manter contato, ainda saboreando o nome. Antes que ela respondesse, Ethan sentiu um toque leve em seu braço.

— Desculpe a demora. Podemos ir agora, meu bem?

Ethan tinha se esquecido por completo de sua conquista e se arrependeu de tê-la seduzido. Ainda assim precisava aplacar o desejo despertado por Danielle então, assentiu. Dirigindo a Paul e a Dana, garantiu:

— Foi realmente um prazer conhecer vocês, mas preciso ir... Espero que possamos nos encontrar outras vezes.

— Assim espero — concordou Paul.

Danielle nada disse. Ethan não se furtou a um último aperto de mão. Primeiro a de Paul, depois a dela, que segurou por alguns segundos a mais. Guardaria a textura e a quentura de sua palma até que pudesse renová-la. Ethan jurou que seria muito em breve. Com a certeza em mente, voltou-se para a loira. Num gesto cavalheiresco, ajudou-a com o casaco antes de guiá-la até a esquina, onde parou e olhou mais uma vez para o casal. Danielle e o advogadozinho seguiam no sentido oposto.

— Até breve, Danielle! — murmurou. — Até breve!

— O que disse? — sua acompanhante se fez notar.

Ethan a presenteou com um sorriso e lhe acariciou o rosto, antes de levá-la até seu carro. Deixara seu brinquedo querido na rua paralela à da Cielo.

— Nossa! Você tem coragem! Ladrões dariam a vida por um desses. Eu não conheço esse carro, mas tenho certeza de que é *muito* caro.

Relativo. Para ele, o Bugatti Veyron preto teve valor irrisório, quantia que para muitos, seria considerada obscena. E não via problemas em deixá-lo exposto. Conhecia aquela cidade como alguém que conhece o quintal de casa. Cada canto marginal e obscuro, onde teria extremo prazer de buscar seu carro e cobrar o pagamento citado, caso o levassem. Com o humor melhorado pelo encontro e por reconhecer seu poder sobre Manhattan, Ethan novamente sorriu.

— Nem é tanto assim. Vamos? — convidou-a a entrar.

— Para onde vai me levar, meu bem? — perguntou ela ao assumir seu lugar.

— Vou levá-la para conhecer onde moro — anunciou.

Ethan saiu para o trânsito e enquanto manobrava entre os carros, novamente se arrependeu de levar sua conquista adiante. Era um fato que seu corpo clamava por alívio, mas, de súbito, pareceu-lhe imprudente consegui-lo no corpo da mulher errada. E não ajudava que ela tivesse iniciado um monólogo sobre a beleza do interior de seu carro, obrigando-o a bloquear a voz irritante.

Avaliava qual a atitude acertada a tomar, quando um Lexus preto saiu da Jane Street e entrou na Washington, rua na qual ele seguia. Com os vidros parcialmente descidos, Ethan pôde ver o topo da cabeça feminina. Era ela, sabia. Reconheceria os cabelos de doce em qualquer lugar.

Quais as chances daquele segundo encontro na mesma noite? Coincidência? Ou o destino a conspirasse para que a tivesse antes do esperado? Desconhecia os desígnios dos deuses, mas se a oportunidade se apresentou não a descartaria. Logo soube que Paul era um daqueles motoristas certinhos, cidadão seguidor das leis que mantinha a velocidade recomendada.

— Por que diminuiu? — A loira ao seu lado mais uma vez se fez notar.

— Não tenho pressa — retorquiu irritado, então ao encará-la, ordenou: — Durma agora.

Com o silêncio restabelecido no interior do Bugatti, Ethan seguiu Paul a uma distância segura, conformando-se com a morosidade. Pelo caminho que seguiam o vampiro soube que Danielle morava em East Village. Ou estaria enganado? E se em vez de levá-la para casa, o namorado intrometido a levasse para seu próprio apartamento? Ou pior, para um hotel?

Não, Ethan tranquilizou-se antes que batesse na traseira do Lexus. Após tantos sinais, precisava crer que aquela seria a sua noite e descobriria onde Danielle esteve escondida.

Depois de um tempo que pareceu infinito, por fim Paul estacionou na 8th Street. Uma rua tranquila e arborizada. Ethan fez o mesmo, ainda mantendo a distância. De seu posto, viu Danielle sair do carro e esperar pacientemente pelo namorado. Com os punhos cerrados, assistiu o casal se unir e abraçados entrarem no prédio correto. Assim que a porta foi fechada, o vampiro deixou seu carro e correu para frente da construção antiga de cinco andares.

Ethan andava impaciente de um lado ao outro na calçada, quando finalmente uma janela se iluminou no terceiro andar da lateral esquerda. Primeiro uma, provavelmente a sala. Logo em seguida outra; a de uma porta que dava para uma sacada mínima. O quarto. Sem pensar duas vezes, certificando-se de que ninguém poderia vê-lo, Ethan saltou para a sacada mal iluminada. Manteve-se à sombra para ver apenas o que não queria.

Paul e Danielle se aproximavam da cama, um a retirar a roupa do outro. Ethan pôde ver as costas alvas dela em contraste com o corpete negro, quando sua blusa fora retirada. Os cabelos longos caíram pelas costas, exatamente como tantas vezes ele próprio imaginou. Ethan podia sentir a raiva crescendo em seu peito. Se fosse possível, entraria naquele quarto e terminaria a farra.

Chegou a tocar no vidro, contudo, nada podia fazer. Para sua ruína, uma particularidade sobre vampiros era verdadeira. Eles não podiam entrar sem ser convidados. E ainda que odiasse naquele momento por se entregar a outro, Ethan ainda queria agir de forma diferenciada. Sabia em seu íntimo que somente tomá-la ou copular com ela, não bastaria. Não a queria iludida para apagar-lhe a memória depois. Queria-a lúcida, por inteiro. Desesperada, desejando-o tanto quanto ele desde que a viu.

Assistir a intimidade do casal minava suas forças e alimentava o ciúme. Ethan salivava pelo sangue de Paul. Desejava matá-lo com crueldade somente por existir e ter de Danielle tudo aquilo que deveria ser seu. Quando o cretino segurou os cabelos castanhos e a derrubou de costas sobre a cama, Ethan se descontrolou e bateu, involuntariamente, contra o vidro da porta. O som produzido chamou a atenção do casal, porém ao erguerem a cabeça, Ethan não estava mais lá.

Escondido no alto do prédio vizinho, o vampiro viu sua Danielle sair para a sacada e olhar em volta. Os cabelos em desalinho, o corpete sem alças mal escondendo os seios fartos. Uma brisa traiçoeira trouxe seu odor até ele, novamente a nota adocicada unida ao cheiro de sexo o inebriou, desesperando-o.

Danielle estava vulnerável, ali, na sacada. Quão fácil seria roubá-la e acabar com seu tormento de uma vez por todas?

Inocente, Danielle avançou até que tocasse o parapeito para olhar em todas as direções, inclusive na qual ele se encontrava. Por alguns segundos, pareceu que ela o olhava diretamente, como se o visse mesmo que estivesse oculto pelas sombras.

Ethan sabia ser impossível, ainda assim, aquele olhar aqueceu seu coração, aumentando o desejo de tocá-la. Estava prestes a dar o passo revelador, que colocaria tudo a perder, quando Paul a chamou:

— Dana, feche essa porta! Está frio. Não quero que se resfrie.

— Eu já vou... — Dana respondeu, ainda olhando em sua direção. — Pensei que talvez fosse o Black preso aqui.

— Aquele gato sabe se virar sozinho — Paul retrucou. — Talvez tenha sido um morcego. Agora venha! Eu preciso de você!

Aquele era todo o problema. Ethan também precisava.

Passado o momento de ternura por Danielle, o ódio do vampiro voltou com força total, quando a viu entrar e trancar a porta. Liberto da hipnose masoquista, Ethan saltou para a calçada. Em menos de dois segundos estava de volta ao Bugatti. Sem paciência para lidar com a loira e uma vez que não seria prudente tocá-la naquele momento, decidiu levá-la para a casa.

— Ei... Acorde — chamou mansamente, a despeito de toda raiva que sentia.

— Onde estou? — ela perguntou ao sentar corretamente, sonolenta.

— Eu quero levá-la para casa, mas você dormiu. Onde você mora?

— Hummm... 3rd Street com a C Avenue.

— E... qual é o seu nome? — Não que fizesse diferença, mas achou educado perguntar.

— Sarah.

— Muito bem, Sarah! Deixe-me levá-la para casa.

Deixando o silêncio pairar entre eles, Ethan se pôs a caminho. Sarah morava perto, naquele mesmo bairro. Em poucos minutos, ainda acreditando que agia corretamente, ele deixou o carro e acompanhou Sarah até a porta de seu prédio. Desperta, ela segurou sua mão durante o curto trajeto e não a soltou enquanto procurava por suas chaves no bolso do casaco.

Aquele era o momento da despedida, mas confirmando uma natureza inconsequente, Ethan ignorou a precaução e se deixou levar. Como áreas comuns não representavam problemas, permitiu que ela o arrastasse para o interior do prédio sem nada dizer. Estacou apenas no corredor, quando Sarah chegou ao apartamento.

— O que aconteceu? — Sua conquista indagou ao entrar e não ser seguida. O sorriso matreiro desapareceu ao acrescentar: — Mudou de ideia mais uma vez?

— Não! Você precisa me convidar a entrar. — Ele não poderia induzi-la. Precisava ser um convite sincero. Sarah novamente sorriu, jocosa.

— O que há? É apenas um homem formal ou alguma espécie de vampiro?

— Alguma espécie de vampiro — Ethan troçou com a mórbida verdade e abriu um largo sorriso. — Vai me mandar embora por minha triste sina?

— Em absoluto! — ela respondeu, sorrindo ainda mais. — Entre, senhor Conde!

O divertimento por Sarah, inocentemente, contribuir para sua piada particular, foi sobrepujado pela conhecida expectativa ao ser convidado a entrar em local proibido.

Estimulado, Ethan seguiu até o meio da sala, sem reparar na decoração. Não estava socializando, sim, tentando atenuar um problema. Sem palavras ou preliminares, ele puxou a incauta anfitriã para si e a beijou. Sentiu as mãos tatearem por sua camisa, os dedos delicados procurando os botões para abri-los.

Ethan deixou que a loira expusesse seu peito e o acariciasse. Com uma das mãos a segurou pelos cabelos, enquanto a outra explorava o corpo ansioso por recebê-lo. Ao tocar os seios firmes, sem se importar em ser gentil, interrompeu o sugar que aplicava na pele delicada do pescoço feminino para arrancar-lhe a blusa, recriando o movimento de seu mais novo rival.

Estimulado e sem medida, danificou a frente do sutiã para expor os montes arredondados. Olhando para aquele corpo bem feito, desistiu também de lutar contra as ilusões.

— Onde é o seu quarto, anjo?

Ethan sequer percebeu o apelido dirigido a Sarah ou quando esta o olhou com estranheza, antes de dar de ombros, talvez acreditando se tratar de um tratamento carinhoso.

— Por ali — indicou a porta lateral, num murmúrio.

Enquanto seguiam na direção indicada, Sarah o livrou da camisa. Para Ethan era outra mulher quem o fazia. Infelizmente, reproduzir a cena vista da sacada, não teve o efeito desejado. Ethan não somente se excitou, mas também se enfureceu. Ignorando os gemidos da mulher errada, o vampiro a derrubou sobre a cama.

Procurou pelos lábios macios com sofreguidão, magoando os seios com mãos ávidas, cruéis. Sua parceira gemia em protesto, contudo a fragrância atrativa que desprendia de sua parte mais íntima, indicava a Ethan que não deveria parar. Logo sentiu a mão ansiosa tocá-lo sobre a calça, confirmando seu pensamento. O toque ousado inflamou aquele inédito ciúme ao imaginar que *ela* fazia o mesmo em seu namorado certinho.

Sem se afastar, o vampiro eliminou qualquer barreira existente entre seus corpos para por um fim à ânsia que o consumia. Pressentindo que sua companheira gritaria quando a tomasse sem cuidado, Ethan a beijou, antes de arremeter seu quadril de encontro ao dela. O corpo feminino se contraiu em protesto, apertando-o. A recusa involuntária o cegou. Nada, jamais lhe seria negado. Intensificando o beijo, ele passou a se mover com maior vigor, sufocando os próprios urros. Logo aquela Danielle relaxava em seus braços, entregue. Por fim a entender a quem pertencia.

Alucinado, o vampiro regozijou-se ao satisfazê-la. Sua bruxa gemeu uma última vez, incitando-o a apertar-lhe os lábios ainda mais. Ethan percebeu sua força desmedida ao sentir o gosto de sangue. Seria a hora de despertar e parar, contudo feri-la o estimulou e foi além, bebendo dos lábios femininos até que fosse insuficiente. Após a mordida certeira na base do pescoço macio, o sangue verteu farto em sua boca. Era quente, revigorante, excitante.

E assim, servindo-se dela de todas as maneiras que apreciava, Ethan alcançou sua satisfação carnal. Depois de lamber a ferida, ele se deitou contra os travesseiros, trazendo o corpo para seus braços. Sentiu-o flácido, inerte. Ao olhar para Sarah, aceitou a realidade cruel: não mais comandava nenhum de seus atos. Ethan correu a mão pelos cabelos loiros e perscrutou-lhe o rosto pela última vez.

Mesmo ferida, vitimada por sua violência e devassidão, Sarah conservava alguma beleza. Ethan nem ao menos se recriminou por matá-la. Apenas lamentou que o sacrifício tivesse sido em vão.

Sarah partiu sem fazê-lo esquecer.

Capítulo 8

Havia algum conforto em mortes precoces, divagou Ethan, poético, ao cerrar as pálpebras de Sarah. Todas as dúvidas se convertiam na certeza universal: temores findavam e o frescor da juventude era eternizado. Alguns amigos chorariam as fases interrompidas, outros condenariam a injustiça divina, mas todos, sem exceção, se esqueceriam e seguiriam com suas vidas. Ninguém era indispensável ou insubstituível. Incontinenti, Ethan riu com o humor negro que a situação inspirava. Como *ele,* uma criatura incapaz de eleger uma substituta à altura de Danielle, poderia crer em tal individualismo?

O mínimo que devia à morta, era admitir que talvez ela fosse indispensável a alguém, como a moça do parque parecia ter se tornado para ele. E diante daquela verdade inquietante, um súbito temor o abateu. Danielle não era daquela mulher frágil, machucada e profanada por ele. Ethan jamais a colocaria em perigo, mas agora contavam com a presença de outro imortal. Um desconhecido que, assim como ele, poderia cruzar o caminho da jovem e também ser atraído por seus encantos.

Não tencionava confirmar sua nova teoria ao perdê-la. Decidido, deixou o leito e, depois de se vestir apressadamente, saiu do apartamento rumo ao seu carro. Partiu em alta velocidade para sua cobertura, disposto a procurar por Joly. Nem se importou em ocultar o corpo, como normalmente faria. Tinha pressa. Ainda cruzando as ruas e avenidas, Ethan sacou o celular e discou rapidamente.

— *McCain!* — Joly exclamou. — *Espero que tenha um bom motivo para ligar tão tarde.*

— Preciso de sua ajuda — disparou, sem se importar com o tom aborrecido.

— *Agora?!...* — após suspirar resignada, perguntou: — *O que fez dessa vez?*

— Não fiz nada — concentrando-se em furar o sinal vermelho, que provocasse um acidente, pediu: — Preciso que você tome conta de uma pessoa para mim.

— *É alguma testemunha importante?*

— Não é nada relacionado ao nosso escritório... é uma garota.

— *Boa noite, Ethan!* — Sem mais, Joly desligou.

Praguejando, o vampiro jogou seu celular sobre o banco do carona. Em poucos minutos estava na Wall Street, próximo ao seu edifício. Apressado, acionou a porta de sua garagem privativa antes mesmo de estar diante dela. Esta sequer terminara seu processo de abertura, quando ele passou com seu Bugatti, mal reduzindo a velocidade.

Cantando pneu, com a destreza adquirida ao longo dos anos, estacionou na vaga disponível entre o BMW e a SW4. Em um átimo, recolheu o celular e, dispensando o elevador, correu escada acima. Era imprescindível estar calmo para facilitar a nova tentativa de conseguir ajuda.

No *hall* de sua cobertura, lembrou-se de tocar no botão do elevador ao passar para que este subisse. Por exigência sua no interior de seu elevador não tinha câmeras de segurança, ainda assim, o vigia podia acompanhar seu movimento. Manter as aparências era fator relevante, mesmo em momentos de crise.

Ao entrar no apartamento, Ethan se livrou dos sapatos e da camisa que o sufocava, antes de seguir direto ao bar e se servir de uísque. Respirando fundo, aproximou-se da parede de vidro e bebeu de seu copo. O céu escuro já apresentava imperceptíveis manchas alaranjadas, logo amanheceria. Mais um dia em sua vida imortal. Com um respirar fundo e pausado, após sentir seu espírito apaziguado pela breve corrida e o ardor do álcool, Ethan novamente ligou para Joly, olhando a cidade abaixo de si, sem vê-la na verdade.

— Por favor, não desligue — pediu num murmúrio ao ser atendido.

— *Isso é novo* — observou Joly. — *Você pedindo alguma coisa.*

— Sem deboche. — Ethan se controlava ao máximo. — Preciso que me faça um favor.

— *Não é o lance com a garota, é?*

— Joly, poderia ao menos escutar... Não é nada do que você está pensando.

— *Em se tratando de você e garotas não há muito a se pensar.*

— Vai escutar ou não? — Ethan sentia que logo perderia o controle.

— *Fale.*

— Lembra-se da garota do parque? Aquela que me distraiu?

— *Ah!...* — ela simulou surpresa. — *Vai falar sobre ela agora?*

— Joelle, por favor... — pediu, exasperado.

— *Está bem! Pode falar* — anuiu Joly.

E então as palavras lhe fugiram. Ethan bebeu mais um gole, sentia a garganta seca. Nem mesmo ele entendia sua obsessão por Danielle, então, como explicá-la?

— *Estou esperando, Ethan... Se não tem nada a dizer, eu...*
— Espere — pediu antes de admitir. — Eu não sei como começar.
— *Você está bem?* — A voz de Joly soou preocupada. — *Está muito estranho.*
— Estou bem, Joly. Só que... — Não sabia o que contar, mas sabia o que queria dela, então achou melhor começar por seu pedido. — Eu... Preciso que você fique de olho nela por mim.
— *É alguma modalidade nova?* — A breve consternação cedeu lugar ao familiar sarcasmo. — *Agora você as reserva e eu serei a guardiã do rebanho?*
— Não é nada disso! — Ethan replicou, ríspido. — Eu não sei o que está acontecendo comigo, mas gosto da garota, está bem?
Silêncio.
— O quê? — Ethan indagou. — Sem gracinhas depois do que eu disse?
— *Estou ouvindo, McCain, aproveite* — Joly aconselhou.
Passando a mão pelos cabelos desgrenhados, ele continuou:
— Eu a vi pela primeira vez quando matei o King. Você já sabe que ela me chamou a atenção e que eu não a conheci na ocasião. — Após a confirmação, ele por fim assumiu sua fraqueza: — Pois bem... Não entendo o que há, mas... Desde aquele dia não consigo parar de pensar nela.
— *Não é nada anormal* — Joly ponderou. — *Ela é a primeira que você deixa escapar.*
— Não é isso — Talvez um pouco de verdade a persuadisse. — Eu acho que... estou encantado por ela.
— *Ainda, nada de novo... Só não entendi o que tenho a ver com essa nova conquista. O que aconteceu com o esquema infalível de encantar, saborear e fazer esquecer?*
— Ela é diferente. — Ouvir as próprias palavras fez parecer real e a nova situação mais uma vez o assustou. Agitando a cabeça na tentativa de afastar a perturbação, focou em seu objetivo. — Eu senti que essa garota é diferente das outras. Assim como aconteceu com Thomas, quando conheceu você.
— *Entendo* — Joly não ocultava sua descrença, ainda assim Ethan soube ter acertado na colocação, quando ela perguntou: — *Qual é o nome da garota?*
— Danielle Hall. Eu a vi esta noite. Conheci-a, na verdade. E, Joly... Eu acredito realmente que ela é a garota certa.
— *Sei! Sei!... E onde eu entro nessa história?*

— Como já disse, ela é importante. Quero que a proteja.

— *De quê? Você a quer, Ethan... Nada pior pode acontecer a ela.*

— Esqueceu-se que agora temos um vampiro desconhecido à solta? — Ainda ignorando o comentário viperino, prosseguiu: — Não quero que nada aconteça a Danielle. Por isso preciso que a proteja.

— *Espero que ela valha à pena... E que eu não me arrependa!*

— Obrigado! — Ethan sorriu satisfeito por conseguir seu ensejo. — Quando você e Thomas voltam de viagem?

— *Não viajamos. Nos alimentamos por aqui mesmo. Thomas achou melhor não nos afastarmos.*

Ethan saboreou o amargo gosto do remorso. Sentimento indigesto, somente dispensado aos amigos em questão.

— Eu não esperava por isso! Depois me desculpo com ele.

— *Faça isso! Pois vou precisar do consentimento dele para fazer o que tenho em mente.*

— E o que é?

— *Você saberá. Até lá... Bom dia!* — Mais uma vez, Joly desligou.

Ethan olhou o aparelho antes de atirá-lo sobre o sofá. Bebendo o resto de seu uísque, mirou o céu à sua frente. O sol não tinha surgido, mas lançava seus raios no horizonte. O vampiro se afastou da janela imaginando que, provavelmente, Danielle dormia nos braços do namorado. Ao largar o copo vazio sobre a mesa da sala de jantar, determinou que muito em breve, isto não se repetiria.

Uma vez em sua suíte, Ethan se banhou rapidamente apenas para livrar-se dos fluídos de Sarah. Somente nesse momento se arrependeu por não ter sumido com o corpo. Nada mais poderia fazer. Após se secar, atirou-se sobre os lençóis, nu, e dormiu esquecido da loira. Danielle ocupava todos os espaços. Acordou duas horas depois com o toque insistente da campainha.

Praguejando, arrastou-se para fora da cama. Procurou pela calça de seu pijama, vestiu-a e desceu sem pressa. Que esperassem! Era raro que o procurassem em sua cobertura, ainda mais aos sábados. Ao chegar à sala, Ethan imaginou que talvez se tratasse de Joly, então correu até a porta. Ao abri-la, deparou-se com o olhar acusador de seu melhor amigo.

— Bom dia, Thomas! — Ethan cumprimentou ao lhe dar passagem.

— Pode me responder que novidade é essa de envolver minha esposa em suas conquistas? — Thomas passou por ele e parou no meio da ampla sala.

— Não a envolvi em nada — respondeu, depois de fechar a porta e se juntar a Thomas. — Apenas pedi que tomasse conta de uma garota que conheci.

— Foi exatamente o que eu disse. O que tem essa garota, afinal?

— Já expliquei para Joly. E tenho certeza de que você ouviu toda a conversa. Então, por que é tão difícil de acreditar que eu possa estar... — Ethan procurou a palavra, ao não encontrar nenhuma que o agradasse, usou algo equivalente. — Verdadeiramente interessado em alguém?

— E você está *verdadeiramente* interessado em alguém? — Thomas indagou, incrédulo.

— Estou! — Ethan se acomodou no sofá e indicou para que o amigo fizesse o mesmo. Ao ser atendido, prosseguiu. — Ela não sai dos meus pensamentos.

— Só isso não a torna diferente de todas as outras.

Ethan não condenava aquela descrença. Todos à sua volta estavam acostumados a vê-lo descartar as garotas que passavam em sua vida, como quem descarta um copo usado de café. Não. Algumas pessoas depositavam os copos usados em lixeiras. Ethan era do tipo que amassava e chutava fora depois de usá-los. O mérito era todo seu se não conseguisse convencê-los.

— Sei que é pouco — disse por fim. — Nem eu mesmo entendo, mas sei que agora não será como as outras. Eu gosto desta.

— Foi isso que você disse para Joly?

Ethan assentiu.

— Não me admira que ela tenha acreditado em você, pois sempre será uma romântica incorrigível — Thomas resmungou, intimista.

— Não precisa se preocupar com ela. Só pedi que tomasse conta de Danielle por causa do nosso visitante misterioso.

— Pede-me para que não me preocupe como se não conhecesse minha esposa.

— O que tem demais olhar a garota por mim? Depois informo o endereço de Danielle. Joly pode ir até lá de vez em quando. Talvez possam se tornar amigas. — Ethan começou a gostar do próprio plano. — Eu posso olhar a área durante a noite e...

— Você realmente não conhece minha Joly — Thomas o interrompeu de mau humor. — Ela não só sabe onde essa Danielle mora, como está se mudando para lá.

— O quê?! — Ethan se pôs de pé. — Por quê?

— A maluca se convenceu de que você ama essa humana e decidiu ajudar.

Amar Danielle? Joly perdera o senso! Ele apenas desejava a mortal de uma forma diferente, urgente. O que sentia nada tinha de nobre, contudo a crença de Joly viria a calhar se colocasse Danielle em sua cama. De repente entendeu a bronca do amigo.

— Desculpe-me por isso. Dou-lhe minha palavra de que não inspirei tal ideia. — Então, recordando do desentendimento recente, acrescentou: — E me desculpe por ter estado detestável nos últimos dias.

— Já tinha me esquecido — Thomas assegurou.

— Obrigado — Ethan agradeceu. Quando o breve silêncio ameaçou se tornar incômodo, indagou: — Do que se tratava aquele caso afinal?

— Um autor renomado está sendo acusado de plágio. — Thomas deu de ombros. — Na verdade o delito foge ao seu gosto. Apenas acreditei que abrisse uma exceção pela notoriedade que traria.

O amigo, de fato o conhecia, pois não era de seu agrado defender alguém que ao término do processo não pudesse matar. Todavia, mesmo que não apreciasse aparecer em fotos, gostava de ter seu nome nas manchetes. Com isso considerou o caso, no mínimo, interessante.

— Ainda posso ficar com o caso mesmo que tenha procurado outro advogado. — Disso ele tinha certeza.

— Ah... Tudo bem! Eu o convenci a me aceitar. Andrew vai assumir alguns de meus compromissos. Já está tudo arranjado. Não se preocupe. — Thomas parecia cansado e encarou o amigo como se duvidasse que este fosse se preocupar com alguma coisa.

— Se já está tudo arranjado, deixe como está — Ethan aquiesceu, indiferente.

— Sim, está — Thomas confirmou. Então, receoso, comentou: — Essa foi uma semana estranha. Não tivemos notícias de mais atividades anormais... Não descobrimos quem atacou os corpos que você deixou para trás... Nem ao menos sabemos se esse vampiro ainda está na cidade. Talvez sua preocupação com essa humana seja exagerada.

— Talvez sim, talvez não... Prefiro não arriscar. — Para tranquilizar o amigo, disse: — Vou falar com Joly para que desista da mudança.

— Deixe estar... Se nem eu consegui demovê-la, duvido muito que você possa. Como disse, ela está convencida de que essa garota pode ser sua companheira, assim como ela é para mim.

Não queria Danielle por tanto tempo, Ethan pensou. Quando a tivesse, sua obsessão chegaria ao fim. De súbito, um calafrio estranho trespassou sua coluna ao se lembrar da pele humana aquecendo a sua, quando as mãos se tocaram por um instante. Lembrou-se da sensação de estar *quebrado* e de imaginar que somente ela o consertaria.

Ethan sorriu sem humor. Nunca seria tão dependente. O plano ainda valia. Teria Danielle por um tempo, depois a faria esquecer. Quem sabe ela até voltasse para o namorado. O desfecho não lhe agradou como deveria, contudo Ethan creditou seu ciúme a uma criação cercada de mimos. Quando criança jamais dividiu seus brinquedos, preferindo muitas vezes quebrá-los para não emprestá-los.

— Não a faça se arrepender, Ethan.

A voz de Thomas o trouxe de volta de suas divagações. Seu sorriso morreu. O amigo o encarava como se fosse capaz de ler a sua alma. Ethan se sentiu invadido, parecia que nada escapava ao amigo. Sabendo que precisava de seu apoio incondicional, abriu seu melhor sorriso e tentou demonstrar sinceridade.

— Acredito que Danielle representará para mim o mesmo que Joelle a você.

— Espero um dia acreditar, caro amigo — Thomas retrucou.

O vampiro se absteve de réplicas e iniciou uma breve discussão — amigável — sobre assuntos referentes ao escritório. Quando Thomas anunciou sua partida o relógio marcava, 8h40. Bastou ver a porta ser fechada para que Ethan corresse de volta ao seu quarto. Com a rapidez que lhe era peculiar sempre que estava prestes a fazer o que lhe agradava, vestiu-se e partiu. Provavelmente chegara à sua garagem antes que Thomas tenha deixado o NY Offices.

Ao sair para a rua, seguiu à 8th Street. Não conseguia imaginar melhor lugar para estar num sábado pela manhã. Chegou ao endereço em poucos minutos. Ignorou uma vaga diante do prédio, preferindo estacionar próximo à esquina. Para o bem de seus pecados o Lexus preto ainda se encontrava estacionado no mesmo ponto da noite anterior.

Logo sua mente criativa e ciumenta, torturou-o com imagens do casal. Ethan tratou de expulsá-las. Tentou acreditar que não era de sua conta o que estariam fazendo uma vez que Danielle *ainda* não era sua. Aquele advogado de quinta que aproveitasse enquanto pudesse, pois quando a atraísse para sua vida, não haveria espaço para ele. Ethan não era afeito a triângulos amorosos. E se o humano não fosse sábio o bastante para sair de cena, teria imenso prazer em eliminar tal vértice.

Capítulo 9

*E*nvolta pela escuridão, Dana sentia a apreensão sufocá-la, agravando a expectativa irracional de que algo oculto em breve a alcançaria. Antes de temer, ela esperava a captura. Tentando perceber alguma forma em meio ao breu, estendeu os braços à sua frente. Um brilho verde surgiu, ofuscando-a. Recuperada do choque, notou se tratar de um par de olhos furiosos. O correto seria lutar e fugir, porém se render pareceu ser mais fácil. Quis tocá-los. Antes que os alcançasse, dedos longos e brancos se fecharam em torno de seu pulso. O toque era frio. Ela tentou se desvencilhar. Não tinha forças. Os dedos a puxaram de encontro a um corpo sólido que a envolveu em braços fortes. Toda a opressão se foi.

∞

Dana acordou com o braço de Paul pesando sobre seu corpo e sentiu uma estranha sensação de vazio. O sol entrava através da porta envidraçada, iluminando o quarto, irritando seus olhos inchados. Ela sabia que estava horrível, mas não se importou. Em meio a tantos acontecimentos, sua vaidade era o que menos contava.

Movendo-se lentamente para não acordar o namorado, esgueirou-se até deixar a cama. Era novo se constranger com sua nudez. Ainda assim, trêmula, sentindo seu rosto corar como se estivesse sendo observada, Dana não tardou a atender à vontade inédita de cobrir o corpo e se enrolou com lençol caído ao chão.

Durante seu banho, de olhos fechados sob a ducha, os pontos luminosos vistos no sonho surgiram em sua mente. Foi inevitável associá-los a olhos verdes intensos. Dana logo os expulsou de sua mente. Não devia pensar em estranhos, por mais bonitos que fossem. Aborrecida, passou a se ensaboar com vigor.

Focou seu pensamento em Paul e na necessidade de preparar o café da manhã. Ao voltar para o quarto, viu que o namorado ainda dormia a sono solto. Depois de sorrir em sua direção, Dana marchou para a cozinha. Black não estava, mas ela não se preocupava com os sumiços do gato, pois sabia que este sempre voltava. Verificando apenas se havia comida e água à disposição, Dana se aproximou do balcão e ligou a cafeteira.

Colocou as fatias de pão na torradeira e escolheu os ovos para prepará-los mexidos, como Paul gostava. A atividade matutina a ajudava a não pensar. Com tudo pronto, arrumou os pratos e as xícaras numa bandeja e a levou para o quarto. Encontrou a cama vazia. Pelo ruído da água confirmou que Paul estava no banho.

Por um segundo cogitou se juntar a ele. À vontade passou, quando a imagem dos olhos verdes espocou bem diante dos seus, dessa vez, acompanhados de um rosto irretocável. Maneando a cabeça, Dana afastou a imagem e se concentrou em Paul. Esperou por ele pacientemente, lutando para não pensar. Em poucos minutos o namorado entrou no quarto, tendo uma toalha em volta de sua cintura, secando os cabelos com outra.

— O que está olhando? — Paul se aproximou e beijou os lábios da namorada.

— Você fica fofinho de rosa — ela gracejou.

— A cor combina com meus olhos. — Paul piscou, teatralmente. Ambos riram com vontade. Depois de se sentar, deixando a bandeja entre eles, falou: — Não sabe como me alegra quando sorri.

— Não adianta ficar chorando, não é mesmo? — Dana comentou, ajeitando uma mecha de cabelo atrás da orelha.

— Não.

— Qual será nossa programação para hoje? — ela perguntou apenas para mudar de assunto, enquanto beliscava uma torrada.

— Na verdade, tenho trabalho a fazer — Paul anunciou. — Posso ficar aqui até as dez horas, depois preciso voltar ao meu apartamento. Você pode ir comigo se desejar.

— Não. Preciso arrumar umas coisas aqui... — Sorrindo, completou: — Acho que sobrevivo sem você por algumas horas.

— Desculpe-me, meu anjo! Eu gostaria de ficar, mas Harry está realmente no meu pé.

— Não tem problema. Você está aqui agora.

— Sim, estou.

Paul ficou até a hora citada. Depois de se arrumar, sendo observado por sua namorada, beijou-a demoradamente e, com a promessa de voltar à noite, partiu. Emocional e fisicamente exausta, Dana sequer cogitou deixar o conforto de seus lençóis. Uma vez sozinha, abraçou o travesseiro usado por Paul e rolou de lado. De imediato, imagens e lembranças que tentou sufocar, vieram com força total, fazendo com que retrocedesse além de seu sonho, colocando-a novamente à porta da Cielo. Por estar distraída não reparou o homem alto, parado na calçada. Viu-o, quando Paul o abordou: Ethan McCain.

Paul era fã incondicional de seu trabalho. Do brilhante advogado, Dana sabia apenas aquilo que ouvia do namorado ou o que era mencionado nas matérias de jornal. Na TV, nunca o viu. Sim, uma foto certa vez, mas esta era desfocada, na qual mal aparecia o cabelo castanho ou seu rosto pálido, oculto por óculos escuros.

A imagem não lhe fazia jus. Estranho que alguém bem apessoado, dono da firma de advocacia mais procurada da cidade, filantropo responsável por um concorrido e beneficente evento anual, fosse avesso a exposições públicas.

Também sabia que ele não concedia entrevistas. De súbito, o instinto jornalístico soprou ao ouvido de Dana, questionando a razão de um homem como Ethan não apreciar a notoriedade. Ainda era solteiro — disso tinha certeza. A loira que o abordou não possuía o perfil de Sra. Smith McCain. Ele nem ao menos a apresentou.

Ao analisá-lo discretamente, Dana desejou saber mais, como se farejasse uma boa matéria. Decidiu que tentaria descobrir o quanto pudesse, ainda que se sentisse intimidada. O homem não era cinco centímetros mais alto do que Paul, no entanto, parecia um gigante. Apesar do frio noturno, vestia apenas uma camisa de microfibra azul marinho, em conjunto perfeito com a calça preta Oxford. Impossível não reparar.

Ao ser apresentada, hipnotizada, estremeceu ao ver a mão máscula, de dedos longos e brancos, aproximar-se da sua. O contato trouxe uma estranha sensação de desfalecimento, como se por fim, o Martini ingerido a embriagasse. Quando Ethan falou, a voz melodiosa pareceu vir de muito longe.

Ela então fixou o olhar e se deparou com um par de esmeraldas incrustadas no rosto de anjo. Poderia ter sido impressão, mas parecia que aquele homem altivo, olhava-a de uma forma estranha, como se lhe dissesse alguma coisa. Impossível. O que ele poderia querer com ela?

Dana se sentou abruptamente e se recriminou por dispensar tanto tempo pensando em outro homem, quando minutos antes esteve com o namorado. Ela não entendia o porquê, talvez a beleza extrema ou a aura de mistério que o envolvia, mas a verdade era que Ethan McCain a marcou. Talvez fosse apenas curiosidade, inspirada pela idolatria de Paul. Fosse como fosse, a vida do criminalista continuaria a ser uma incógnita, pois o interesse jornalístico esfriou no momento em que suas mãos se uniram e seus olhos naufragaram num mar esmeraldino. Uma voz persistente em seu íntimo gritava para que mantivesse distância.

Com um bufar exasperado, Dana se pôs de pé e tombou a cabeça para mirar o teto. Estava enlouquecendo. Que riscos alguém que provavelmente sequer se lembrava de seu nome poderia representar? Tinha de parar de dar ouvidos a essas sensações esquisitas. Se continuasse assim, logo ficaria supersticiosa e cheia de manias. Ou talvez já estivesse, afinal, na noite anterior jurava estar sendo observada desde a danceteria e ali mesmo, através da vidraça.

Não somente isso, ao sair para a sacada, teve a clara impressão de que alguém a espreitava das sombras. Sabia ser impossível já que estava no terceiro andar, ainda assim, por um momento, ao mirar uma parte escura no topo do prédio vizinho, sentiu como se uma presença fosse se relevar e abatê-la. Curioso que não tivesse sentido medo, apenas expectativa.

"Talvez tenha sido um morcego", Paul sugerira. Dana não pode deixar de associar a figura do mamífero voador à da criatura que tanto a atraia. Logo Dana percebeu o ridículo da situação. Estava de pé, ao lado da cama, fazendo associações bizarras entre morcegos e vampiros; perigo e Ethan McCain. Não precisava de nada novo para ter certeza, estava mesmo maluca! Ainda rindo de si mesma, obrigou-se a sair da inércia. Passava das 10h30. Dana procurava algo para vestir, quando ouviu sua campainha.

— Já vou — gritou enquanto pegava o primeiro shorts que achou e uma camiseta do tempo de faculdade. Vestiu-se às pressas e correu descalça para atender à porta. Antes de abrir perguntou: — Quem é?

— Sou eu, Melissa.

— Oi Lissa... desculpe minha demora — pediu ao abrir a porta.

— Sem problemas, Dana.

A recém-chegada carregava uma caixa pequena com os pertences deixados para trás após a dispensa traumática. Sem que pudesse prever, Dana sentiu uma dor profunda espremer seu peito, contudo esta foi sufocada bravamente. Ela não derramaria novas lágrimas pela oportunidade perdida. Depois de tomar a caixa das mãos de Melissa, Dana a colocou sobre a mesinha de centro e indicou o sofá para que a amiga se acomodasse.

— Desculpe não ter trazido suas coisas ontem!... Achei melhor te deixar sozinha.

— Tudo bem! Eu queria mesmo ficar sozinha.

Ao sentar ao lado de melissa, Dana percebeu seu ar abatido, os olhos tão inchados quanto os seus.

— Melissa, o que houve? — Dana se preocupou. — Você não ficou assim por minha...

— Não foi nada — Melissa a cortou.
— Não minta para mim... É evidente que está com problemas.
— Meu namorado me deu o bolo ontem — admitiu por fim.
— Namorado?! — Dana franziu a testa. — Eu nem ao menos sabia que tinha um!
— Ele é instável. — Melissa deu de ombros. — Vem e vai de acordo com sua vontade.
— Ah, Lissa!... — Dana tocou seu ombro. — Eu sinto muito!

Seu problema de emprego pareceu menor diante da dor afetiva da amiga. Dana não entendia muito bem tal tipo de sofrimento uma vez que seu primeiro namorado fixo era Paul e eles raramente se desentendiam. Talvez tivessem apenas duas brigas mais sérias dignas de nota em três anos de relacionamento. Mesmo não tendo experiências a comparar, podia imaginar a angustia de ter sido esquecida por alguém a quem se amava.

— Há algo que eu possa fazer por você? — Dana se ofereceu.
— Não! Só eu posso resolver minha situação.
— Aonde vai? — perguntou ao ver a amiga se levantar. — Já vai embora?
— Preciso! Vou procurar por ele esta tarde para saber o que aconteceu!
— Se acha melhor assim... — Dana lhe sorriu. — Qualquer coisa eu estou aqui.
— Obrigada, Dana — Melissa a abraçou. — Você é uma boa amiga!
— Assim como você sempre foi para mim desde que nos conhecemos. — Dana apontou a caixa sobre a mesa. — Obrigada por trazer minhas coisas.
— Não por isso!

Ao ficar sozinha, Dana sequer olhou para a caixa. Ainda não era hora de lidar com algo referente à redação. Como fazia todos os sábados, vagou pelo quarto recolhendo roupas usadas e as juntou no grande cesto, deixado em seu banheiro. Ao passar diante do espelho, parou e mirou sua imagem enquanto prendia os cabelos num rabo-de-cavalo.

Era inédito, mas se considerou bonita. A despeito da noite passada e dos olhos fundos, seu rosto trazia um brilho novo. Sem saber o motivo, animou-se. Era como se o futuro lhe reservasse somente coisas boas. Dana piscou para a própria imagem, alcançou o cesto e voltou ao quarto. Depois de pegar algumas notas e moedas em sua carteira, saiu.

Na calçada, apreciou o dia claro, bem diferente dos anteriores. Dana decidiu caminhar até a lavanderia, situada a seis quadras dali. Gostava de sentir os raios do sol e a brisa suave em sua pele. Fazia-a lembrar de

Albany, sua cidade natal. Talvez fosse esse o motivo de seu bom humor, o tempo ameno. Os humores, de um modo geral, eram os melhores em dias ensolarados.

Tudo parecia tranquilo, até que de repente, a sensação de observação a invadisse. Franzindo a testa, Dana parou e, disfarçadamente, olhou em todas as direções. Nada viu de anormal. As pessoas passavam por ela sem notá-la, como era comum nas ruas de Nova York. Dana se questionou a razão de a impressão persistir, quando era evidente que ninguém a olhava com maior interesse. Tentando ignorar a opressão em seu peito, continuou seu caminho.

Somente ao entrar na lavandeira se sentiu protegida. Inconscientemente, levou a mão ao peito na tentativa de acalmar a respiração que sequer notou ter acelerado. Com os nervos exaltados, foi impossível refrear um sobressalto e olhar diretamente para a porta, quando o sininho da entrada voltou a tocar logo após sua passagem. Era apenas mais um usuário carregando suas roupas. Paralisada bem no meio do salão, Dana se considerou patética.

Nem mesmo folhear uma revista nos minutos vagos entre o uso da lavadora e da secadora foi capaz de distraí-la. Sua mente traiçoeira vagou entre oportunidades perdidas, Paul e um par de olhos coloridos. Assim como fez com que especulasse sobre a recente mania de perseguição. Para agravar seus temores, tão logo voltou à rua, com sua roupa limpa e seca, sentiu os malditos olhos invisíveis sobre si. E com maior intensidade. Era palpável, invasivo.

Mais uma vez olhou em volta. Foi inútil, pois não viu nada anormal. Irritada, praticamente correu todo caminho de volta até a sua rua, ridicularizando-se pela pouca coragem que a fazia fugir do nada.

Ethan sorriu ao ver Danielle acelerar os passos. Linda, com a camiseta de Yale e o *short* que exibia suas pernas. Deixar que Paul fosse em paz, quando este finalmente foi embora, mostrou-se providencial, afinal. A humana era o foco, queria mais, mas no momento se contentava em caminhar atrás dela, sentindo o odor de seus cabelos, presos num rabo de cavalo.

Ao demonstrar que percebia sua observação, Ethan sentia seu coração se inflamar. Protegeu os olhos com os óculos escuros e deixou seu carro com o intuito de abordá-la, porém, inexplicavelmente, no segundo em que Danielle se voltou e o avistou, iludiu-a para que não o visse. Ela ainda olhou em sua direção por um segundo antes de seguir seu caminho, até a lavandeira.

O mesmo se deu na volta. Mais uma vez Danielle o procurou, mas a ordem ainda valia. Ethan não entendia o que o impedia de apresentar-se, somente sentia crescer à vontade de ser diferente. Não a queria encantada por seu carisma natural, sim, verdadeiramente interessada. Tinha algo naquela percepção que o envaidecia tanto quanto intrigava, atraindo-o mais. Não tinha pressa agora que sabia onde encontrá-la. Ela já lhe pertencia!

Com o entendimento, Ethan sorriu. Danielle poderia correr, mas toda forma de fuga seria inútil para ela. A humana fora escolhida, não tinha para onde ir, não tinha onde se esconder.

Capítulo 10

Ao contornar a esquina de sua rua, ainda a correr em uma fuga irracional, Dana avistou o caminhão de mudança parado à porta do prédio onde morava. A novidade dispersou a sensação incômoda. Livre do medo, ela caminhou de forma contida e tentou regular a respiração. Dana se aproximava, quando uma mulher desconhecida saiu para a calçada, comandando a retirada de móveis e caixas.

Tinham aproximadamente a mesma altura; um metro e sessenta e cinco. Era bonita, vestia *jeans* escuros e camiseta vermelha. Parecia uma diva da moda, com os cabelos castanhos mais lisos e brilhantes que Dana já tivera a oportunidade de ver. Sem perceber sua aproximação, a mulher continuava a gesticular e a ameaçar os carregadores.

— Se vocês quebrarem qualquer coisa ou arranharem meus móveis...

A morena desconhecida não precisou completar a frase. Apesar da aparente fragilidade, suas palavras embaladas por um leve sotaque, continham uma ameaça real em todas elas. Ainda sem, vê-la a mulher se abaixou e ergueu duas grandes caixas de uma só vez.

— Oi! — Dana cumprimentou ao se aproximar. — Precisa de ajuda?

— Eu agradeceria muito — respondeu, olhando-a por fim. — Ah, você já está ocupada!... Não se preocupe.

— Não... — Dana olhou em volta. — Posso carregar aquelas menores sobre o cesto.

Uma vez dito, abaixou-se e colocou duas caixas pequenas sobre suas roupas. Experimentando o peso, Dana considerou dar conta e seguiu a nova vizinha que já desaparecia no interior do prédio. Ela se mudava para o apartamento vago há pouco mais de um mês, no mesmo andar que o seu. Aquele era maior e tinha vista para a rua.

Tão logo sua nova vizinha entrou, Dana a acompanhou. Não sem antes pedir licença.

— Fique à vontade. A propósito, Sou Joelle Miller — apresentou-se, depois de depositar as caixas ao chão. — Ou Joly.

— Danielle Hall — respondeu, apertando-lhe a mão estendida. — Mas pode me chamar de Dana.

Ela sentiu que o toque era delicado, porém firme e os dedos um tanto frios para o dia fresco. Frios como os dedos de Ethan. De repente o toque de um celular a distraiu da associação.

— Prazer em conhecê-la, Dana — sua nova vizinha a cumprimentou, ignorando o som insistente.

Dana não pôde deixar de reparar que era avaliada com indisfarçada curiosidade.

— O que foi? — perguntou, sorrindo. Sua mão ainda presa no aperto, o celular clamando por ser atendido.

— Nada... Apenas tive a impressão de que já a conhecia. Seu rosto é familiar — esclareceu ao lhe soltar a mão. O celular silenciou.

— Tenho um rosto comum — disse Dana em tom de escusa, ainda se perguntando o porquê de a mulher não ter atendido ao chamado, quando este parecia urgente.

— Dana, acredite... Você é o oposto do comum.

— Como?! — indagou confusa.

Não entendia a natureza do comentário. Na verdade, não estava entendo nada desde que acordou aquela manhã. Joly logo lhe sorriu.

— Não ligue para o que eu digo... Falo demais às vezes. Você logo se acostumará, pois sinto que nos daremos muito bem.

Sem qualquer indício que comprovasse tal impressão, Dana pôde sentir o mesmo. Talvez fosse a paz que sentia vindo daquela mulher sorridente que lhe inspirasse confiança e amizade. Sorrindo-lhe de volta, falou:

— Espero que sim... — curiosa, acrescentou: — Não tem como não reparar no sotaque... Você é francesa, não?

— Sou, mas adotei seu país em meu coração.

— Legal! Seja bem-vinda! — Dana gracejou e, retomando seu espírito solidário, indagou: — E então... vamos buscar mais caixas?

Nesse momento os carregadores entravam, trazendo um enorme sofá de couro marrom.

— Não precisa... Vejo que está ocupada — disse Joly, indicando o cesto. — Eles podem trazer o restante. São pagos para isso, afinal.

— Tudo bem... — Dana se dirigiu à porta. — Moro no apartamento 33. Duas portas à esquerda. Qualquer coisa que precise... É só pedir.

— Obrigada, Dana! — Joly lhe sorriu. — Pode contar que ainda vou perturbá-la. Muito.

— Fique à vontade.

Ainda sorrindo, Dana deixou sua vizinha livre para cuidar da mudança. Antes que abrisse sua porta, notou que Joly a observava, recostada no batente de sua própria porta.

Após lhe acenar, ela entrou. Dana gostou daquela mulher, sentia que poderiam ser amigas, mas era inquietante a forma que a encarava. Ou talvez fosse sua recente mania de perseguição, criando situações onde nada existia, considerou. Para sua alegria — e distração — Black a esperava, sentado sobre sofá.

— Resolveu voltar, seu gato mal-humorado?

Ocultando seus grandes olhos verdes num lento piscar — verdes demais para o gosto de Dana —, o gato girou em seu próprio eixo e deitou recostado nas almofadas.

— Isso mesmo, seu dorminhoco, me ignore! — Sussurrando como se alguém pudesse ouvi-la, acrescentou: — E vire esses olhos para outro lado.

Dana ainda olhou seu animal de estimação por um minuto inteiro, considerando se a partir dali, tudo seria motivo para pensar no misterioso advogado. Esperava que não. Não era correto. Resignada, ligou seu aparelho de som. Melhor preencher o silêncio com música. E se fosse antiga, tanto melhor. Conhecia praticamente todas as baladas dos anos 80 e 90. No processo de acompanhar as letras, seu cérebro não se ocuparia com problemas, olhos verdes ou perseguições imaginárias.

Assim seguiu sua tarde. Dana arrumou todo o apartamento e organizou as roupas lavadas em seu guarda-roupa. Com tudo no devido lugar, ela se deu conta de que não ligou para Paul. Mesmo exausta, ansiosa por tomar banho, tentou encontrá-lo. O aparelho residencial de Paul tocou até que a ligação caísse na secretária eletrônica. Estranho!

Dana tentou o celular. Mais uma vez os toques insistiram até que caíssem na caixa de mensagens. Ainda considerava o que poderia ter acontecido, quando tocaram a campainha. Depois de recolocar o fone no gancho, Dana correu até a porta. Como esperado, Black levantou as orelhas, espreguiçou-se e partiu.

— Quem é? — Dana perguntou, recriminando-se pela falta de um olho mágico.

— Sou eu, Joly.

— Oi — disse ao abrir a porta e lhe dar passagem. A nova vizinha não se moveu. — Não vai entrar?... Venha. Pode ficar à vontade!

Joly sorriu e finalmente entrou, deixando transparecer certo... alívio?

— Não repare no meu apartamento. Ele é bem menor do que o seu.

— Ele é perfeito! — exclamou Joly, olhando todos os detalhes. Ao mirar o aparelho de som, torceu o nariz. — Só não tenho certeza quanto à música.

— Você não gosta dos clássicos? — Dana brincou e lhe indicou o sofá.

— Clássicas são as composições de Tchaikovsky, Mozart ou Vivaldi... Essa música, para mim, é velharia. Sem ofensas.

— Tudo bem! Gostaria de revidar, dizendo que esses, sim, são velharias, mas gosto deles!

Elas ainda riam, quando Dana desligou o aparelho de som para dar total atenção à sua nova amiga.

— E aí, acabou a mudança?

— Sim, mas ainda preciso organizar as coisas. — Em tom de escusa, acrescentou: — Você disse que eu podia vir...

— Sim, claro! Do que precisa?

— De companhia — disse Joly. — Essa é minha primeira noite sozinha, depois de muito tempo.

— O que aconteceu? — Dana sentou ao lado da vizinha, preocupada com o tom pesaroso. — Pode contar?

— Sim. Eu e meu marido estamos *meio* que separados.

— Sinto muito. — Ela não pôde deixar de associar a francesa à Melissa, era péssimo não saber o que dizer. — Sinto muito... O que posso fazer para ajudar?

— Já ajuda me fazendo companhia. Isso se eu não estiver atrapalhando.

— Não — Dana se apressou em dizer. Reflexiva, olhou para o telefone. — Não tenho nada marcado.

— Ótimo! — Joly exultou. — Tomei a liberdade de pedir comida. Não parei o dia todo e... — olhando em volta, salientou: — Pelo visto você também não.

— Não mesmo!

De repente Dana percebeu o quanto parecia maltrapilha se comparada à sua visita, uma mulher linda e fresca. Mesmo vestida de forma casual, Joly parecia ter saído de uma capa da *Vogue*. Passando as mãos pela franja crescida que escapava do rabo-de-cavalo, Dana se justificou:

— Não parei a tarde toda. Preciso de um bom banho. Se não se importar de ficar sozinha... Prometo ser rápida e voltar antes que entreguem a comida.

— Posso voltar depois.

— Não... Fique à vontade, ligue a TV se desejar — disse antes de correr para o quarto. — A casa é sua!

Ao entrar em seu quarto, Dana viu o adiantado da hora: 8h15. O dia passou sem que percebesse. No banho, mais uma vez especulou sobre o paradeiro de Paul. O namorado prometera voltar à noite. Entretanto, sequer ligou para desmarcar o compromisso.

Por fim considerou que ele estivesse preso em algum compromisso com Harry. Não tinha como saber, portanto, Dana encerrou suas divagações e finalizou o banho. No quarto, escolheu uma calça *jeans* surrada e uma camiseta preta. Penteou os cabelos, deixando-os soltos para que secassem naturalmente. Descalça, retornou à sala. Encontrou Joly ao celular, falando baixinho. Ao perceber sua aproximação, a francesa alteou a voz:

— Sim... Entendi tudo direitinho, senhor. Seu desejo sempre é uma ordem, não é mesmo?

Sem esperar resposta, desligou o pequeno aparelho e o colocou no bolso traseiro da calça. Apesar do tom debochado, Joly não parecia estar aborrecida com seu interlocutor. Dana não se prendeu ao detalhe, afinal o assunto não era de sua conta.

— Nossa comida chegou antes que você voltasse — Joly brincou, indicando dois embrulhos sobre a mesa de centro.

— Que bom que o entregador foi mais rápido do que eu! — Dana lhe piscou. — Descobri que estou faminta.

— Que bom! Espere que goste de comida japonesa.

Antigamente Dana teria torcido o nariz para a variedade colorida de peixe cru, contudo, graças a Paul, aprendera a apreciar as iguarias orientais. Joly providenciara também a bebida e duas taças. Dana estranhou a escolha.

— Champanhe?!

— Na verdade é uma Cava. Um espumante espanhol. Seu sabor casa à perfeição com a comida japonesa. Ela acentua o sabor suave dos ingredientes. Se você não gosta, eu...

— Não se preocupe — Dana a tranquilizou, tocada pela atenção recebida. — Tenho certeza de que vou gostar.

— Então venha — chamou Joly, acomodando-se no sofá depois de pegar um dos embrulhos, muito à vontade. — Se não se importar, podemos comer na própria embalagem.

Dana apreciou o oferecimento. Sempre comia daquela forma. Assim como dispensava o prato e os talheres ao comer pizza, para desespero do namorado criado com noções rígidas de etiqueta à mesa. Joly serviu as duas taças com o espumante de cor amarelo-palha.

— Podemos fazer um brinde... — propôs. — À nossa amizade.

— À nossa amizade — Dana entoou ao erguer sua taça.

— Que ela seja eterna e verdadeira — profetizou sua vizinha.

Um súbito calafrio correu veloz pela espinha de Dana, provocando um eriçar generalizado em seu pelos. Sorrindo desconcertada pela reação fora de hora, tocou sua taça na de Joly.

— Que ela seja eterna e verdadeira!

Ambas deram um gole em suas bebidas antes de dedicarem toda atenção aos seus respectivos *hashis*. Comeram em silêncio. Na verdade, Dana comeu. Joly apenas beliscou um *sushi*, alguns *sashimis* e dois *nigiris*. Associando a falta de apetite da nova amiga à sua condição de *meio* separada, nada comentou.

Para surpresa de Dana, o silêncio não era constrangedor. Pelo contrário, entre elas, este denotava cumplicidade. Uma que apenas se adquiria com a convivência. Perto de Joly, Dana se sentia em paz. Desligou-se até mesmo de Paul. Sem perceber, sorriu.

— O quê? — Joly perguntou. — O que é engraçado?

— Você e eu. Mal nos conhecemos e sinto como se fôssemos amigas há muito tempo — a vizinha franziu a testa e antes que dissesse qualquer coisa, Dana prosseguiu: — Você disse que me achou familiar... Será possível que já nos conhecemos e não nos lembramos?

— Pouco provável! — Joly negou e deixou sua embalagem, ainda cheia, sobre a mesa. — Tenho certeza de que foi apenas impressão. É como se eu tivesse visto o seu rosto em alguma revista ou foto.

— Eu trabalhava no *Daily News*. Talvez seja isso. Semana passada, tive uma matéria publicada que levou uma foto minha ao lado. — Dana sorriu, timidamente. — Era pequena...

— Isso mesmo! — Joly a olhou, boquiaberta. De súbito seu rosto se iluminou. — Você é aquela Dana que escreveu sobre os vampiros.

— Minha culpa — gracejou, levantou a mão e encolheu os ombros.

Joly a encarava como se visse um fantasma, sem nada acrescentar. O silêncio, daquela vez, passou a ser incômodo.

— O que foi, Joly? Tem algo a dizer sobre a matéria? Você não gostou ou...

— Não, não... — Joly se apressou em dizer, saindo do transe. — Eu gostei, muito! Foi simples e direta. Você evita impressões pessoais, mas consegui sentir o quanto gosta do tema.

— Sim, eu gosto — Dana sorriu, descontraindo-se.

A vizinha a serviu de mais bebida e externou seu interesse:

— Gosta de criaturas míticas de um modo geral ou... apenas de vampiros?

— Gosto de todas as lendas e mitos, mas os vampiros realmente me atraem.

A amiga que a encarava com admiração, jogou a cabeça para trás e riu com vontade. Dana a assistia gargalhar, sem entender.

— Eu disse alguma coisa errada? Você me acha infantil por...

— Perdoe-me, Dana — ela pediu, recompondo-se. — Só me perguntava quais as chances de algo assim acontecer.

— O quê? — Dana considerou que a nova amiga talvez fosse fraca para bebidas.

— É que eu também gosto de vampiros — Joly se justificou, recuperada do riso fácil. — Eles são os melhores!

Dana sentiu um novo calafrio correr por sua coluna. Com certeza fora impressão, mas pareceu que Joly falava com propriedade. Também associou tal reação à bebida. Não costumava tomar mais do que uma dose de qualquer bebida alcoólica. Podia sentir a cabeça leve.

Ignorando suas sensações estranhas, Dana se rendeu ao tema favorito.

— Acredito que seriam, caso existissem — argumentou.

— Você já cogitou a possibilidade? — Joly a encarava, séria demais.

— Qual? De vampiros existirem?

Foi a vez de Dana rir com gosto. Joly esperou paciente, até que se recuperasse. Arfante, depois do acesso de riso, Dana perguntou:

— O quê?... Você está falava sério?

— Nunca falei tão sério.

— Ah... por favor! — Dana debochou.

— É sério, Dana!... Eles podem estar entre nós. Andarem livremente pelas ruas, sem que saibamos.

— Sei que citei isso na minha matéria, mas não acredito que seja real. Vampiros não andariam por aí... Não sem atacar as pessoas. Sem falar no sol e tantos outros impedimentos.

— E se o que conhecemos sobre vampiros estiver errado? E se eles, de certa forma, ficaram resistentes ao sol ou civilizados ao ponto de se controlar diante das pessoas?

— Tal mudança seria impossível. Vampiro é um ser eterno. Não morre ou procria para que sua espécie evolua.

— Não estou falando em descendentes evoluídos. Estou cogitando a possibilidade de a própria criatura ter se aprimorado para melhor coexistir no mundo atual. Que talvez os vampiros existentes tenham conseguido resistir aos raios do sol com o passar dos tempos... Ou até mesmo que essa particularidade seja invenção ou simples acréscimos, como ocorrem com todas as lendas.

Dana a ouvia com atenção. O que ouvia fazia sentido, contudo fantasioso demais.

— Desculpe-me, Joly... Gosto muito de tudo que se refere a vampiros, mas acreditar que existam é extraordinário, é demais!

— Você nunca se sentiu observada? — A amiga indagou como se nem a tivesse ouvido.

Àquelas palavras, Dana recordou a sensação estranha que a acompanhou até a lavanderia. E também na noite passada, na danceteria ou quando mirou o alto do prédio vizinho como se alguém estivesse à espreita na escuridão.

— Sim — concordou, imprimindo firmeza à voz. — Essas coisas acontecem de vez em quando, mas não posso comparar o olhar de alguém real às criaturas míticas.

— Está certo — Joly se ajeitou sobre sofá. — Confesso que acharia interessante ver sua reação caso um vampiro cruzasse seu caminho.

— Sua Cava está nos deixando incoerentes — Dana salientou, bem-humorada, sem retrucá-la.

— Creio que sim — Joly concordou com expressão indefinida. — Vamos voltar ao mundo real onde tudo é mais seguro sob a óptica da razão.

— Dana assentiu, deixando a amiga livre para mudar de assunto. — Não pude deixar de notar que você se referiu ao jornal no passado. Tem muito tempo que saiu?

Sem dúvida a conversa insólita sobre vampiros estava mais interessante. Ainda não tinha vontade de falar sobre sua dispensa, mas uma que tinha sido ela a propor a mudança, respondeu resignada:

— Fui dispensada ontem à tarde

— Oh... Sinto muito! Não queria ser indiscreta.

— Não foi... estamos nos conhecendo agora. É normal querer saber dessas coisas. — Para mudar o foco, Dana perguntou: — E você? Tem uma profissão... trabalha ou...

— Ou depende do meu marido? — Joly completou, indiferente. Dana assentiu, arrependendo-se por um instante. Demonstrando não se importar com o assunto, a francesa prosseguiu: — Não, eu não dependo dele... Mas trabalhamos no mesmo escritório. Terei de cruzar com ele na segunda-feira.

Dana não detectou qualquer nota de pesar na voz macia. Comparou sua situação à de Melissa, contudo esta era mais séria. No entanto, Joly se mostrava firme enquanto se referia ao ex-marido, divergindo de sua amiga, aquela manhã. Dana considerou a vizinha uma mulher bem resolvida, madura, porém preferiu não comentar e manter o assunto no campo profissional.

— E você trabalha em qual escritório?

— Sou secretária legal. Trabalho para Ethan McCain.

Se estivesse comendo ou bebendo, Dana teria sufocado com o engasgo. Sentiu seu rosto corar antes que qualquer pensamento viesse à mente. Joly assistia a sua reação com a mesma curiosidade indisfarçada da manhã. Tentando modular sua respiração, Dana tomou um gole generoso de sua bebida.

— Você está bem? — Joly parecia se divertir e não estar preocupada.

— Estou, obrigada — respondeu, bebendo mais um gole do espumante. — Acho que me engasguei com saliva — ela tossiu algumas vezes para limpar a garganta. — É muito comum.

— Muito — a francesa reprimia um sorriso. — Você o conhece, não?

— Na verdade, essa é uma coincidência incrível. Eu o conheci pessoalmente ontem e hoje... eu conheci você.

— A vida tem dessas coisas... Reparei que você se engasgou com *saliva* ao ouvir o nome dele. Somos amigas agora... — Depois de semicerrar as pálpebras, pediu: — Não me esconda nada. Disse que o conheceu ontem... Ficou interessada?

Dana sentiu seu rosto arder mais uma vez. Sim, tinha pensado no advogado mais do que o normal, mas isso não significava que estivesse interessada. Sem entender o motivo, negou veemente:

— Absolutamente! Eu tenho um namorado. Eu o amo! Não me interessaria por outro homem assim tão rápido!

— Calma, Dana — Joly pediu com as mãos espalmadas. — Foi apenas uma pergunta. De qualquer forma... É melhor que esteja bem com seu namorado e que não se interesse por outro. Principalmente se esse outro for Ethan McCain.

— Por quê? — Dana estranhou o comentário. — Qual o problema com ele?

Recostando-se nas almofadas, Joly a encarou seriamente. Todo o humor anterior desapareceu de sua face perfeita ao afirmar de modo sombrio:

— Ethan McCain é o problema!

Capítulo 11

Ludibriado, era assim que o vampiro se sentia ao ouvir o relato da amiga incumbida de proteger Danielle. A missão era simples e objetiva: zelar pela humana para que o imortal desconhecido não tivesse a chance de atacá-la. No entanto, aquela que deveria auxiliá-lo, não somente resolveu agir por conta própria como parecia disposta a sabotá-lo.

— Você fez o quê?! — Ethan vociferou com ganas de matar. — Repita, Joelle!

— *Eu disse a ela para se manter longe de você* — obedeceu tranquilamente.

— Ainda não acredito no que estou ouvindo — rosnou.

Sem que percebesse, apertou o aparelho delicado com tanta força que o reduziu a pedaços. Finalmente a amiga ultrapassara todos os limites. Afastar Danielle ia contra seu pedido. A amiga não tinha o direito, não quando ele tinha a mortal tão perto.

Andando de um lado ao outro, descalço, em sua sala de estar, Ethan se condenava por ter sido crédulo o bastante para permitir a aproximação entre as duas. Deveria ter acabado com a farsa da amiga traidora tão logo a descobriu diante do prédio antigo. Sim, deveria. Contudo esteve abalado sobremaneira pela proximidade com a humana para tomar qualquer atitude coerente.

Saindo para a área descoberta, o vampiro ergueu o rosto e farejou a noite na tentativa de se acalmar. Fechou os olhos e então todo o ocorrido naquela manhã veio à sua mente com nitidez. Voltava para seu carro depois de seguir Danielle, quando flagrou a aproximação entre as duas, viu-as se apresentar. Sua amiga, com aquele plano maluco, em minutos tinha algo que ele demorou uma semana para conseguir.

Abalado pela novidade, bons minutos se passaram até que voltasse ao BMW, perguntando-se qual seria a melhor forma de agir. Sem chegar a qualquer conclusão, sacou o celular e ligou para a amiga. Um... Dois...

Três... Dez toques sem que Joly o atendesse. Impaciente ele esperou por cinco minutos antes de tentar novamente. Ao segundo toque finalmente foi atendido.

— *Bom dia, Ethan* — Joly o cumprimentou com cordialidade.

— Nada de *bom dia* para mim, Joelle — ciciou de mau humor. — O que pretende?

— *Só estou fazendo o que me pediu.*

— Não pedi nada disso.

— *Relaxe, McCain. Thomas aprovou, então... Deixe-me fazer isso direito. Você quer Danielle... Eu vou trazê-la para você.*

Ethan apertou o volante e vociferou:

— Não quero que faça nada nesse sentido. Só preciso que você a proteja.

— *Tarde demais! Já somos amigas e eu gostei da garota.*

— Você está sozinha agora?

Ao ouvir a afirmativa, não esperou que Joly concluísse a frase. Desligou o celular e partiu para o interior do prédio, pedindo à boa sorte que o ajudasse a cruzar com a humana pelos corredores. Não a encontrou. Apenas adivinhou seu apartamento pelo cheiro. Reprimindo o desejo inconsequente de chamá-la, marchou até o apartamento de Joly. Antes que parasse diante da porta aberta, a amiga já reclamava:

— Não é educado desligar desse jeito!

Ele apenas a encarou, ignorando os humanos que entravam e saíam, e esperou que ela o convidasse. O perfume de Danielle estava por todo lugar.

— Está bem... mas é diferente quando eu faço! Entre de uma vez. — Joly sentou no novo sofá e bateu no espaço ao seu lado. — Sente-se. E me diga ao que devo o prazer dessa primeira visita?

Ethan encarou os carregadores antes de responder em baixo tom, para que não ouvissem:

— Não era necessário que chegasse tão perto.

— Está preocupado com o quê? — ela debochou. — Eu não vou mordê-la.

— Isso não é um jogo, Joly — ele vociferou. — Não trate com leviandade.

— E quem está sendo leviano? Você é mal-agradecido, sabia? Deixei Thomas para ajudá-lo!

— Sei! — exclamou, aborrecido. — Deixou de faz-de-conta. Aposto que você esta adorando a oportunidade de mudar o cenário para seus encontros amorosos.

— Isso não é da sua conta!

— O quê? Não quer provar do próprio veneno? Não pedi para que se metesse no meu futuro relacionamento com Danielle, apenas que a vigiasse... de longe.

— Você se valeu de todos os seus argumentos para me convencer de que essa humana era diferente. De que tinha se encantado por ela, assim como aconteceu com Thomas quando me conheceu. Estou errada?

— Não — admitiu a contragosto.

— Então me deixe ajudá-lo da maneira que acredito ser mais eficaz — pediu.

Ethan percebeu que estava sem saída. Se insistisse, talvez ela desconfiasse de suas verdadeiras intenções e então perderia a nova aliada. Não gostava do arranjo, porém desarmou-se e anuiu:

— Está bem! Só não estrague tudo, nem se meta demais nos meus assuntos. Isso tudo é novo para mim.

E tão importante que ainda não podia crer no que acabara de ouvir. Com um exalar exasperado, Ethan abriu os olhos e mirou os edifícios iluminados da Wall Street. Passando as mãos pelos cabelos, tentou entender porque fora traído. Joly lhe pareceu sincera ao afirmar que queria ajudar. Esteve tão empenhada que logo no primeiro dia conseguira acesso ao apartamento de Danielle. Ele não gostou da novidade tampouco, porém a amiga o tranquilizou, dizendo que faria como prometido. Então, porque fizera o oposto?

— Joelle, Joelle... o que faço com você? — Ethan perguntou ao léu, exasperado, a vagar de um lado a outro, impaciente. Em resposta ouviu o toque do telefone em seu gabinete. Cogitou ignorá-lo, mas sabia ser Joly.

— *É a segunda vez que desliga na minha cara* — ela acusou ao ser atendida.

— Saiba que eu estou sem um pingo de paciência — ele retrucou. — Diga logo o que pretende.

— *Que espécie de advogado é você? Nunca ouviu falar em psicologia inversa?*

— Então é isto que está fazendo? — Ethan tentou avaliar as chances.

— *Exatamente!* — Joly confirmou, orgulhosa. — *Nada melhor do que aquilo que não se pode ter para atiçar o interesse, não acha?*

Impossível contestar. Estava preso na teia de Danielle pelo mesmo princípio. Desejava-a talvez pela dificuldade em encontrá-la ou por uma semana inteira de idealização. Joly tinha razão: sempre se desejava mais aquilo que não se podia ter. Ou aquilo que, na maioria das vezes, pertencia a outro.

De repente o vampiro se sentiu faminto e agitado. Precisava sair. Tinha um bom palpite de para onde iria à procura de alimento.

— Faça como achar melhor, Joly... Agora eu preciso desligar. Boa noite!

— *Não tão rápido, Ethan Smith McCain* — ela o deteve.

— O que é agora?

— *Dana é comprometida* — o vampiro estava prestes a dizer que não por muito tempo, quando ela prosseguiu: — *Já que ela é diferente e você não vai apagar a memória na manhã seguinte, como pretende lidar com isso?*

— Relacionamentos terminam todos os dias e... — sorriu ao antever o que pretendia fazer com o advogadozinho naquela noite — acidentes acontecem!

— *Não se atreva! Está louco?* — Joly se alarmou. Conhecia-o bem. — *Quando ela descobrir, como será? Vai odiá-lo com certeza! Não faça nada contra o rapaz.*

Àquela altura Ethan estava realmente arrependido por ter envolvido Joly, pois mesmo com suas questões, gostava cada vez mais de seu plano de ataque.

— Um dia ela supera a perda! E eu estarei lá para consolá-la.

— *Pare, Ethan! Escute o que digo. Se algum mal acontecer para esse rapaz e Dana por ventura descobrir que você teve alguma participação, ninguém poderá ajudá-lo. A garota é apaixonada por ele.*

— Se pretende mesmo salvar a vida dele, está indo na direção errada — Ethan a alertou. — Saber que ela ama outro não me comove, apenas aumenta minha vontade de me livrar de um empecilho.

— *Imagino como deva ser incômodo para você, mas se controle. Não faça nenhuma besteira que não tenha como reverter.*

Talvez Joly tivesse razão. Por algum motivo que não entendia, sabia que não desejava magoar Danielle, ainda que matar Paul lhe trouxesse um imenso prazer. De súbito um pensamento novo lhe ocorreu. Matá-lo seria rápido demais, sem graça ao extremo. Conhecia formas melhores de lidar com o rival.

— Você está certa — disse. — Pode ficar tranquila. O rapaz não corre perigo.

— *Tenho sua palavra de honra?*

Joly sabia que jamais descumpriria uma palavra empenhada. Como tinha descartado sua sede pelo sangue de Paul, respondeu sinceramente:

— Você tem minha palavra de honra.

— *Obrigada!*

— Mas eu o quero por perto. Você tem até terça-feira para trazê-lo até nós. Quero-o na McCain & Associated, trabalhando para mim.

Joly silenciou por algum tempo antes de responder:

— *Não entendi o que pretende, mas lhe asseguro que terça pela manhã você terá um novo funcionário.*

— Não esperava menos de você. — Então, lembrando-se de onde ela provavelmente estivesse perguntou: — Como está Danielle?

— *Dormindo, sozinha. Parece que o namorado teve algum compromisso de trabalho... Ela não soube explicar e eu não insisti. Afinal eu...*

Joly não era ouvida desde que lhe dera a melhor das notícias. Nada o impedia de fazer uma visita até certa sacada. Alimentar-se-ia no caminho, decidiu antes de abreviar a ligação.

— Transmita minhas lembranças a Thomas. Sei que seu *ex* está aí com você. Não se esqueça do que me prometeu para terça-feira. Tchau!

Ethan desligou o aparelho sem esperar resposta. Correu para seu quarto, vestiu a primeira camisa que encontrou, calçou as meias, os sapatos e partiu. Em sua garagem, optou por dirigir sua SW4. Ganhando as ruas, tratou de procurar alimento. Não seria difícil. Mesmo com todo o policiamento restavam muitas opções, pensou estalando a língua.

Enquanto guiava aleatoriamente, Ethan achou por bem se distanciar. Ainda que o vampiro intruso não tenha dado mostras de estar por perto, não havia se passado 10 dias desde que tornou seu ataque público. Não pretendia lhe dar novas chances.

Decidido a agir, Ethan atravessou a ponte do Brooklin. Deixou seu carro estacionado na Vine Street e circulou a pé. Passava um pouco da meia noite, quando dois rapazes o abordaram. Ethan se deixou conduzir até um beco. Satisfez a última vontade dos assaltantes, entregando relógio, celular e carteira, sem esboçar qualquer reação.

Enquanto um deles lhe apontava a arma, atento também ao que o companheiro poderia encontrar no interior de sua carteira, Ethan os atacou. Manteve um deles preso pela garganta sem matá-lo, para que assistisse com horror enquanto bebia do outro. Ao largar o corpo inerte, atacou o jovem que àquela altura chorava em desespero. Assim como o primeiro, não o bebeu todo, apenas o suficiente para se alimentado até a noite seguinte. Saciado, o vampiro recuperou seus pertences e afastou os corpos para o fundo do beco. Depois e escondê-los sob uma imensa pilha de entulho, partiu.

Em East Village, ao contornar a última esquina e chegar ao seu destino, o velho coração do vampiro batia duas vezes mais do que o usual.

"Apenas pela caça recente, nada mais", disse a si mesmo. Para seu contentamento as calçadas estavam vazias. O frio incutia o desejo de estarem em casa, diante da TV, como o brilho azulado em algumas janelas denunciava. Seguro de que não seria visto Ethan seguiu até a lateral do prédio e, vendo a luz apagada, saltou para a sacada.

Descobriu um dos lados da porta envidraçada, aberto. Consternado, questionou se aquela garota irresponsável possuía alguma noção de perigo. Morar no terceiro andar não a livrava de ataques, uma vez que qualquer ladrão mais empenhado escalaria até aquele ponto com facilidade. Ao menos aquela noite, e nas próximas, ela estaria segura. E, mais uma vez, o humor negro trouxe um sorriso mordaz aos lábios do vampiro. Danielle estaria livre de qualquer ataque, inclusive o dele.

Expectante, o vampiro se aproximou mais e esquadrinhou o interior do quarto. Sem esforço viu Danielle adormecida sobre a cama. Como bom viciado que tinha se tornado, ele aspirou o ar. Com os pulmões cheios daquele odor adocicado, Ethan suspendeu a respiração e fechou os olhos, deixando que o cheiro subisse ao cérebro e se convertesse no néctar mais ansiado, inebriando-se, excitando-se.

Espirando o ar represado durante todo o processo, abriu os olhos e se aventurou a chegar mais perto. Blasfemou intimamente contra a restrição que impedia sua entrada. Se estendesse a mão poderia sentir a barreira invisível que o mantinha do lado de fora, distante *dela*. Mesmo contrariado, seu coração se acalmou ao ver o rosto de porcelana. Danielle possuía pele perfeita, tão pálida quanto à de qualquer imortal. Era linda! Seus cabelos claros se espalhavam sobre o travesseiro.

Ethan analisou o pé de uma das pernas descobertas, pequeno e delicado. Subindo o olhar, adivinhou que ela usava camisola visto que tinha uma visão irrestrita do interior da coxa nua. Imaginou como a pele deveria ser macia e se viu a sorver sangue naquele ponto exato. Nesse instante, sentiu mais uma vez a pontada de desejo, todo seu corpo se aqueceu. Danielle se agitou, levando-o a prender a respiração, pois o dorso mal coberto revelou o decote deslocado que exibia um seio quase em sua totalidade. As mãos de Ethan coçaram e sua boca umedeceu, quando se imaginou a prová-lo.

A excitação se tornou insustentável. Desejava-a... desesperadamente. A ela somente. Naquele momento, inconscientemente estendeu uma das mãos e tocou mais uma vez na barreira que o condenava a ficar afastado. Inutilmente socou-a, forçou-a e nada aconteceu. Nem mesmo as pontas de seus dedos foram capazes de ultrapassar o limiar. Com o corpo a vibrar, decidiu que seria convidado a entrar no dia seguinte. Pouco lhe importava qual pretexto usaria, pensaria em algo convincente quando chegasse ao prédio pela manhã.

Ethan permaneceu estático, espreitando a metade da vidraça aberta por tanto tempo que se distraiu por completo. Continuava excitado uma vez que a observava rolar na cama, e, em seu sono agitado, Danielle revelava seu corpo ainda mais. Estava perdido na brancura das pernas esguias, quando o telefone no interior do quarto tocou. Instintivo, Ethan saiu de qualquer campo de visão, recostando-se na parede ao lado da porta. Dois toques depois ela atendeu antes mesmo de acender a luz.

— Alô — a voz dela estava embolada pelo sono. — Paul?

Ethan se impacientou e imediatamente se arrependeu da palavra empenhada. Mesmo longe o rival o estorvava, melhor seria matá-lo.

— Paul, está tarde!

Para desgosto do imortal, a alusão ao adiantado da hora não foi uma repreenda, apenas uma simples constatação. Ethan ouviu o riso leve e sem que pudesse prever, sentiu o velho coração oprimido. O riso feminino alcançou notas mais altas, levando-o a cerrar os punhos.

— Já tinha dito que não tem problema... Também senti sua falta.

Algo no peito de Ethan rugiu.

— Está bem!... Passo o domingo com você... Também amo você, Paul!

Ouvir a declaração de Danielle piorou ainda mais seu ânimo já corrompido. Ethan sentiu ganas de bater em alguma coisa. Ainda recostado à parede, alimentando o despeito por aquele romance enfadonho, ele ouviu o movimento no colchão. Sabia que deveria se refugiar no prédio vizinho, contudo não saiu do lugar.

Talvez, inconscientemente, desejasse que ela o descobrisse ali. Talvez fosse hora de voltar à normalidade sem sobressaltos. Hora de descartar a ideia esdrúxula de ser diferente e, como antes, apenas "encantar, saborear e fazer esquecer". Agradando-se do novo arranjo que iria de encontro às suas vontades imediatas, Ethan a sentiu se aproximar da porta. Bastaria que ela ultrapassasse o limite restritivo do batente. Apenas um passo.

Venha Danielle, chamou em pensamento. Venha!

— Black... É você?

Capítulo 12

Aquela estava sendo uma noite estranha. Aliás, o dia foi estranho. Com clima palpável e pensamentos inquietantes, onde Dana alternou suas divagações entre o namorado e Ethan McCain. E como em tantas coincidências da vida, que muitas vezes vinham para agravar as consternações, ela conheceu a secretária do advogado. Quais as chances? Interessante também que tivesse gostado da francesa à primeira vista.

Enquanto conversavam, Dana desejou que aquela separação com o marido fosse passageira, pois pôde sentir nas palavras da nova amiga que esta era irremediavelmente apaixonada pelo ex.

Ficaram juntas até tarde, trocando informações, conhecendo-se. Joly partiu, educadamente, quando Paul entrou em contato. Depois de ele se desculpar pela falta, Dana o tranquilizou, afirmando que conhecia a complexidade de seu trabalho. Namoraram a distância, falando bobagens um para o outro. Como de costume, Dana ficou levemente excitada com a voz macia de Paul a lhe falar obscenidades ao ouvido. Tal reação deveria bastar para reafirmar a exclusividade de seu interesse. Não bastou. Minutos depois, quando se viu sozinha em sua cama, flagrou-se a pensar em outro advogado e na recomendação de sua secretária.

— Como assim? — perguntara, confusa. — Por que diz que seu patrão é o problema?

— Ele é problema, pois não pode ver uma mulher bonita. Imagino que deve ter se interessado por você no minuto em que a viu.

— Pois eu lhe digo que está enganada — assegurou. — Não percebi nenhum interesse da parte dele. Na verdade, o Sr. McCain foi apenas educado com Paul e comigo. Não nos conhecia, estava acompanhado e aparentemente com pressa.

— Pumft! Se é o que diz...

Dana riu com o trejeito exasperado da amiga. Porém seu sorriso murchou ao se lembrar do choque ao tocar a mão do advogado. E do olhar que parecia segregar algo importante. Joly a chamou de volta, estralando os dedos diante de seus olhos e reafirmou que o patrão era problema. Disse ainda que seria prudente se manter afastada se não quisesse ter aborrecimentos futuros com o namorado. Ao que Dana lhe assegurou não correr risco algum, visto que Ethan McCain teria opções melhores do que uma garota sem graça e comprometida como ela.

Ainda em sua cama, antes de dormir, Dana se aventurou a pensar como seria estar com ele. Era comprometida, sim, mas não tinha como deixar de reparar nos traços precisos que atribuíam ao famoso criminalista uma beleza única. Como não reparar nos cabelos de um castanho escuro e lustroso? Nos lábios bem traçados? Ethan era um espécime raro, acintosamente bonito e elegante, mesmo que despretensiosamente. Toda soma da obra era a prova de que Joly não tinha com o que se preocupar. Alguém como ele jamais se interessaria por alguém como ela.

Ainda inferiorizada, adormeceu. Estava presa num daqueles sonhos estranhos onde era seguida pela força disforme, quando foi despertada pelos toques do telefone. Acordou com frio e notou estar praticamente descoberta. Enquanto ouvia Paul se desculpar, mais uma vez, viu que deixara a porta da sacada meio aberta e o fato roubou sua atenção. Pedia que Paul não se preocupasse, quando ouviu uma espécie de rosnado baixo.

Considerou que fosse Black. Não gostava quando o gato se metia em confusão e voltava machucado. Assim que recolocou o fone no gancho, foi até a sacada decidida a sair e chamar pelo animal de estimação. Porém, quando estava a um passo de sair, algo a deteve. Os pelos de sua nuca se arrepiaram. Era como se alguém a chamasse. Queria atender, mas não conseguia dar um passo adiante.

— Black... É você?

Silêncio. Logo Dana riu do ridículo da situação e disse a si mesma:

— Danielle, você está se tornando uma supersticiosa, medrosa e patética. Não tem ninguém lá fora... Confie! Nada vai te acontecer.

Então, em um único passo, saiu para a sacada. Estava vazia. Olhou para a rua como sempre fazia e para o alto do prédio vizinho. Foi quando o viu. Um vulto escuro correu sobre o telhado ao lado em direção à rua, bem diante de seus olhos. Dana teria caído se não estivesse em choque. Nunca acreditou em fantasmas, porém, ao que tudo indicava, acabara de ter sua primeira experiência com o sobrenatural. Humano algum seria capaz de correr tão rápido ou saltar daquela altura.

Trêmula, forçou-se a entrar. Estava enregelada, seus dedos não a obedeciam enquanto tentava fechar a trava da porta. Quando finalmente conseguiu, arrastou-se até a cama com medo de cair. Deitou em forma de concha. Dana reprimiu o desejo de cobrir a cabeça e o que seria mais vergonhoso; o de ligar para Paul e pedir que viesse buscá-la.

Dizendo a si mesma que tudo não passara de sua imaginação fértil, adormeceu. O sono, antes agitado, tornou-se ainda pior. Dana se remexeu na cama, acordando de tempos em tempos, sobressaltada. Sempre que adormecia sonhava com vultos e formas estranhas. Antes mesmo que clareasse, estava de pé. Não se importou que acordasse o namorado. Sentia apenas que precisava sair, então ligou para Paul avisando que iria mais cedo.

Trocou a água e a ração de Black, juntou um punhado de roupa numa mala de viagem pequena e saiu. Quando estava no corredor, olhou para a porta de Joly. Cogitou avisar que passaria o dia fora, mas reconheceu ser ainda cedo para esse tipo de explicação. Sentiu-se segura somente quando estava no interior de seu carro. Gostava de dirigir e o trânsito daquela manhã de domingo estava calmo. Em pouco tempo chegou ao edifício onde Paul morava.

Sua entrada era livre. O porteiro, que a conhecia de longa data, abriu o portão para que deixasse seu carro na vaga excedente de Paul. Dana estacionou o Accord ao lado do Lexus. Pegou sua mala e seguiu para o elevador. Paul já a esperava à porta do apartamento. Parecia preocupado, quando se adiantou para tomar a mala da mão da namorada.

— Anjo, o que houve?

— Apenas me abrace — pediu e o enlaçou pela cintura.

Paul passou o braço protetoramente pelos ombros de Dana e a conduziu para o interior do apartamento. Este era tipicamente masculino, porém decorado com muito bom gosto, sem excessos. Paul passou direto pela sala e a conduziu ao quarto. Depois de deixar a pequena mala a um canto, fez com que Dana se deitasse em sua cama.

— Agora me diga o que aconteceu — ele pediu mansamente. — Você está abatida.

Junto ao namorado, deitada em sua cama, com ele acariciando seus cabelos, todo o medo e o ocorrido na madrugada passada lhe pareceram infundados.

— Não consegui dormir direito — revelou, considerando ridícula tamanha covardia. — Tive sonhos estranhos. Achei que se viesse logo, poderia descansar um pouco, com você.

— Então veio ao lugar certo! Eu acalmo você — assegurou, sorrindo. Dito isso, retirou-lhe os sapatos. Depois a livrou da calça e da blusa, deixando apenas as peças íntimas. — Deite-se de bruços.

Obediente, Dana fez como pedido. Paul sentou sobre suas coxas, próximo ao quadril. Gentilmente abriu o fecho do sutiã e baixou suas alças.

Ela tratou de retirá-lo. Após afastar os cabelos longos dos ombros delicados, Paul passou a massageá-los.

— Anjo, você está tensa demais. Tem certeza de que é somente pelos sonhos?

— Sim — disse, e se retesou quando ele apertou um músculo, imprimindo maior força.

— Talvez esteja assim por todo o ocorrido nesse final de semana. Sexta foi um dia difícil para você.

— Foi... — ela concordou, por fim relaxando.

Os dedos de Paul correram por suas costas, pressionando cada vértebra até alcançar o elástico da calcinha. De repente, a massagem foi convertida em carinho. As mãos não mais pressionavam, sim, alisavam sua pele, excitando-a. Fazer amor seria uma boa forma de apagar as sensações que a perseguiam nas últimas horas, então, apenas se deixou guiar pela ternura do namorado, por seu sexo manso.

O ato seria perfeito e sem sobressaltos se, no auge da excitação, um par de olhos verdes não surgisse em sua mente. Para consternação de Dana, a aparição coincidiu com a chegada ao clímax. Alarmada, brigou com a imagem, tentando expulsá-la, no entanto, terminou por ver um rosto completo que agravou os espasmos, levando-a a gritar em êxtase.

Paul acompanhou-a e se deixou cair sobre seu corpo. Ambos respiravam com dificuldade, tinham os corpos suados. Dana fechou os olhos, inquieta, quando o namorado beijou seu ombro. Não poderia encontrar hora mais imprópria para se lembrar de Ethan McCain, porém a imagem persistia.

Quando Paul deitou ao lado, Dana se deixou abraçar e beijar. Seria a calmaria definitiva, depois de horas de tempestade, caso não se sentisse uma traidora por não conseguir expulsar certo rosto marcante de sua cabeça.

— Dana, o que foi? — Paul perguntou ao ouvir o suspirar exasperado.

— Nada — ela mentiu.

— Não se preocupe com nada, meu anjo. Eu estou aqui.

— Eu sei que está.

Dana se acomodou melhor nos braços fortes do namorado, lamentando por ele não ser capaz de protegê-la dela mesma.

∞

Ethan encheu o copo com uísque somente para arremessá-lo contra a parede de seu gabinete. Queria descobrir que criatura era aquela que se apossava dele, tornando-o fraco, preocupado com os sentimentos ou com a segurança alheia. Odiava não se sentir senhor de si. Furioso, olhou para as próprias mãos. Esteve com Danielle ali, em suas palmas e recuou. Ela sairia e a desejava tão intensamente que seria capaz de possuí-la lá mesmo, na sacada, no frio da noite. Com a certeza, no milésimo de segundo antes que a humana cruzasse o batente, ele recordou a garota da Cielo e refreou-se.

Ethan ouviu Danielle dizer a si mesma para confiar, quando ele sabia dos riscos em matá-la estando tão sedento. Portanto saltou para o telhado vizinho e, sem confiar na sua força de vontade, correu sobre o telhado e saltou para a rua, refugiando-se em seu carro. Frustrado e irritado, partiu, tendo na mente a imagem dela, exposta, de cabelos revoltos, vestindo a camisola reveladora.

Servindo-se de mais uma dose de uísque, o vampiro pegou o copo e foi se sentar na varanda. Passou a noite em claro, analisando friamente qual sentimento, de fato, nutria por Danielle. A manhã o encontrou sem respostas aceitáveis, e apenas com uma certeza: nunca poderia machucá-la.

Deixando o copo vazio para trás, Ethan entrou e seguiu para seu quarto, onde se atirou sobre o colchão. Desejou ser capaz de dormir por horas a fio. De preferência como seus iguais frutos do imaginário popular e apagar durante o dia inteiro. Então recordou a pele imaculada, o cheiro atrativo e, mais uma vez, dormiu com a humana no pensamento.

∞

Paul reservou o dia para a namorada. Horas inquietantes nas quais Dana relutava a todo instante para não pensar em outro. Se o namorado estranhou seu comportamento, nada dissera. Ela se entregou a ele sempre que fora procurada, porém não esteve cem por cento presente. Tal alheamento era inédito. Estava habituada a se deparar com homens bonitos e nenhum deles foi capaz de impressioná-la daquela maneira. Era preciso admitir que estivesse com algum problema. E assim, de forma arrastada e estranha, o domingo passou.

Dana se preparava para voltar ao seu apartamento na manhã de segunda-feira, quando ouviu o toque da campainha. Minutos depois ouviu Paul ao telefone. Ele lhe pareceu alterado, detalhe que despertou sua curiosidade. Ao verificar, viu que junto ao fone, Paul segurava uma carta e ouviu a conversa pela metade.

— ... Na verdade você me deve isso — ele disse e aguardou a resposta, a qual retrucou: — Não esqueci que foi o primeiro a me dar oportunidade, mas essa é uma proposta irrecusável.

Dana lhe acenou do corredor. Paul retribuiu e abriu um imenso sorriso. A alegria que via em no rosto do namorado, não condizia com o tom de voz. Depois de outra pausa, ele disse apaziguador:

— Escute, Harry, eu já aceitei a oferta e... — Paul se calou e passou a mão livre pelo cabelo, antes de prosseguir: — Não quero discutir isso por telefone. Liguei apenas para adiantar o assunto. Quando eu chegar ao escritório, conversamos, está bem?

Paul franziu o cenho com a resposta que obteve, então respondeu, resignado:

— Faça como considerar melhor. Passo aí em uma hora para acertarmos nossas contas. Até breve.

Dana viu o namorado desligar o telefone, cabisbaixo, porém, quando olhou em sua direção novamente exibia o sorriu radiante. Paul correu até ela e a abraçou. Quando a soltou, segurou seu rosto e depositou breves beijos em sua boca, confundindo-a. A ela parecia que ele tinha acabado de se desentender com Harry, no entanto, estava feliz.

— Anjo, veja isso! — Paul colocou a carta em sua mão. — Leia!

Dana desceu os olhos para o papel e o obedeceu.

Prezado Sr. Collins

Seria um imenso prazer se nos desse a honra de atuar pela McCain & Associated. Jovens promissores como o senhor são de grande valia para nós. Caso aceite meu convite, conto com sua disponibilidade no dia 12 de outubro, na primeira hora. Valores serão discutidos em reunião privativa.

Antecipadamente agradeço.

Cordiais Saudações, Ethan McCain

— Paul?! — Dana tremia desde que reconhecera o nome no papel timbrado. — Vai aceitar?

— Já aceitei. Falei com a secretária de McCain antes de ligar para Harry — ele a beijou mais uma vez. — Essa é uma chance única!

Paul falou com Joly? Trabalharia para Ethan McCain? Enquanto Dana tentava processar a novidade, forçou-se a sorrir.

— Parabéns, meu amor! — Lembrando-se das últimas palavras ao telefone, perguntou: — E quanto a Harry?

— Ah!... Você ouviu. Vou passar no escritório somente para acertarmos tudo. Ele não gostou muito da novidade, mas, sinceramente... pouco me importa, anjo! — Apertando-a entre seus braços, disse contente: — Amanhã pela manhã me apresento no escritório de advocacia número 1 dessa cidade.

Com um suspiro, Dana retribuiu o abraço e tentou se alegrar pelo namorado. Quando deitou a cabeça em seu peito, sentiu-se inquieta. Antes seu conhecimento de Ethan McCain poderia ser considerado quase nulo e, em menos de setenta e duas horas, ele não somente se infiltrou em seus pensamentos mais íntimos como também na vida de seu namorado. Apreensiva, Dana apertou ainda mais os braços em volta da cintura de Paul.

— Eu tive uma ideia — ele anunciou antes de afastá-la e pedir: — Fique aqui.

— Paul, eu...

— Fique, Dana! Deixe para ir embora outro dia. Depois de amanhã. Podemos passar o resto do dia juntos e amanhã à noite eu a levarei para jantar. Será como uma comemoração. O que me diz?

Sua agenda estava vaga desde a sexta-feira. Também não precisava se preocupar com seu gato, pois ele se viraria bem por uns dias. Não via problemas em atender ao pedido de Paul, ainda mais ao se lembrar do que a motivou a adiantar sua visita. Todo seu compromisso era com o Departamento de Pessoal do *Daily News,* mesmo sem qualquer disposição para retornar ao antigo local de trabalho.

Com isso, Dana sorriu com sinceridade para Paul e aceitou. Seguiram abraçados para o quarto. Sentada na cama espaçosa, Dana se esqueceu do jornal e de seu *fantasma,* enquanto assistia o namorado ajeitar a gravata. Paul era lindo e ela o amava, ela pensou, veemente. Então, por que a imagem de outro homem persistia em ficar em sua mente?

"Esta é a pergunta de um milhão de dólares, Danielle Hall". Respondeu-se sarcasticamente.

∞

Horas mais tarde, já de volta ao apartamento do namorado, Dana chegou à janela e olhou para a movimentação dos carros e os pedestres. Ter ido ao *Daily News* para receber o pagamento que a manteria por dois ou três meses, agravou a saudade de suas obrigações no jornal. Se tivesse com o que se ocupar, não ficaria pensando em quem não devia e se desligaria de vez de um par de olhos indecentemente verdes. Também teria ajudado se tivesse se encontrado com Melissa, contudo fora informada de que a amiga tinha saído, e que não tinha a previsão de sua volta. Antes de ir embora, Dana se despediu dos colegas e rumou para a porta, mantendo a cabeça erguida, ainda que seu coração estivesse em pedaços.

Agora, sozinha, cismava com a demora do namorado. Estava preocupada, imaginando se Paul teria feito a melhor escolha. Na verdade, sua apreensão era em grande parte destinada a si mesma. Tinha medo do que essa proximidade com o novo patrão de Paul pudesse representar. Dana gostaria de entender o motivo pelo qual não o tirava da cabeça. Quanto mais tentava esquecer, mais a imagem do rosto perfeito se fixava em sua mente.

Bufando exasperada, desistiu de lutar contra seus pensamentos e se afastou da janela. Uma hora aquilo teria de parar, pensou, resignada enquanto seguia para o sofá. Acomodou-se de pernas cruzadas e, depois de colocar o netbook sobre uma almofada, acessou o site do jornal. Não divulgar e redigir as notícias não significava que teria de ficar desatualizada no que acontecia em sua cidade e no mundo. Lia as matérias mais importantes, quando, ao mudar de página, uma foto disposta na página policial, chamou sua atenção. Era de uma mulher loira, bonita.

Sarah Carter, solteira, 30 anos, foi encontrada morta em seu apartamento na 3rd Street, no final da manhã de domingo. O corpo encontrava-se em iniciado estado de decomposição e não apresentava marcas de violência. Peritos que estiveram no local, atestaram que porta e janelas não foram arrombadas, reforçando a suspeita de que o autor do crime seja conhecido da vítima.

Coincidentemente...

O crime acontecera a poucas quadras de sua rua, pensou. Intrigada, Dana interrompeu a leitura para analisar a foto com maior atenção. Conhecia aquela mulher, porém não conseguia se lembrar de onde. Perscrutou a foto por mais uns minutos, então desistiu. Nunca fora fã das páginas policiais e não começaria naquele instante. Lia uma matéria sobre as previsões pessimistas para o inverno que se aproximava, quando Paul finalmente chegou.

Trazia em uma de suas mãos duas sacolas da *Saks*. Dana colocou o netbook de lado para recebê-lo. Ao se voltar, antes de se aproximar, ele parou e a admirou por um minuto. Sem nada dizer e ainda sem se mover, Paul sorriu.

— O que foi? — Dana sorriu de volta sem entender.

— Gosto do que vejo — disse, aproximando-se por fim. — Ter você esperando por mim, de pernas cruzadas, em meu sofá... Pareceu o cenário que imagino todos os dias ao chegar aqui. Se você se mudasse...

— Paul... — Dana o interrompeu.

— Está bem!... Está bem!... — Ele se sentou ao lado da namorada e a beijou levemente nos lábios. — Não vamos tocar nesse assunto agora — disse, estendendo-lhe as sacolas. — Trouxe para você!

— O que é? — Animada, tomou-lhe as sacolas da mão e olhou em seu interior.

— Um presente! — Paul respondeu, sorrindo.

A primeira caixa que tirou da sacola continha um vestido preto. De corte simples, porém provocante sem ser vulgar.

— Paul, ele é lindo! — exclamou ao se pôr de pé e experimentá-lo na frente do corpo. — O que fiz para merecer?

— Não foi preciso fazer nada. Apenas quis te presentear. Vou levá-la para jantar, esqueceu? Quero que o use amanhã.

De súbito, sentiu-se culpada. Parecia que o sentimento seria recorrente, visto que se repetia com frequência nos últimos dias. Esquecera por completo os planos de comemoração. Esboçando um sorriso, mentiu:

— Evidente que não esqueci.

— Ótimo. Temos reservas no seu restaurante favorito, para as nove horas.

— Perfeito! — Dana exultou e, enquanto recolocava o vestido na caixa, especulou: — O que aconteceu? Você demorou.

— Minha conversa com Harry não foi fácil — Paul explicou, passando a escovar-lhe os cabelos, vago.

— Sinto muito! — ela lamentou sinceramente.

— Ah... Tudo bem! Harry não gostou de eu ter aceitado a proposta de Ethan sem ter lhe comunicado antes. Disse que eu estava precipitando as coisas. Que eu nem mesmo sabia quanto receberia na McCain & Associated.

— Nesse ponto ele está certo. Você não sabe as vantagens.

— Anjo, pense bem... — pediu. — Você sabe que dinheiro não é problema para mim.

Sim, sabia, pensou contrafeita. Paul era bem nascido. Ser filho de pais endinheirados e esnobes era um dos impedimentos para que aceitasse morar com ele. Alheio ao seu pensamento, o namorado prosseguiu:

— Não aceitei pelo dinheiro. Agarrei a oportunidade pelo prestígio. Os advogados do escritório de McCain são os mais procurados da cidade. E Harry sabe disso. Acredito que ele próprio aceitaria uma sociedade com Ethan, se tal proposta lhe fosse feita.

— Entendo! — Dana acariciou o rosto do namorado. — Espero que você saiba o que está fazendo.

— Eu sei, meu anjo. — Paul pegou as mãos da namorada e beijou. — Um dia você será a esposa de um advogado famoso!

— Ele não precisa ser famoso — assegurou, sorrindo —, basta que me ame.

— Se é somente o que basta, case comigo agora!

Dana quis morder a própria língua. Não estava num de seus melhores dias para entrar na velha discussão. Com um suspiro, resolveu manter o assunto e brincou:

— Na verdade, alguma fama deixaria você um pouco mais atraente.

— Um pouco mais atraente? — Paul franziu o cenho e se preparou para o ataque. — Vou mostrar que não preciso ser *mais atraente* para conseguir você.

Sem aviso, partiu para cima de Dana, fazendo-lhe cócegas. Ela caiu de costas no sofá, rindo e agradecendo intimamente por ele ter desviado o rumo da conversa. Logo estava sem fôlego com Paul deitado sobre seu corpo. O momento das brincadeiras tinha terminado. Ele a olhava com intensidade e desejo, mirando os lábios rosados.

— Como eu disse hoje cedo — falou —, temos o resto do dia para ficarmos juntos. E já que você falou em merecimento, o que me diz de fazer algo por mim agora, para merecer ganhar os sapatos que estão na outra sacola?

Capítulo 13

Terça-feira, pontualmente às 7h da manhã, Ethan chegou à antessala de seu escritório. Joly já tinha assumido seu posto e anotava algo em uma de suas agendas. Tudo normal, exceto para ele. Era impossível, mas Ethan poderia jurar que sua cabeça doía. Passou o domingo recluso na cobertura, saindo apenas à procura de alimento e para espreitar o apartamento de Danielle, desperdiçando seu tempo para descobrir que este permanecia vazio.

O mesmo se repetiu na noite anterior. Ineditamente, nas duas ocasiões, não teve ânimo para procurar outra mulher, seguindo diretamente para o próprio apartamento: silencioso, irritante e vazio. Agora, mirava sua secretária, a única que poderia ter alguma notícia promissora. Encobrindo sua ansiedade, perguntou direto e seco:

— Danielle voltou?

— Não — Joly respondeu sem olhá-lo. — A menos que tenha chegado depois de eu ter saído.

— Inferno! — Ethan vociferou, seguindo para sua sala.

— Que seu dia também seja bom, Ethan!

Ao entrar, deu-lhe como resposta uma estrondosa batida de porta. Nem mesmo a expectativa em ter, finalmente, o rival sob suas vistas, animava-o. Além de recebê-lo, teria um dia cheio. Uma audiência enfadonha que prometia se arrastar por horas infindáveis e um jantar de negócios igualmente maçante. Não tinha disposição para uma coisa nem outra.

Ao depositar sua pasta de couro preto e seu sobretudo da mesma cor sobre o pequeno sofá, ignorou sua mesa meticulosamente organizada, onde jornais bem dispostos, processos e relatórios o aguardavam, e seguiu para a grande janela. Mais uma vez, Danielle estava perdida na cidade.

Não por muito tempo, reafirmou, veemente. Respirando profunda e pausadamente na tentativa de se acalmar, decidiu esquecer Danielle por um momento. Desligar-se do seu entorno e ocupar a mente até a chegada do rábula. Começaria por se inteirar sobre o que acontecia no país e no mundo.

Após acomodar seu paletó no encosto da cadeira, sentou-se e pegou o primeiro exemplar da pilha, o *The New York Times*. Antes de abri-lo, porém, seus olhos foram atraídos para o jornal seguinte. Não era um de seus preferidos, raramente o requisitava. A manhã anterior fora uma dessas raras exceções, pois tencionava procurar por notícias de seu deslize em todos os periódicos. Como previsto, a morte de Sarah estava estampada nos jornais sensacionalistas, que a associaram a mais um assassinato macabro.

O fato o preocupou, contudo se tornou um problema menor visto que não conseguia notícias da mulher que realmente lhe interessava, ao longo do dia. E naquela manhã, perdia completamente a importância quando, ainda se perguntando o porquê de sua secretária deixar notícias velhas sobre sua mesa, leu o alto da página do *Daily News* já aberto no caderno de variedades.

Vampiro: Mito ou Verdade? - *por Dana Hall*

Interessado, Ethan se acomodou melhor em sua cadeira. Leu e releu por mais duas vezes simplesmente por ser algo vindo de Danielle. Em tempo algum nos últimos dias se preocupou com a ocupação da humana e descobria daquela forma agradável que ela era jornalista.

Deu-se conta de que nada sabia sobre ela, enquanto acariciava a foto mínima ao lado da matéria. Não que saber os detalhes o interessasse, mas gostou da novidade. A primeira metade do texto era óbvia, ela não acrescentava nada novo ao comentar que a origem do mito se deu a partir das atrocidades cometidas pelo príncipe empalador da Romênia, Vlad Tepez. Contudo, a outra metade lhe chamou a atenção por Danielle defender suas conjecturas acerca da existência de tais criaturas, com argumentos relevantes, mesmo sem salientar suas opiniões pessoais.

Danielle foi também generosa com os de sua espécie ao aventar a possibilidade de imortais sentirem-se deslocados junto aos humanos, desvinculando-os dos parasitas que vampiros reais de fato sempre seriam.

A autora era competente. E com aquela redação também se mostrou ser ingênua ao demonstrar sua evidente simpatia pelos seres das trevas. Ethan não se considerava uma criatura incompreendida, porém admirava quão próxima Danielle chegou da verdade em sua narrativa. Vampiros andavam, sim, entre os mortais.

Ao reler a matéria mais uma vez, deteve o olhar nas palavras finais.
Considerando a hipótese, mil vezes cruzar o caminho de um vampiro real...

Ethan esboçou um sorriso e inconscientemente acariciou seu canino com a ponta da língua. Danielle mal poderia imaginar que não somente estava perto de um vampiro real, como já cruzara seu caminho. E Ethan cuidava para que esta jornada fosse prolongada. Ainda sorria satisfeito consigo mesmo, quando Joly entrou sem bater.

— Eu sabia que gostaria! — exclamou ao vê-lo admirar o jornal, com o humor visivelmente melhorado.

— Sim, obrigado! — Ethan respondeu sinceramente. — A garota leva jeito. Um desperdício que trabalhe nesse tablóide insignificante — observou antes de atirar o jornal sobre a mesa.

— Trabalhava — Joly o corrigiu. — Foi dispensada na sexta-feira.

Ethan recordou que vira seus olhos vermelhos. Teria sido este o motivo das lágrimas? Parecia evidente. Enterneceu-se por ela, e enfureceu-se com o tablóide.

— Ela lhe disse o motivo de ter sido dispensada?

— Não. Ela não acreditou na desculpa que deram, então...

— Descubra — ordenou, cortando-a.

— Ethan... — Joly tentou argumentar. Ele não lhe deu chance, encorajando-a:

— Sei que pode. E providencie para que Danielle seja aceita em outro jornal da cidade.

— Está bem... vou ver o que consigo — anuiu num suspiro. — Mas você sabe que não gosto de interferir assim na vida dos humanos.

— Sei que não. Na verdade você adora. — Ethan sorriu maliciosamente. — Você é tão manipuladora quanto eu e sabe disso.

— Já disse que vou ajudar... Não precisa ficar listando as minhas falhas.

Ethan nada retrucou, apenas riu abertamente da falsa consternação.

— A que se deve tanto bom humor logo pela manhã?

Thomas entrou também sem se anunciar e enlaçou a companheira pela cintura, beijando sua bochecha tão logo fez a pergunta. Encarando um ao outro, esperou pela resposta. Joly se encarregou de explicar.

— Estávamos falando de Danielle.

— Ah, sim... Está explicado! — disse antes de beijar os lábios de Joly. Para Ethan, disse: — O amor tem o poder de melhorar o ânimo de qualquer um. Inclusive o seu.

Ethan quis replicar, mas achou por bem deixar o comentário passar. Ainda precisava do apoio conjunto, por essa razão, apenas assentiu antes de mudar de assunto:

— Joly, você tem certeza de que Paul Collins virá essa manhã?

— Ele confirmou que virá às oito horas. Tenha paciência — pediu inutilmente.

— Quem é esse? — Thomas indagou e mais uma vez olhou de um ao outro. — Eu o conheço?

— Perdoe-me, esqueci de comentar. Paul Collins é um jovem advogado que trabalhava para Harry Turner — ela esclareceu. — Ethan me pediu para entrar em contato.

— Não me lembro dele — disse Thomas, pensativo. Então, aparentemente desistindo de procurar um rosto em sua memória, perguntou diretamente ao sócio: — Por que precisamos dele?

Ethan se recostou em sua cadeira. Sabia que era melhor dizer de uma vez por todas.

— Não precisamos, mas eu o quero por perto. — Encarando-o, concluiu: — Ele é o par de Danielle.

— Era só o que faltava! — Thomas exclamou, exasperado. Para Joly, pediu: — Nos dê licença, por favor. Preciso falar com Ethan a sós. Não deixe que nos perturbem.

Ethan assistiu a secretária deixar a sala e Thomas se sentar à sua frente para inquirir em tom baixo e sério:

— Isso era mesmo necessário, Ethan?... Desculpe-me, mas eu acho que você está começando a misturar as coisas.

— Não vejo como — disse, impassível. — Eu o quero por perto, só isso.

— Você contrata o namorado da moça, então a toma dele e depois?

— Eu o dispenso — soou lacônico.

— Não seja cínico! — Thomas se exasperou mais, porém sem levantar a voz. — Não pode brincar assim com a vida das pessoas.

— Posso, quando a pessoa em questão tem algo que quero.

— O mundo não é seu parque de diversões particular, Ethan. — Thomas suspirou, cansado. — Será que nunca pensa nas consequências?

— Não tenho muito em que pensar — o vampiro disse placidamente a despeito da irritação que ameaçava assomá-lo. — A equação é simples. Ele a tem, eu a quero. Quem puder mais, leva o prêmio.

— A competição é desleal — Thomas salientou.

— Cada um luta com o que tem. E o humano tem a vantagem, afinal a garota o ama. — Ao ouvir-se a velha fúria se instalou em seu peito. — Eu poderia acabar com ele assim, — Estalou os dedos. — Porém prometi a Joly que não o mataria, então... Deixe-me ao menos jogar como posso, como acho ser o certo.

— Por que não estou surpreso que tenha pensado em matá-lo? — perguntou, sustentando o olhar de Ethan. — Já que sabe que Danielle ama o rapaz, estaria fazendo o certo se deixasse o casal em paz.

— Vamos analisar por uma óptica diferente. — Ethan controlava-se para não alterar a voz. — *Você* teria desistido de sua adorada Joelle, caso ela fosse comprometida na época em que a conheceu? Acaso não disporia de todos seus artifícios para conquistá-la?

Thomas travou o maxilar. O sermão que viria morreu após a questão. Impassível, Ethan esperou que o amigo respondesse.

— Só me prometa que não dispensará o rapaz depois que lhe roubar a namorada.

Ethan respirou fundo antes de dizer, inabalável:

— Se ainda assim Paul desejar ficar, isso é com ele. Mas apenas mantenho minha primeira promessa em não matá-lo — deu e ombros. Depois disse incisivo: — A menos, é claro, que ele se torne um problema.

∞

Minutos depois — quando já estava sozinho em sua sala —, duas batidas na porta arrancaram Ethan de seus devaneios sobre como e quando se daria sua próxima aproximação com aquela que lhe sorria da página do jornal. Sem esperar sua resposta, Joly entrou seguida por seu novo contratado. Ocultando o tablóide, Ethan levantou para receber os cumprimentos do advogado visivelmente ansioso.

— Sr. McCain — disse Paul à guisa de cumprimento ao lhe estender a mão. — Estou muito feliz com seu convite.

Ethan aceitou a mão estendida e a apertou, talvez com demasiada força. Quando a soltou viu Paul flexionar os dedos com discrição. Sorrindo, fez sinal para que este se sentasse numa das cadeiras diante de sua mesa. Joly então, os deixou a sós.

— Bom dia, Paul. Pode me chamar de Ethan. Não precisamos dessas formalidades fora do tribunal.

— Obrigado, Ethan.

— Então... Paul. Também fiquei feliz que tenha aceitado prontamente meu convite repentino. Espero que não tenha lhe causado qualquer transtorno com Harry.

— Não se preocupe. Tudo foi resolvido tranquilamente entre nós.

Enquanto Paul falava, Ethan se concentrava em bloquear o odor que vinha de suas roupas. Era uma mistura de loção pós-barba com toques de Danielle que fazia com que o detestasse ainda mais. O Vampiro analisava a feição relaxada de Paul, ouvia-lhe as palavras amigáveis, mas apenas conseguia odiá-lo. Ao esboçar um sorriso, disse:

— Melhor que tenha sido assim — e assumindo um tom profissional, comentou: — Espero que minha secretária não tenha comentado valores por telefone.

— Não falamos sobre isso. Apenas aceitei o convite e confirmei minha presença.

— Ótimo!

Depois de rabiscar em uma das folhas de seu bloco de notas, Ethan a entregou ao advogado. Viu satisfeito quando o jovem disfarçou um sorriso e, dobrando o papel, lhe disse estar de acordo. Evidente que estava, Ethan pensou. Com certeza lhe pagaria por hora muito mais do que ele recebia por dia no antigo escritório. Sabia estar diante de uma pessoa ambiciosa. Se não fosse pela disputa silenciosa que travaria por Danielle, poderia gostar de trabalhar com ele. Pena que o que os uniu fosse de suma importância para ele, não deixando espaço para uma amizade futura. Resolvida a questão financeira, o contratante informou:

— Infelizmente não dispomos de uma sala exclusiva para você. Estou esperando que algumas salas sejam entregues para que possa ampliar o escritório. Até lá, você dividirá a sala com um colega. Algum problema quanto a isso?

— Não de minha parte — Paul assegurou.

O humano estava disposto a agarrar a oportunidade, não importando o que tivesse de fazer para mantê-la. Ethan gostava daquela atitude. O mundo poderia não ser seu parque de diversão, como dissera Thomas, mas ele poderia fazer o que bem entendesse com seu novo brinquedo, ali mesmo, no seu *playground* particular.

— Então, acredito que não temos mais nada a discutir. — Ethan contatou Joly. Ao ser atendido, pediu: — Chame o Holmes, por favor.

— *Um momento.*

Enquanto o sócio não vinha, Ethan manteve uma conversa banal com Paul, sobre o inverno que viria: a meteorologia previa um dos mais rigorosos. O vampiro não induziu o humano para obter notícias, prevendo que odiaria saber de Danielle através do desafeto, assim como repudiava a mescla de odores que exalava de suas roupas. A chegada de Seager com seus cumprimentos pôs fim à socialização incômoda.

— Bom dia, senhor McCain. — Com os olhos postos em Paul, acrescentou: — Bom dia!

Paul respondeu ao cumprimento e levantou, incontinente. Ethan fez as apresentações:

— Seager Holmes, este é Paul Collins. Ele trabalhará conosco a partir de hoje. — Enquanto os dois homens apertavam as mãos, continuou: — Como ainda aguardamos para ampliar nossos escritórios, ele terá de dividir a sala com você. Poderia lidar com isso?

Paul podia não ter entendido a pergunta pontuada, porém Seager não somente compreendeu como respondeu, seguro:

— Evidente que posso, Sr. McCain!... Será interessante dividir o espaço com um... novo colega.

— Foi o que pensei. — Ethan sorriu, satisfeito. Seu *playground* funcionava à perfeição. — Então podem ir agora. Mostre ao Paul onde vocês trabalharão. Tenho muito a fazer, ainda pela manhã.

Uma vez dito, dispensou-os. Paul o agradeceu pelo convite mais uma vez antes de sair. Ethan lhe apertou a mão e sorriu. Quando deixaram sua sala, maldisse o fato de Seager ser mais um dos vampiros que negavam a raça e se enchiam de escrúpulos quanto a tirar a vida humana. Não fosse este fato, quem sabe ele não *jantasse* Paul no futuro. De toda forma, não custava nada ter esperanças de se livrar do rábula sem descumprir sua promessa, afinal, Seager poderia ter uma recaída, não poderia?

∞

Ethan conferiu a arrumação de seu blazer preto, ajeitando-o sobre os ombros, distraidamente, enquanto entrava no restaurante. Chegou sem atraso, às 8 horas, como combinado. Encontrou os três homens que o esperavam, cumprimentou-os e lhes apertou a mão durante as apresentações. Logo foram conduzidos à mesa reservada numa área discreta do salão. Ao acomodar-se, Ethan olhou em volta. Muitas vezes apreciava tais visitas, naquela noite, contudo, compareceu somente pela obrigação. Como Joly muitas vezes dizia, o show tinha de continuar.

Com a resolução, Ethan olhou para o senhor grisalho sentado ao seu lado. Conheceu Conrad Fontaine — dono de uma das redes de perfumarias mais famosas de Manhattan — há dois anos, quando foi procurado para defendê-lo. Acreditou desde o início em sua inocência e terminou por comprovar que a acusação de tentativa de assassinato era improcedente. Simpatizou com o senhor francês e o defendeu pelo prazer da vitória, sem se importar que não recebesse seu pagamento em sangue no final do processo.

Na manhã passada, o antigo cliente fora procurá-lo com o pedido para que participasse, informalmente, da venda de sua empresa. Ofereceu alguns dólares além do honorário usual de Ethan por saber que este apenas defendia causas criminais. Conrad alegou que seu atual advogado adoecera e que tinha pressa em fechar o negócio. Disse ainda que gostaria da presença e da opinião de Ethan sobre o contrato por confiar em sua idoneidade.

Ethan realmente não se ocupava com aquele tipo de compromisso. Tais transações eram assistidas por seus contratados humanos, tão idôneos quanto ele próprio, porém, como que por castigo pelos pecados cometidos ao longo de sua existência, Thomas se encontrava em sua sala durante a visita do velho perfumista e o encorajou a aceitar o pedido. Como ainda se sentia em débito pela indisposição da semana anterior, Ethan abriu a exceção. Infelizmente não estava com ânimo nem para assessorias informais, restando apenas tentar aproveitar a noite.

Todo o sacrifício valeria pelo champanhe, determinou. Talvez a bebida fermentada lhe aliviasse a falta da humana. Deixara recomendações expressas para que Joly o avisasse assim que Danielle retornasse ao apartamento. A amiga não se mostrou satisfeita, dizendo que já fazia muito em vigiar um apartamento vazio, comentando que "Dana" se encontrava na companhia do namorado. Lembrete dispensável, ele sabia e odiava.

Há três dias não sentia aquele cheiro doce. Não considerava a mistura horrível sentida naquela manhã, vinda nas roupas do rábula. Antes, a lembrança olfativa lhe valia, agora, porém, sentia-se como um dependente químico em vias de ser acometido por uma violenta crise de abstinência, nada bom.

Tentando banir Danielle do pensamento, após todos serem servidos das bebidas pedidas, Ethan sugeriu que começassem por resolverem as questões jurídicas para que depois se dedicassem exclusivamente ao jantar. Sugestão aceita, ele recebeu o contrato para analisá-lo. Leu os termos com atenção e, ao confirmar a regularidade dos mesmos, assegurou ao cliente que este faria um bom negócio. Conrad concluiu a transação, assinando todas as páginas marcadas.

A essa altura, Ethan já se encontrava entediado. Cogitou partir, porém voltar para sua cobertura não parecia animador. Onde estivesse não mudaria seu humor, então resolveu ficar até o fim. Participou dos pedidos ao garçom, esperou que fossem servidos, tentando manter a atenção na conversa corrente, sem muito sucesso. Meia hora depois participava de um jantar ainda aborrecido, bebericando um gole e outro de champanhe, enquanto Conrad, o comprador e o outro advogado saboreavam mexilhões. Foi quando sentiu o odor familiar.

Todos os seus sentidos ficaram em alerta. Depois de depositar a taça sobre a mesa, Ethan olhou em volta, perguntando-se quais as chances de encontrá-la *ali*. Existiam vários restaurantes na cidade, no entanto, escolheram o mesmo para estar àquela noite. As vozes dos homens à sua mesa sumiram como que por encanto, quando a viu: sua humana!

Danielle era acompanhada de perto por Paul, que a guiava por entre as mesas com a mão pousada na curva da cintura bem marcada, possessivamente. Apesar da proximidade, Ethan sequer se preocupou com a presença do rival. Sentiu a falta dela nos últimos dias e vê-la, quando menos esperava, fez nascer nele uma indescritível alegria. Seu velho e imperfeito coração permaneceu quieto no peito, falhando uma de suas raras batidas.

Como sempre, Danielle estava linda. Trajava um vestido de veludo negro que lhe cobria até a metade das coxas, sem mangas e com um generoso decote em V, nada vulgar. Os cabelos estavam soltos em voltas simétricas sobre os ombros. Ela andava segura e elegante em seus sapatos delicados de salto alto, enquanto eram conduzidos a uma mesa reservada sob o grande painel retratando o mar revolto. De onde estava Ethan tinha uma visão privilegiada do casal, em especial, de Danielle.

O garçom puxou a cadeira para que ela se sentasse, gesto que lhe rendeu um sorriso em agradecimento. Ethan reparou quando ela dispensou o cardápio, deixando para o namorado a responsabilidade da escolha. O advogadozinho o estudou por um momento então se dirigiu ao garçom, fazendo o pedido. Assim que este se retirou, Danielle estendeu a mão sobre a mesa, Paul a tomou na sua e começou a brincar com os dedos delicados. O vampiro franziu o cenho, contrariado, e apurou os ouvidos para captar o que conversavam em meio ao falatório dos comensais e o tilintar dos copos e talheres.

— ... parece preocupada — dizia o rábula.

— Preocupada não é a palavra — ela o corrigiu. — É que tudo está mudando muito rápido. Estou tentando assimilar os acontecimentos.

Ethan saboreou a voz e o sorriso doce.

— Concordo com você, mas as mudanças são boas, não são? — Paul comentou e, como se lembrasse de algo, corrigiu: — Desculpe-me... Claro que não estou me referindo ao que aconteceu a você.

Evidente que seu novo contratado comentava a dispensa da namorada. No que dependesse de Ethan, ela não ficaria triste por muito tempo.

— Não precisa se desculpar. Eu entendo o que quis dizer... E é por isso que estamos aqui. Para comemorar a sua mudança.

Mais uma vez, Danielle sorriu para o namorado e então olhou em volta, com estranheza. Ethan sorriu, satisfeito ao imaginar que ela tivesse sentido a sua presença, mesmo que não pudesse vê-lo. E por descobrir que estavam ali para comemorar a contratação de Paul. Se o rábula tivesse a mínima noção do que lhe esperava, não comemoraria. Ethan considerou providencial que estivesse presente àquela festa particular. Seu funcionário que desfrutasse da companhia feminina enquanto ainda lhe era permitido.

— Obrigado! — ele agradeceu, levando os dedos de Danielle aos lábios.

O contato das mãos entrelaçadas e o carinho dispensado pelo humano despertavam o ciúme do vampiro. Talvez fosse hora de tomar providências drásticas para que o advogado não desfrutasse tanto de sua acompanhante.

Deveria acelerar sua conquista. Faria um favor aos dois, pois Ethan sabia que ela também o queria. Inconscientemente, mas queria. A prova estava na forma como ela o procurava como se ouvisse seu chamado.

— Senhor McCain — chamou-o Conrad. — Está tudo bem? Parece preocupado com algo.

— Não é nada — negou e sorriu. — Acho que o mexilhão não me fez bem. — Para demonstrar que mesmo se mantendo calado, acompanhava a conversa, comentou: — Acredito que vá se adaptar no Canadá.

— Eu penso da mesma forma. Sempre gostei de Montreal e...

Ethan o segregou ao segundo plano mais uma vez, concentrando-se em Danielle que respondia algo a Paul.

— Não, o combinado era de que eu voltaria para meu apartamento esta noite. Black precisa de mim.

— Aquele gato ingrato sabe se virar muito bem sem você. Às vezes fica dias fora de casa, te deixando preocupada, mas sempre volta, são e salvo.

— Desculpe, mas você sabe que preciso voltar. Também tenho assuntos para resolver.

— Está bem... — Paul concordou a contragosto. — Então vamos tentar manter nosso acordo de nos encontrarmos todos os dias.

— Claro! Todos os dias — Danielle afirmou.

Apesar do repudio que dispensava ao tal acordo, o vampiro ficou satisfeito. Finalmente ela voltaria para seu apartamento. Danielle olhou em volta mais uma vez. Paul lhe segurou o queixo e a fez olhar em sua direção.

— O que foi, anjo?

— Nada — ela lhe respondeu rápido demais. — Olhe, podemos começar a comemorar.

Assim como Paul, Ethan olhou na direção indicada. O garçom se aproximava com o champanhe pedido e duas taças. Ethan assistiu-os serem servidos. Quando o garçom se afastou, Paul propôs o brinde:

— Ao nosso futuro! À realização dos desejos mais profundos!

Danielle repetiu os votos, eles tocaram as taças e beberam. Ethan levantou a sua discretamente e acompanhou o brinde, dando um gole em seu champanhe na sequência. Apreciou a parte da realização dos desejos. Não sabia qual era o do rábula, muito menos os de Danielle, mas sabia dos seus. E dos três envolvidos, era o preferido para ser atendido.

Após o brinde, Paul depositou a taça sobre a mesa e passou a cariciar o rosto feminino com as costas dos dedos, fazendo com que Ethan se esquecesse de sua competição. Sabia que venceria no final, mas era o humano irritante que a tinha no momento. Ethan gostaria de saber a razão de ser tão difícil ao rábula manter as mãos longe dela. Danielle seria tão atrativa ao toque como parecia? Precisava descobrir se ela era macia por completo, como o era sua mão.

O vampiro depositou a taça sobre a mesa com medo de parti-la. Contrariado, voltou sua atenção aos homens em sua mesa, evitando a cena. Respondeu a um ou dois comentários e revirou os mexilhões intocados em seu prato. Tentou bloquear a voz de Danielle, contudo não obteve sucesso. Mesmo sem olhá-los sabia tudo o que se passava entre o casal. Para seu desespero, Paul engrenou uma conversa íntima, relembrando momentos vividos naqueles dias na tentativa de convencê-la a ficar em sua companhia, uma vez que estava desocupada.

Ethan sentia sua raiva ganhar força, não pelas palavras do rábula, sim, pela participação ativa de Danielle nas recordações, ainda que sempre declinasse ao convite. Ele não desejava saber o que ela pensava sobre o desempenho do namorado ou o quanto estava ansiosa para estar junto dele novamente. E odiou confirmar o que já sabia: a humana poderia não ser indiferente à sua presença, mas pela forma carinhosa que se dirigia a Paul, ela verdadeiramente o amava.

Não se reconhecia. Não era de sua natureza se preocupar com vontades alheias. Não respeitou nem mesmo o desejo de Thomas em não se tornar um vampiro, transformando-o quando achou necessário. Todavia, contrariando sua eterna indiferença, naquele momento quis que Danielle fosse feliz. Por ela, Ethan cogitou desistir de sua conquista. E no minuto infinito no qual a vislumbrou aconchegada nos braços de Paul, soube que nunca seria capaz de fazê-lo. Tinha esperado demais, ido longe demais para abrir mão dela. A simples imagem projetada em sua mente foi capaz de partir sua inédita compaixão em pedaços.

Danielle poderia amar o rábula, mas logo estaria em suas mãos, amando-o ainda mais. Cuidaria dela. Dar-lhe-ia uma boa colocação em algum jornal conceituado para que fosse feliz. E usufruiria de sua adorável companhia por tempo indeterminado. Quando se cansasse, livrá-la-ia ao menos da paixão e assim ela poderia fazer o que bem entendesse de sua vida.

Ainda se comprazia com a maestria de seu arranjo original, quando ouviu a sequência da conversa particular:

— Acho que podemos pedir agora, não? — Paul perguntou.

— Escolha por mim, por favor... Vou ao banheiro, volto num instante.

Ao arrastar da cadeira, Ethan não titubeou. A humana estaria sozinha, em uma área comum, onde não seria preciso permissão para entrar. Dispensara a chance ao segui-la até a lavanderia, não repetiria o erro.

— Com sua licença... — pediu aos companheiros, já deixando a cadeira.
— Volto num instante.

Agradecido por Paul não poder vê-lo, seguiu Danielle, admirando seu caminhar altivo sobre os saltos finos. Ela cruzou o trajeto entre a mesa e o banheiro feminino rapidamente. A breve perseguição estimulou os sentidos de Ethan, este lamentou a falta de uma brisa que trouxesse o odor do cabelo âmbar livre de outros cheiros, precisava tê-lo puro, como no parque.

A breve caçada o deixou sedento. Expectante, viu-a entrar no banheiro. Olhando em volta, apenas para confirmar que não era observado, Ethan se aproveitou da porta entreaberta para acompanhá-la. Não se importou com qual seria a reação da humana. Depois daqueles dias sem vê-la, estava disposto a iludi-la para ter um pouco de sua companhia. Não a roubaria como desejava, apenas precisava estar perto dela, tocá-la. Talvez, prová-la.

Por sorte, estavam sós. Quando o olhar âmbar o encontrou, Ethan ordenou que ela não o visse. Danielle piscou algumas vezes e olhou em volta, antes de mirar seu próprio reflexo no espelho. Após um suspiro profundo, ajeitou os cabelos irretocáveis, amaciou os cachos largos e sacou o batom da bolsinha mínima que carregava. Ethan a observou retocar a cor artificial nos lábios cheios por quinze segundos inteiros antes de permitir que ela notasse sua presença. Assustando-se ao vê-lo, Danielle deixou cair o batom dentro da cuba.

— Ethan?! — exclamou com estranheza.

O coração do vampiro se aqueceu ao som do próprio nome pronunciado com naturalidade, como se ela pensasse nele, ou esperasse por ele. A espontaneidade lhe aguçou a curiosidade, mas esta não suplantava o contentamento de finalmente estarem a sós.

— Boa noite, Danielle! — cumprimentou com ternura.
— O quê...? O que faz aqui?!

Ela olhou em volta como se a se certificar de que ela estaria no lugar correto.

— Vim vê-la! — Ethan respondeu para a imagem no espelho, aproximando-se, sem pressa.

— Veio me ver? — Danielle levou a mão ao pescoço, franziu a testa. — Por quê?

Mantendo-a cativa de seu olhar, Ethan ignorou a estranheza da mão colocada protetoramente sobre a garganta. Ainda sem se importar se fosse assustá-la, aproximou-se mais. Posicionou-se por trás, aprisionando-a entre seus braços, enquanto apoiava as mãos na bancada de mármore. Ethan sentiu o calafrio que correu o corpo pequeno. Regozijando-se, respondeu roucamente, sempre para o reflexo no espelho:

— É complicado explicar, Danielle. — Satisfeito por vê-la reagir positivamente, ainda que estivesse assustada como uma presa acuada, ele pediu: — Não precisa temer-me.

Uma vez dito, sem desviar os olhos dos dela, tomou a liberdade de aproximar seu nariz e aspirar ao odor narcotizante, diretamente nos cabelos doce. Seu corpo reagiu de imediato à mistura ambígua.

Ansioso por tocá-la, acariciou o rosto delicado, experimentando a textura da pele com as costas dos dedos. Então entendeu o motivo pelo qual o rábula não conseguia afastar-se. Danielle era macia e fresca, como uma pétala de rosa. Hipnotizado também pelos lábios entreabertos, passou o polegar por eles, tirando o batom recém-retocado, queria ver a cor verdadeira: rosa pálido.

— Linda! — sussurrou-lhe, próximo ao ouvido.

Ethan ouvia extasiado o martelar acelerado do coração humano. Com certa dificuldade, liberou o olhar dos lábios rosados e os desceu pelo pescoço, para o colo marcado pela fenda do decote. O tecido negro favorecia a tez alva, convidando todos a admirar sua beleza. Enquanto perscrutava os seios contidos, especulou o que não faria com eles. Se ao menos pudesse vê-los, senti-los.

Com os dedos a formigar, tocou o colo delicadamente, tomando o cuidado de não mover o corpo e resvalar no traseiro feminino para não denunciar sua rigidez. Ao seu toque, Danielle emitiu um som estranho, algo como um chiado. Entendendo o que acontecia, Ethan pediu num murmúrio rouco:

— Respire, Danielle.

Obediente, a humana liberou o ar preso não se sabia por quanto tempo. Ethan retomou a inspeção do corpo que fazia prisioneiro junto ao seu. Agora, o peito da jovem subia e descia, acompanhando a respiração ofegante, porém constante. Enquanto se embriagava com o perfume dos cabelos ondulados, Ethan espalmou ambas as mãos no ventre plano e as subiu lentamente pelo tecido aveludado até a base dos seios, ansiando por mais.

— Perdoe-me — pediu com voz sumida —, mas... Eu apenas preciso.

Extasiado, Ethan assistiu as próprias mãos escalarem os montes fartos que roubaram seu sono por duas noites inteiras. Sem cerimônias ele os massageou, sentindo a firmeza, a perfeição com que se acomodavam em suas palmas. Excitado, com a garganta queimando como fogo, Ethan deixou que Danielle soubesse como o afetava, comprimindo sua rigidez às nádegas dela, sem receio, prensando-a contra a pia.

— Ethan... — Danielle exalou rendida ao toque indecente.

Caso não fosse perdoado por seu ato, de bom grado pagaria o preço no inferno, mas copularia com Danielle. Não importava onde estavam nem o que pré-determinou. Com ela cativa, tão excitada quanto ele, Ethan não via motivos para esperar. Sim, ainda seria diferente. Sem dúvidas a conquistaria de modo legítimo. Deixaria que voltasse para sua mesa e para o rábula até que a tivesse como desejava, contudo, precisava estar dentro dela.

Expectante pelo desfecho usual aos seus encontros sexuais, o vampiro salivou, tornando seu desejo de sangue igualmente urgente. Suas vontades duelaram. Ethan precisava de Danielle por completo, mas não dispunha de tempo. Possuí-la ou prová-la?

Chegou à conclusão de que se a possuísse teria seu alívio momentâneo, caso a bebesse, ele a teria em si. Com a dura decisão tomada, pegou uma mecha dos cabelos claros e a cheirou antes de afastá-la para beijar a curva entre o pescoço e o ombro. Ethan sentiu Danielle se eriçar ao seu toque e sorriu satisfeito junto à pele macia.

Subindo um pouco seus beijos mansos, parou logo abaixo da linha do cabelo e lambeu. Quando a sentiu entregue, mordeu-a. O sangue de Danielle se revelou doce e muito quente. Ele o saboreava antes de bebê-lo. Tornaram-se uno. O vampiro sentia como se a humana estivesse em suas veias, em sua alma. A sensação o excitou mais. Masoquista, Ethan simulava o ato, comprimindo sua dureza de macho contra ela enquanto a sugava, inebriando-se também com os gemidos que ela liberava, com o cheiro de cio.

De repente, a magia que os envolvia foi quebrada. Batidas discretas na porta fizeram com que o vampiro erguesse a cabeça, alerta. Danielle, que antes esteve extasiada, agora mirava a cena no espelho, paralisada. Naquele milésimo de segundo no qual se ouviu o som seco ecoando na madeira, Ethan percebeu seu primeiro erro. Estava tão satisfeito em ter Danielle próxima a si, ouvindo os gemidos leves, vendo as reações espontâneas de seu corpo, que se esqueceu de induzi-la; apenas a encantou. Mordera seu pescoço com ela ainda lúcida.

Em choque, a humana fitava o filete de sangue que escorria pela ferida não cicatrizada. O vampiro se odiou por sua irresponsabilidade ao ver o terror nos olhos vidrados. Segundo erro. Novamente ouviu-se a batida na porta e então, para a ira de Ethan, a voz de Paul logo em seguida:

— *Anjo?... Não está se sentindo bem?*

— Paul?... — sussurrou Danielle, como o tivesse esquecido. Uma lágrima rolou por seu rosto. Ethan estendeu a mão para capturá-la. Danielle retraiu-se.

Ouvir o nome de seu rival ser exalado pela boca trêmula e vê-la arredia depois do que compartilharam, enfureceu-o.

— *Posso ajudá-lo, senhor?* — Ethan ouviu a voz feminina do outro lado da porta.

— O que você fez comigo?! — Danielle perguntou, assustada.

— *Minha namorada entrou há um tempo. Não sei se está bem* — Paul respondeu a mulher recém-chegada.

— O que é você?! — sua humana exigiu saber, alheia à conversa paralela.

— Danielle, eu... — O que dizer? Ethan se perguntou, impaciente. Se ao menos tivesse um minuto para se explicar.

— *Eu verifico para o senhor. Por favor, espere aqui, sim?* — a mulher disse a Paul.

Ethan ouviu a maçaneta sendo girada.

— Por favor, me diga! — Danielle implorou, virando-se para ele.

Sem alternativas, o vampiro aproveitou o movimento para segurá-la pelos ombros.

— Esqueça-me, Danielle!

Incontinenti a trouxe para perto, recolheu o sangue escorrido com a língua e lambeu-lhe a ferida. Quando a mulher de meia idade por fim entrou, mal teve tempo de se espantar com a cena. Com Danielle ainda cativa, ordenou a ambas:

— Ninguém foi visto... Ajam normalmente.

Ethan acariciou uma última vez os cabelos de Danielle e aproveitou para lhe roubar a lágrima antes de soltá-la. Era inédito, mas seu peito doía.

— Querida, você está bem? — A senhora correu para ampará-la. — Está pálida! Seu namorado está preocupado...

Aturdida, Danielle a olhou e então voltou à atenção para sua imagem no espelho. Ethan assistia a cena como um espectro, sentia como se fosse um.

— Eu... Acho... Que estou bem... — Ela tentou se mover e quase caiu.

O vampiro reprimiu o impulso de ampará-la. Questionou-se se teria ultrapassado o limite com ela apesar de saber não ser possível. Ele não poderia lhe ter causado mais algum mal, poderia? Jamais se perdoaria se tal coisa acontecesse.

Provando-lhe que não a debilitou, logo Danielle encontrou a firmeza de suas pernas. Apesar de vê-la enfraquecida e se sentir enraivecido pela interrupção, uma parte menos sombria de sua alma estava satisfeita, sentia algo próximo à felicidade. Ethan guardaria o gosto do sangue dela em sua língua, a maciez e quentura do corpo delicado no seu próprio corpo.

— Vamos, querida... Acha que pode andar?

Danielle não respondeu. Olhava para sua imagem no espelho com a testa vincada. Ethan acompanhou sua análise. Provavelmente ela estranhava o estado de seu vestido. Ele deslocara o decote com seu arroubo apaixonado. Ela tocou os próprios lábios, os cabelos. Arrumou o vestido, então baixou os olhos para a cuba onde deixara cair o seu batom. A senhora ao seu lado assistia a avaliação em silêncio.

— Me desculpe — disse Danielle. — É que eu poderia jurar que tinha retocado o batom.

— Entendo, querida. Caso esteja realmente bem, vou deixar que vá sozinha até seu namorado. Preciso mesmo usar o banheiro. Se quiser esperar, eu a acompanho.

— Não... Eu estou bem. Tive uma ligeira tontura, mas já passou.

A senhora lhe sorriu antes de entrar em um dos reservados. E mais uma vez Ethan viu Danielle retocar o batom. Nesse momento a satisfação que restava por tê-la provado se esvaiu. Nem ao menos provou seus lábios. Ainda excitado, sentindo-se ludibriado por sua ansiedade, Ethan assegurou que não cometeria mais erros da próxima vez. Que seria ainda naquela noite.

Capítulo 14

Ao cruzar a porta, Dana se deparou com Paul a sua espera. Não ocultando sua preocupação, indagou, aflito:
— Anjo, o que aconteceu? Você demorou!
— Não aconteceu nada. Estava apenas retocando meu batom — disse.
Dana deixou que ele a conduzisse até a mesa, desejando parecer normal para não assustá-lo mais, mas em seu íntimo, sentia-se agitada. De volta à sua cadeira, concentrou-se por um momento. Não mais sentia um olhar sobre si, porém a sensação de observação fora substituída por outra, mais perturbadora. A sensação de vazio, de tempo alterado.
Num minuto estava diante do espelho, retocando o batom e, no segundo seguinte, via-se desleixada, com os lábios em sua cor natural, o cabelo afastado de seu ombro e... sexualmente excitada. Alheio ao estado, que com bravura ela encobria, Paul reassumiu seu lugar e segredou:
— Soube que Ethan está aqui.
— Quem? — Dana perguntou, aérea.
— Como, quem? — Paul estranhou. — Ethan Smith McCain, meu novo patrão.
— Ah, sim!... Você tem um novo patrão... Vai me apresentar para ele? — Dana olhou em volta, curiosa.
— Anjo, você está brincando comigo? — Paul a olhava, incrédulo. — Por que eu a apresentaria, de novo?
— De onde eu o conheço? — Dana o encarou, estupefata. Paul franziu o cenho.
— Nós dois o conhecemos na saída da Cielo, sexta à noite... Anjo, o que há com você?
Dana pensou por um momento. Lembrava-se de ter ido à danceteria na noite de sexta-feira. Dançou acompanhada de Paul, bebeu. Porém não se recordava de ter conhecido alguém. Como se esqueceria do fato em apenas cinco dias? Ainda cismava com a pergunta do namorado, quando levantou os olhos e viu sua expressão. Ao que parecia *tinha* esquecido. Dana percebeu que o assunto se estenderia caso ela insistisse.

— Claro! — ela simulou recordar e esboçou um sorriso. — Eu me lembro agora... Que cabeça a minha!

As palavras não surtiram o efeito desejado.

— Como pode esquecer em tão pouco tempo?

— Me desculpe por estragar a noite — Dana pediu ao ver fracassar sua tentativa —, mas podemos ir embora?

— Ainda não jantamos. Pedi...

— Desculpe... — ela o interrompeu. O estômago de Dana deu uma volta completa, ela soube que não suportaria ouvir sequer o nome da comida. — Eu sinto muito, de verdade, mas vamos embora. Por favor!

— Deixe-me pagar a conta, então partimos... — ele anuiu com um suspiro resignado.

Dana esperou, impaciente, até que Paul assinasse a guia do cartão. Ele ainda o guardava em sua carteira, quando ela se levantou e seguiu para a porta giratória. Precisava de ar. Sair do restaurante. Ir para casa.

Paul a encontrou na calçada com o rosto erguido, de olhos fechados. Dana se sobressaltou, quando ele tocou em suas costas.

— Dana, o que você está sentindo?

Dana se perguntou inquieta, como explicaria se nem mesmo ela sabia. A sensação de vazio se intensificava, como se tivesse esquecido algo importante. Mas o quê? Quem? Esquecera-se de mais alguém além do patrão de Paul? Mais uma vez seu estômago revirou.

— Estou bem — mentiu. — Preciso apenas ir para casa.

Seguiram no carro em silêncio. Paul a olhava de vez em quando. Dana o ignorou deliberadamente, mantendo os olhos fixos à sua frente. Agradecia por ele não ter iniciado uma conversa, não tinha o que dizer. Sentia-se doente e se transparecesse, com certeza ele a faria ficar em seu apartamento. E em definitivo, Dana queria ir embora.

No tempo em que esteve longe, ela percebeu que reagira de forma exagerada ao fugir de improváveis fantasmas. Além do mais, ainda que restasse um resquício de temor, desejava ficar sozinha.

Tão logo chegaram ao apartamento, Dana se desvencilhou de Paul e marchou até o quarto. O namorado a seguiu e, sem deixar de olhá-la, sentou na borda da cama enquanto ela juntava suas coisas com pressa, depositando-as em sua pequena mala de qualquer maneira. Paul a observou calado, até que pediu por fim:

— Anjo, fale comigo... Você está estranha. Não sei se seria prudente que dirigisse.

— Eu estou bem — murmurou.

Sentando-se na outra extremidade da cama, ela descalçou as sandálias que ganhara de Paul e as recolocou na caixa. Depois calçou seus tênis. Com um suspiro, Paul passou as mãos pelos cabelos.

— Você está pálida. Parece doente e... está juntando suas coisas como se estivesse fugindo de alguém. Foi alguma coisa que eu disse?

— Não — garantiu-lhe.

Paul silenciou. Dana foi até o banheiro onde juntou seus cosméticos, cremes e xampu. Evitou olhar para o espelho, sentindo-se aflita somente por estar próxima a um. Tão logo recolheu suas coisas, correu de volta ao quarto. Paul permanecia no mesmo lugar.

— Tem certeza de que não foi alguma coisa que eu disse? — ele insistiu.

— Tenho — assegurou e o encarou, por fim. — Você não fez nada... A noite estava perfeita, mas... — criando coragem, admitiu: — Você tem razão. Eu me sinto doente. Preciso ir para casa. Sei que quando estiver lá, vou ficar melhor.

— Por que isso agora? Se estiver doente, como pode desejar ficar sozinha? — Paul levantou. — Já que não quer ficar aqui, então é melhor que eu vá com...

— Não, Paul, por favor — ela o interrompeu. — Vou ficar bem! Agora eu tenho uma nova amiga. Não ficarei sozinha... E prometo telefonar, se piorar... Apenas, me deixe ir.

— Sabe que vou estar aqui, morrendo de preocupação, não sabe? — Paul indagou, exasperado.

— Telefono assim que chegar ao meu apartamento — ela foi até o namorado e o beijou no rosto, aliviada por ter sido atendida.

— Se não me ligar em uma hora, vou atrás de você.

— Combinado! — Dana lhe sorriu para parecer tranquila.

— Deixe-me ao menos ajudá-la. — Paul se adiantou para pegar a mala.

— Obrigada! — agradeceu, pegando a bolsa e a sacola da Saks.

Ao chegarem à garagem, Paul tentou dissuadi-la uma última vez, ao que ela educadamente declinou ao novo convite.

Estar ao volante, com o vento lhe acariciando o rosto, a caminho de seu apartamento, não trouxe o alívio esperado. Dana estava irrequieta. Sua imagem refletida no espelho do restaurante, mudada em milésimos de segundo, assim como a expressão de incredulidade de Paul ao saber de seu esquecimento, deixava-a nervosa. O que aconteceu afinal?

Dana despertou do devaneio ao som de uma buzina. Freou por extinto a poucos metros de atravessar um farol vermelho. O susto a trouxe de volta. Quando o semáforo a liberou, seguiu a uma velocidade segura até sua rua, atenta à direção. Ao estacionar, mais uma vez se sentiu observada. Dana permaneceu onde estava, dizendo a si mesma que ninguém a vigiava. Estava sensível pelos acontecimentos estranhos da noite, apenas isso.

Respirando fundo, criou coragem e saiu para a calçada. Uma brisa gelada como a morte, cruzou por seu corpo, lembrando a falta de um casaco. Com seus pelos eriçados, pegou a mala, a bolsa e a sacola no banco traseiro, travou o carro e seguiu para seu prédio. Tomaria um banho quente, talvez preparasse uma xícara de chá e tentaria dormir. Adotaria a tática de preservação mental de uma de suas heroínas preferidas, deixando para pensar nos problemas no dia seguinte.

Diante da porta principal, Dana demorou alguns segundos até que encontrasse as chaves no fundo da bolsa. Assim que as achou, entrou apressada na tentativa de fugir do frio da noite. Ao se voltar para subir os lances de escada, ela o viu na penumbra.

Parado no primeiro patamar da escadaria, completamente vestido de preto, estava um dos homens mais bonitos que Dana já vira. Pela distância e pouca luminosidade, ela não conseguia ver a cor dos olhos, apenas percebia a seriedade de sua expressão. A sobriedade contrastava com os cabelos escuros e brilhantes, totalmente bagunçados como se tivessem sido manuseados constantemente. Não era como se estivesse subindo ou descendo. O homem estava apenas parado, olhando-a com curiosidade, com o cenho franzido.

Com o coração aos saltos, Dana deduziu não ser seu vizinho, visto que nunca o encontrou pelos corredores. Sentimentos esquisitos dividiam-na. Deveria temê-lo, contudo estava apenas curiosa. Logo a completa imobilidade de ambos começou a ser desconcertante para Dana. Havia se passado alguns minutos constrangedores, nos quais nenhum dos dois disse uma palavra ou fez qualquer movimento. A tensão passou a ser palpável. Desejando fugir para seu apartamento, Dana se obrigou a dar o primeiro passo.

— Boa noite — cumprimentou com voz sumida, por fim a subir.

— Boa noite... — ele retribuiu.

A resposta mansa e rouca causou estranheza a Dana. Soou como se aquele homem misterioso tivesse interrompido algo que desejasse acrescentar. Não saberia explicar, mas a forma como era encarada sugeria que ele estava ali *por ela*. Ao pensamento, um calafrio solitário cruzou ligeiro por sua coluna, provocando um sobressalto em seu coração.

Envergonhada, ainda a subir, Dana determinou que devesse deixar de tolices. Não era porque sua noite estava sendo incomum, que deveria cismar com tudo e todos. Enquanto eliminava a distância, o homem se manteve imóvel, porém, quando ela alcançou o mesmo patamar e passou ao seu lado, ele lhe tomou a mala num movimento repentino. Os dedos frios causaram em Dana novo calafrio.

— Parece estar pesada. Deixe-me ajudá-la.

Não, a mala não estava pesada, ela pensou, contrafeita com a ousadia; com suas próprias reações. Dana protestaria, mas ao se deparar com um par de olhos incrivelmente verdes, Dana se calou, paralisada pela intensidade contida neles.

— Por favor — o homem sinalizou com a mão livre para que ela subisse à sua frente. Dana precisou de dez segundos inteiros para entender o gesto. Piscando algumas vezes, esboçou um sorriso.

— Sim... obrigada!

Como indicado, ela continuou a subir os degraus, tomando o devido cuidado para não tropeçar nas próprias pernas. Agradeceu aos céus por ter tirado os sapatos de salto. De repente se deu conta do quanto estava mal arrumada. Seu vestido podia ser elegante, mas em contraste com os tênis surrados, perdia toda a sofisticação. Inexplicavelmente, Dana desejou parecer bonita para o homem que a seguia.

Não lhe ouvia os passos, mas podia sentir o olhar cravado em suas costas. A presença daquele homem misterioso tomava todos os cantos da escadaria e corredores por onde passavam. Ao chegar à porta de seu apartamento, Dana teve certa dificuldade em posicionar a chave. Estava trêmula. Quando finalmente conseguiu abrir a porta, entrou e se voltou para o desconhecido, flagrando seu olhar curioso para a sala.

— Diga-me onde posso deixar essa mala.

Apesar da pergunta simples, Dana percebeu uma leve ansiedade em entrar, vinda dele. Nesse momento, temeu por sua segurança. Ele podia ser o homem mais atraente que já vira, mas ainda era um estranho. Bruscamente, Dana tomou a mala da mão masculina.

— Obrigada pela ajuda, mas eu assumo daqui... Boa noite!

Incrédulo, Ethan assistiu Danielle fechar a porta, em sua *cara*. Tamanha ousadia, quando estava perto de possuí-la, enfureceu-o. Aquela humana o confundia, tornando-o um completo incompetente, sempre que estavam próximos. Devia tê-la seduzido ainda no corredor, contudo, sua vontade insana de entrar no apartamento, levou seu plano ao fracasso.

Estúpido! Imaturo! Ofendeu-se. Ele era pior do que um maldito adolescente inexperiente, próximo a primeira namoradinha. No seu caso, tal atitude era indesculpável, vergonhosa até, pois anulava sua experiência centenária. Era primário se deixar embriagar pelo odor que exalava dela, embalar-se no som do coração humano, incerto por sua presença.

Sim, imperdoável, porém todas aquelas reações o envaideceram, contentando-o por saber que, mesmo errando ao mandá-la esquecê-lo, a humana não lhe era indiferente. Sua devassidão colaborou para a distração, ao se perder na pujança dos seios. Os mesmos que imprimiram seu formato em suas mãos. Assisti-la se aproximar a cada degrau e corar, aumentou sua expectativa em possuí-la.

Ethan não teve dúvidas que conseguiria seu intento, tanto que seguiu o casal desde a saída do restaurante. Descobriu então que Danielle passou as duas últimas noites na 139ª Street em Hamilton Heights. Ironicamente ele possuía uma casa naquele mesmo bairro, algumas ruas adiante. Não gostava do lugar, mas para estar perto teria feito o sacrifício.

No entanto não mais importava, Danielle era de fato *bela* e seria dele aquela noite. Bastava ser convidado a entrar em seu apartamento. Esperançoso, acompanhou-a de perto depois que ela deixou o edifício do rábula, chegando até mesmo a alertá-la de que cruzaria um sinal vermelho. Ethan realmente temeu que a humana se machucasse, mas depois de seu alerta ela passou a dirigir com cautela, nunca ultrapassando a marca dos 60 km por hora.

Quando, minutos depois, por fim a teve diante de si, sem reconhecê-lo, acreditou que seria fácil conseguir acesso ao apartamento, valendo-se do embuste com a mala. Depois veria o que fazer para consertar a bagunça formada na mente dela. Precisava apenas de alguma colaboração. O educado seria convidá-lo a entrar, não lhe bater a porta no rosto, como fizera. Para o vampiro era exasperante que uma simples humana resistisse a ele quando nenhuma outra o fazia.

Bruxa! Definitivamente Danielle era uma bruxa capaz de enfeitiçá-lo, deixando-o miserável e rígido de desejo por ela. Era também covarde, pois esteve abalada com sua presença e, mesmo tendo fechado sua porta, permanecia recostada a ela. O vampiro podia ouvir a respiração e o coração. Caso tivesse garantias de ser atendido, ele a chamaria, pensou pousando as mãos na porta, como se assim pudesse sentir sua humana. O vampiro teve ganas de parti-la em pedaços, reduzindo-a em finas lascas para eliminar a barreira frágil entre eles, mas se conteve. De que adiantaria o espetáculo de força extrema se nem ao menos poderia entrar em grande estilo e tomar Danielle de uma vez por todas?

Permanecia completamente imóvel, tentando se acalmar e raciocinar sobre qual o melhor caminho a seguir, quando o cheiro de Joly chegou até ele antes mesmo de sua voz:

— O que aconteceu com agir *diferente* com esta humana?

— Agora não, Joelle.

Ethan partiu escada abaixo sem se despedir da amiga. Sentia-se frustrado, furioso e para sua desgraça, excitado. Ao ganhar a rua, reprimiu o desejo de saltar para a sacada escura. De que adiantaria? Assistir Danielle perambular pelo quarto ou rolar na cama espaçosa não somente serviria para piorar seu estado como para rebaixá-lo mais. Mirando a fachada do prédio antigo, sem enxergá-lo, pensou em algo que o salvaria daquela sucessão de erros primários e reafirmaria sua excelência perante os mortais.

Ceifaria uma vida. Livrar-se-ia do gosto que Danielle deixou em sua boca, então procuraria por companhia feminina, quebrando o jejum das noites anteriores, quando se manteve recluso como um maldito companheiro fiel, enquanto Danielle esteve com o rábula, nunca se negando a ele. Novamente a fúria tomou o peito do vampiro.

— Maldita seja Danielle Hall! — vociferou entre dentes, arrumando seu sobretudo sobre os ombros.

Mil vezes maldita! Ela e todas as fêmeas de sua espécie. Seguindo para seu carro, socou o vidro de um dos tantos estacionados ao longo de seu caminho. O som do alarme encheu a rua. Sem se importar com as luzes que se acendiam em alguns apartamentos, Ethan entrou em seu BMW e partiu, cantando pneus.

Dana despertou do transe, sobressaltando-se com o som do alarme que vinha da rua, logo seguido por um carro que partia em alta velocidade. Estava recostada à porta desde que a fechou, deixando o estranho fora de seu apartamento. Acaso não sabia o quanto era perigoso falar com desconhecidos? Tamanha beleza não eliminaria uma possível psicopatia.

Logo sorriu consigo mesma. Por mais que sua cabeça lhe dissesse essas coisas, não conseguia encaixar o dono daqueles olhos verdes no perfil. Então seu sorriso morreu. Fosse como fosse, não seria correto convidar um estranho a entrar em seu apartamento, sendo comprometida. O que Paul diria? Sim, ela fez o certo! Mas, então, porque mais uma vez a sensação de vazio? Quando estava diante daquele homem se esqueceu de tudo, pareceu que cada coisa estava no devido lugar. Os sentimentos estranhos se foram, deixando apenas a consciência daquele corpo *gigante* às suas costas. Dana sentiu o rosto corar, o corpo se aquecer.

Ao se afastar da porta, abandonou a mala onde estava e seguiu para o banheiro. Descalçou-se e se despiu a caminho do boxe. Ligou o chuveiro e, sem esperar que a água esquentasse, entrou de calcinha e sutiã sob o jato frio. O choque térmico a livrou da excitação por apenas alguns minutos. Bastou imaginar os mesmos dedos frios que tocaram sua mão, correndo por seu corpo para que esta voltasse com força. Irritada, Dana se livrou das peças íntimas e se ensaboou com violência, como se a impressão do olhar especulativo do desconhecido estivesse grudada em cada poro.

Após o banho, estava com a pele vermelha, ardida e, inexplicavelmente, mais excitada. Seu estômago ainda protestava então, ignorando seu estado, foi até a cozinha para preparar uma xícara de chá calmante. Ao entrar no cômodo, reparou que Black mal tocou na comida que deixara. Apenas a água estava pouca, mas poderia facilmente ter evaporado e não sido consumida. Dana tentou não se preocupar, afinal, tinha novidades demais povoando sua cabeça. E como se não bastasse, agora tinha também um par de olhos verdes a perturbá-la.

Recostada na pia, esperava a água aquecer, quando o telefone tocou: Paul, ela soube. Dana correu para atender, sentindo-se a pior das mulheres.

— Perdoe-me! — pediu assim que levou o fone ao ouvido.

— *O que houve? Estava quase indo até aí.*

— Desculpe minha falta de atenção. Assim que cheguei entrei no banho...

— *Sente-se melhor?*

Dana percebeu a irritação por sua falta de atenção.

— Sim... Um pouco. Estou preparando chá e depois vou me deitar. Obrigada por se preocupar comigo e... me desculpe por ter estragado sua comemoração.

— *Está tudo bem, Dana. Não se preocupe com isso... E não me agradeça por cuidar de você. Sabe que poderia fazer muito mais se permitisse.*

— Sim, eu sei... — Não sabia o que dizer. Sentia-se culpada por ter se esquecido dele e por pensar em outro homem. — Paul, eu...

— *Tudo bem... Boa noite, anjo.*

— Boa noite. — Estava prestes a desligar quando o chamou: — Paul!

— *Sim?*

— Eu te amo — disse sinceramente, porém soou como se tentasse convencer a si mesma. Se o namorado notou, nunca saberia.

— *Eu também te amo* — disse e desligou.

Dana olhou o fone ainda por alguns segundos antes de reposicioná-lo. O que estava acontecendo com ela? Sempre teve olhos somente para Paul, e agora, depois de cruzar com outro, que nem ao menos sabia o nome, estava confusa e inquieta. Suspirando, sabendo que não encontraria uma resposta aceitável para a questão, assim como para nenhuma de suas perguntas naquela noite, seguiu para a cozinha. Com certeza tomaria dois comprimidos de Aspirinas depois do chá e se entregaria de bom grado ao torpor que o analgésico lhe causava.

∞

Ethan seguia pelas ruas em alta velocidade. Sua fúria intensificada. O sangue de sua recente vítima não foi suficiente para apagar o gosto de Danielle. Esperava que um dia ela queimasse no inferno por torná-lo dependente. Antes a humana apenas povoava sua mente, agora estava em seu corpo e ao que tudo indicava, não sairia facilmente. Nada nem ninguém poderiam apagá-la. Todas incompetentes, todas insuficientes. Seu último fio de esperança para exorcizar o fantasma que o assombrava era aquela que, dentre todas as Danielles erradas, tinha sido a melhor: Laureen.

Precisou persuadi-la a encontrá-lo, pois ela se mostrou magoada por tê-la descartado da última vez em que estiveram juntos, porém, Ethan sempre seria Ethan. Nenhuma mulher, por mais que tentasse, não seria capaz de se recusar a ele. Com exceção à bruxa maldita, pensou quando já chegava à rua de Laureen. Ela o esperava no portão. Ethan parou o carro tempo suficiente para que entrasse.

— Boa noite, Laureen — ele lhe sorriu, sedutor, escondendo toda fúria que sentia.

— Boa noite, Ethan — cumprimentou, olhando-o de esguelha. — Tem certeza de que tem tempo livre dessa vez?

— Sim, tenho — respondeu, pondo o carro em movimento. — Todo o tempo do mundo.

— Isso é bom! — Laureen retrucou maliciosamente, desfazendo a expressão sentida.

— Espero que seja bom... — ele retorquiu sombrio.

Ethan seguiu rumo ao seu edifício na Wall Street sem olhar para a mulher ao seu lado. De Laureen não queria nada além de satisfação para todas as necessidades. Estava inquieto, precisava sentir que era uma das piores criaturas que existia sobre a face da terra. Que era o vampiro de cento e noventa e sete anos e não o moleque inexperiente. Os gritos de pavor do ladrão que matou não supriram sua necessidade de autoafirmação. Ansiava por mais, muito mais.

Assim que contornou a esquina oposta ao seu edifício, sentiu a mão de Laureen em sua coxa. Podia ouvir o martelar excitado do coração humano.

— Conseguimos chegar ao nosso destino dessa vez — ela comentou languidamente, apertando a perna masculina.

— Hoje era extremamente importante que fosse assim — Ethan respondeu, acionando o portão de sua garagem privativa.

— Posso saber por quê? — Laureen perguntou, subindo a mão até tocar a frente distendida da calça.

— Em breve saberá.

Ao estacionar o BMW em sua vaga, recostou-se no banco e deixou que Laureen o acariciasse livremente.

— Você está rápida hoje — comentou, contendo a irritação que nunca o deixava.

— Eu simplesmente não consigo ter raiva de você... — ela disse ao se aproximar para falar ao seu ouvido. — E eu pude sentir a urgência em sua voz... Sei que sentiu minha falta assim como eu senti a sua. Então... Por que adiarmos o que queremos?

Mordiscando-lhe o lóbulo da orelha, Laureen apertou mais a parte que massageava. Ethan nem ao menos lamentou por tamanha ingenuidade. Seu corpo não reagia a ela. Sua ereção tinha dona, com nome e sobrenome. Foi alimentando a raiva que sentia por todas as mulheres, que segurou a mão errada para dizer sombriamente, baixo e letal:

— Correção. Por que adiarmos o que *eu* quero?

Sem se importar em assustá-la, Ethan deixou o carro e em um segundo se materializou ao lado da porta do carona. Laureen arregalou os olhos azuis, incrédula quanto à tamanha rapidez. Ainda sem dar maior importância ao assombro feminino, o vampiro abriu a porta e a puxou para seus braços. Podia sentir o frágil coração bater acelerado, o delicioso cheiro do medo. Por fim, um pouco do pavor que necessitava. Sorriu satisfeito, revelando os dentes perfeitos e afiados.

— Ainda curiosa em saber o motivo de tê-la trazido para cá, doce Laureen?

— O quê...? Como você...? — Ela colocou as mãos no peito de Ethan, tentando em vão manter alguma distância. — Como fez isso?

— Como você mesma observou... Tenho urgência.

Ethan baixou a cabeça e prendeu a boca entreaberta com violência. Sua presa tentou protestar, porém logo estava rendida ao beijo cruel que feria seus lábios. O vampiro provou um pouco do sangue no lábio inferior, enquanto comprimia seu quadril contra o ventre de Laureen, que exalou um gemido abafado. Ethan liberou a boca machucada e analisou a expressão da jovem em seus braços. Ela estava entregue, quando observou com a voz rouca, tendo um sorriso débil brincando em seus lábios inchados:

— Ninguém é tão rápido... Estou sonhando, não estou?

— Há muito não sei nada sobre sonhos, doce Laureen. — O vampiro sorriu sem humor, lúgubre como sua alma. — Lamento informá-la que, se está aqui esta noite, provavelmente esteja presa no meu pior pesadelo.

A humana novamente maximizou os olhos e o encarou, quando a prendeu em seu braço e voou escada acima. Os gritos femininos que exprimiam puro pavor restauravam o ego alquebrado do vampiro, alimentando seu anseio por poder e terror, enquanto se misturava à sua risada sardônica. Sim, ele era temido. Era Ethan Smith McCain e mulher alguma o rebaixaria.

Laureen perdeu os sentidos antes que chegasse à cobertura. Ao entrar no apartamento, Ethan seguiu para o quarto e depositou o peso morto sobre a grande cama de casal. Um misto de sentimentos agravava o péssimo humor do vampiro. Ódio. Desejo. Confusão. Preservação. Ethan precisava acalmar todos eles. Retirou o sobretudo e deixou que caísse ao chão. Então despiu o blazer. Desabotoava a camisa preta, quando segredou à mulher inconsciente.

— Desmaiada ou não, você me servirá esta noite. Na seguinte e nas próximas, até que eu tenha me livrado de Danielle.

Os cabelos longos, um pouco mais claros do que os de sua bruxa, estavam espalhados pela cama, cobrindo parcialmente o rosto. Ainda que ansiasse esquecer Danielle, foi inevitável associá-las. A diaba estava entranhada em seu corpo, misturada ao seu sangue, presa em sua alma. Foi por ela que se despiu. Foi procurando pelo cheiro dela que passou a beijar os pés de Laureen. E, como mágica, ela estava ali, na pele quente e macia, excitando-o mais.

De olhos fechados, Ethan despiu Laureen pelo tato. Ao deixá-la nua, virou-a de bruços. Não queria olhar em seu rosto e estragar a fantasia. Estava disposto a diminuir a presença de Danielle em sua mente perturbada, mas deixaria para a próxima vez. Seu corpo clamava por ela, especialmente depois que a tocou no restaurante. E seria ela que teria. Afastando as pernas da humana, posicionou-se sobre seu corpo e invadiu-a lentamente.

Ethan procurou em sua memória pelos olhos amendoados que mirou através do espelho. Ainda recorrendo à lembrança, sentiu o corpo quente dela prensado contra a pia e abafou um urro de prazer indescritível enquanto serpenteava seu quadril de encontro à sua Danielle. Estava prestes a alcançar seu prazer máximo, quando a humana despertou e se moveu sob seu corpo. À vontade de assustar sua acompanhante tinha se esvaído, então a encantou, sussurrando-lhe ao ouvido:

— Acalme-se... Apenas sinta-me...

Logo o objeto de sua ilusão gemia, com o quadril erguido, acompanhando-o nos gritos de satisfação. Ofegante, Ethan deixou-se cair sobre o corpo quente, afundando o rosto nos cabelos sedosos. Ao romper as brumas alucinógenas, deu-se conta de que não a mordeu, como se, inconscientemente, não desejasse macular o sangue de Danielle. Não com o sangue de outra mulher.

Como raramente acontecia, sentiu-se envergonhado por ter assustado Laureen, por ter se rendido às fantasias. De que adiantou sua demonstração de superioridade e força sobre uma humana indefesa, se ao final de seu showzinho macabro mais uma vez sucumbiu ao encanto de Danielle? Que estranho poder era aquele que ela exercia sobre ele? Algum dia teria uma explicação lógica para tal dependência?

De repente, o poderoso Ethan Smith McCain, do alto de seus cento e noventa e sete anos, temeu descobrir a resposta.

Capítulo 15

Dana acordou com o som estridente da campainha. Fosse quem fosse, parecia ter esquecido o dedo no botão.

— Já vou! — gritou ainda em seu quarto.

Sua voz não passou de um sussurro. Estava rouca. A campainha era tocada sem descanso. Resmungando, Dana arrastou-se para fora da cama a contragosto. Esperava que fosse importante.

— Quem é? — perguntou mal-humorada, passando as mãos pelo cabelo em desalinho.

— Joly.

Dana sorriu, com o humor melhorado. Era estranho, mas sentira falta da nova amiga.

— Bom dia! — cumprimentou ao abrir a porta. A vizinha passou por ela, irradiando alegria. Estava impecavelmente arrumada. Linda, como se saída de uma capa da *Vanity Fair*.

— Bom dia?!... Tem certeza? — Joly perguntou, fazendo uma careta, quando parou no meio de da sala mínima. — Você está horrível!

— Eu me sinto horrível — Dana murmurou, seguindo para o sofá.

— Percebi que tinha voltado, então resolvi vir até aqui para ver você. Parece triste. É por causa do jornal?

— Sim, é...

Poderia acrescentar o medo de estar desenvolvendo alguma doença degenerativa que afetava sua memória ou o novo quadro de histeria supersticiosa que a fizera fugir do próprio apartamento. Ou ainda seu súbito e amoral interesse por um desconhecido, somente por considerá-lo lindo de morrer.

— Não está me escondendo nada? — Joly indagou, perscrutando-lhe o rosto. — Preciso trabalhar, mas posso me atrasar um pouco.

— Não se atrase por minha causa — pediu, alarmada. — Obrigada por sua preocupação, mas ela é desnecessária.

— Se é o que diz... — Joly estava prestes a levantar, quando pareceu lembrar algo. — Dana, ontem eu conheci seu namorado.

— Ah, sim... Vocês trabalham no mesmo lugar agora.

— Trabalhamos, e eu acabo de ter uma ideia. Que tal se almoçássemos juntas? Depois posso levá-la para conhecer a sala de seu namorado. Acho que ele adoraria a surpresa.

Dana não tinha dúvidas, mas não achou a ideia animadora. Sua hesitação não passou despercebida à amiga.

— Vamos, Dana. Vai ser legal!

— Não sei... Seu patrão pode achar ruim e...

— Imagine. Ethan nem vai estar lá. Tem compromissos para toda a amanhã e o começo da tarde. Cuido da agenda, esqueceu?

— Não esqueci — Dana respondeu, desanimada.

— Então está resolvido — Joly levantou. — Espero por você ao meio dia — disse a vasculhar o interior da bolsa. Ao entregar um cartão lilás a Dana, concluiu: — Aqui está o endereço. Não se atrase.

Dana pegou o cartão da amiga e o conferiu, sem enxergá-lo na verdade. Ao chegar à porta, Joly fez uma última recomendação:

— Ah... Não precisa subir por um dos elevadores lotados. Pode usar o das portas pretas. Ele é privativo do chefe e a deixará diante de minha sala.

— Mas Joly e se ele...

— Já disse que Ethan não estará no edifício — piscou-lhe e sorriu. — E mesmo que estivesse não a morderia por tão pouco! Apenas se lembre de se identificar ao vigia.

Dito isso, partiu, deixando Dana com o cartão na mão e a cabeça zonza. Quando Black chegou e se enroscou nas suas pernas, ronronando feliz, encontrou-a na mesma posição. Depois de deixar o cartão de lado, pegou o felino no colo para analisá-lo à procura de ferimentos.

— Por onde andou, seu ingrato? Eu estava preocupada.

Como resposta, recebeu um miado de protesto pela posição incômoda. Ao ver que seu gato estava bem, devolveu-o ao chão. O animal se dirigiu para a cozinha para farejar suas tigelas. Dana seguiu o exemplo de Black e foi preparar seu café da manhã. Seu estômago roncou dolorido, lembrando que não ingeria nada sólido há mais de quinze horas.

Preparou ovos mexidos que comeu acompanhado de duas torradas e um copo generoso de suco de maçã. Achou melhor não preparar café uma vez que já se encontrava agitada pelo compromisso com Joly. Enquanto comia os últimos pedaços de sua torrada, Dana considerou que talvez fosse bom conhecer o novo patrão do namorado. Talvez, se lhe visse o rosto, pudesse se lembrar que o conheceu à saída da casa noturna, como Paul tanto insistia em afirmar.

Após o desjejum, Dana passou a manhã escrevendo um artigo que tentaria vender ao *Press Today*, como costumava fazer antes de seguir para o *Daily News*. Uma vez que retornava à condição de desempregada não poderia contar somente com suas reservas, era preciso ser funcional.

Com a proximidade do dia das bruxas, Dana aproveitou o tema, tomando o devido cuidado em não citar os vampiros para não se repetir. Estava no meio da redação, quando Black veio roçar em suas pernas. Dana afagou a cabeça negra e sorriu. Olhou distraidamente para o relógio de seu aparelho de DVD e deu um salto: 10h45.

Se quisesse estar apresentável na Wall Street ao meio dia, teria de correr. Foi o que fez depois de fechar seu netbook. Pela primeira vez depois que voltou ao apartamento, foi até a sacada para ver como estava o dia. Encontrou-o ensolarado, com uma brisa amena. Ainda se recriminando por agir como uma supersticiosa evitou olhar o alto do prédio vizinho e entrou.

Estava nervosa. Nem mesmo o banho morno foi capaz de acalmá-la. Sem saber o que usar, decidiu-se por um vestido cinza de malha acetinada. Secou os cabelos parcialmente, deixando que a brisa se encarregasse de fazer o resto, como Paul apreciava. Nos dias seguintes tentaria encontrar uma maneira de recompensar a noite fracassada de comemoração. Dana se olhou uma última vez no espelho do quarto. Ao encontrar os próprios olhos, um calafrio correu por sua espinha. Paranoica era o que era.

Faltavam cinco minutos para o meio dia, quando Dana entrou no grande saguão do NY Offices. O movimento era intenso. Vários homens vestindo seus melhores ternos e carregando suas pastas caras, mulheres desfilando com seus terninhos bem cortados e bolsas de grife. Alguns falavam discretamente ao celular, outros apenas entravam enquanto outros saiam. Ao ver a fila que se formava nos elevadores, Dana entendeu a atenção da amiga em indicar o elevador de portas pretas. Não havia ninguém ali, apenas um vigia afastado que observava o movimento. Recordando-se da recomendação de Joly, dirigiu-se a ele.

— Oi, sou Danielle Hall e...

— A senhora Miller me avisou que usaria o elevador — ele disse antes mesmo que terminasse sua explicação.

O marcador indicava que o elevador estava no mezanino. Melhor assim. Não se atrasaria tanto por esperar que descesse 39 andares. Sorrindo agradecida ao vigia, apertou o botão. Logo as portas se abriram e ela pôde entrar no elevador de Ethan McCain.

Com o dedo trêmulo, apertou o botão e se voltou para se olhar no grande espelho às suas costas. Mal terminou de ajeitar uma mecha de cabelo atrás da orelha o elevador perdeu impulso e parou onde estava antes, no mezanino. Quando as portas se abriram e Dana se viu frente a frente com o estranho que esteve em seu prédio na noite anterior, ela desejou ter permanecido na fila à espera dos outros elevadores. Não seria preciso apresentações para saber que se tratava do novo patrão de seu namorado. O dono dos olhos que povoaram seu sonho passado, Ethan McCain em pessoa.

Ao entrar e ver a luz do andar de seu escritório acesa, ele apenas apertou o botão que acelerava o fechamento das portas. Dana aproveitou esse breve momento para analisá-lo. Ethan vestia um terno de lã fria em tons de cinza sobre uma camisa preta, não carregava pastas ou qualquer outra coisa. Dana teve de interromper a inspeção, quando ele se voltou em sua direção a esboçar o sorriso masculino mais bonito que já vira. Foi preciso ordenar a si mesma que continuasse a respirar e agradeceu aos céus que não fosse possível ouvir o tamborilar de seu coração acelerado.

— Ora! Ora!... Veja só quem está aqui. Como vai, Danielle? — Ethan perguntou, estendendo-lhe a mão.

Dana a aceitou por puro reflexo.

— O senhor me conhece?

Agradeceu pelo aperto em sua mão vir após ter proferido as palavras, pois ao toque dos dedos frios ela teve a mente desconectada de suas cordas vocais.

— Evidente! — ele respondeu, sorrindo. — Conhecemo-nos na sexta passada e nos vimos ontem em seu prédio. Por isso as formalidades podem ser esquecidas. Apenas Ethan, por favor.

Então Paul não inventou a apresentação na Cielo. Perturbador era confirmar que o fato simplesmente tinha desaparecido de sua lembrança. Sem se importar em parecer maluca, pigarreou para encontrar a voz e disse sinceramente:

— Me desculpe se o esqueci... Ethan. Se o tivesse reconhecido ontem à noite o teria convidado a entrar.

— Não tem importância — disse, subitamente rouco. — De toda forma eu estava com pressa. Fui apenas visitar Joly. Deve conhecê-la. Ela se mudou dias atrás.

— Sim, eu conheço... — Dana murmurou. — Ela é sua secretária.

— Exato. Eu precisava saber como ela estava, afinal, é também uma velha amiga e está passando por um momento difícil depois que se separou de Thomas.

— Entendo.

Na verdade não entendia nada, em absoluto! Segundo seu namorado, Ethan estava no restaurante na noite passada. Então, como ele poderia estar em visita a Joly minutos depois? Nada fazia sentido. A menos que eles... Bem, não era da sua conta! Ethan lhe interrompeu o pensamento:

— E você, o que faz aqui?

— Desculpe a liberdade. Joly disse que não teria problemas se eu usasse seu...

— Não me refiro ao elevador — cortou-a, divertido. — Pode usá-lo sempre que for preciso. Perguntei o que faz aqui no edifício. Acaso se envolveu em alguma confusão? Não acredito que alguém com mãos tão delicadas, possa ser capaz de fazer mal a outra pessoa.

Somente nesse momento Dana se deu conta de que as mãos ainda estavam unidas.

— Vou almoçar com Joly — esclareceu num sussurro e, corando violentamente, tentou recolher a mão.

— Algumas vezes invejo minha secretária — Ethan comentou sombrio.

Havia sido impressão ou ele imprimiu certa resistência em soltá-la? Depois do comentário embaraçoso, Dana não soube o que dizer. Olhou com discrição para o mostrador apenas para se inquietar um pouco mais. Eles passavam ainda pelo 16º andar.

De súbito o ar dentro da cabine rareou. Dana passou a sorvê-lo pela boca entreaberta com medo de sufocar. Cada poro de seu corpo estava ciente daquele belo exemplar de macho ao seu lado. A presença de Ethan McCain lotava o elevador. Por instinto Dana levou a mão ao pescoço, sentindo como se o coração fosse atravessar sua garganta a qualquer momento. Seu corpo ardeu, febril.

Vítima de sua curiosidade mórbida Dana ergueu os olhos, sem pressa. Para sua condenação, seu olhar se juntou ao de Ethan. Sob a luz fluorescente, ela pôde ver as nuances daquela floresta verde que eram os olhos do advogado e perdeu-se nela. Sem perceber, desceu o olhar atento pelo rosto pálido, vários centímetros acima do seu, até encontrar a boca entreaberta que, assim como a sua, sorvia o escasso ar.

Era errado, mas alimentou intimamente o desejo de provar seu sabor.

"Apenas um movimento, Danielle", disse uma voz conhecida em sua cabeça. "Se assim desejar, experimente um único passo".

Como se tivesse vontade própria, sua perna se moveu um passo à frente.

"Não se assuste" disse a voz, "apenas sinta".

O coração de Dana falhou uma batida, quando sentiu os dedos frios de Ethan acariciarem sua bochecha. O toque era delicado, quando desenhou a curva de seu queixo. Estarrecida, assistiu ao rosto dele baixar em sua direção. Dana fechou os olhos e, ansiosa, esperou. Quando a boca fria tocou seus lábios, de leve, ela arfou. Ethan aproveitou o movimento para introduzir a língua em sua boca. Nesse momento ela se enrijeceu, enregelada. Contraditoriamente, queimava em seu âmago enquanto ele comprimia seus lábios, procurando por aceitação.

"Corresponda, Danielle" disse a voz em sua cabeça.

Dana queria obedecer, precisava experimentar ao menos uma parte do que aquele beijo prometia. Porém algo a prendia. Não era certo. Ainda travava uma luta entre sua mente e seu coração, quando seu celular tocou, fazendo com que se afastasse de Ethan bruscamente.

Envergonhada, com mãos trêmulas, Dana baixou os olhos e procurou pelo aparelho estridente no interior de sua bolsa. Ao ver o nome no visor, desejou que o piso se abrisse para que despencasse e recebesse o castigo destinado às traidoras, direto no inferno.

— Paul... — a voz saiu falhada. Talvez tenha sido impressão, assim como o lance da voz na sua cabeça, mas pareceu ter ouvido um praguejar baixo às suas costas.

— *Anjo, eu liguei para sua casa... Onde você está?*

— Você não vai acreditar... — Dana sentiu lágrimas de vergonha genuína marejarem seus olhos. Com muito custo controlou a voz. — Vou almoçar com a secretária de...

Por estar mortalmente envergonhada, com Ethan McCain tão perto, o nome lhe travou na boca. Respirando fundo, reformulou a frase.

— Vou almoçar com Joly. Ela trabalha no mesmo escritório que você. Depois que almoçarmos, irei conhecer a sua sala.

— *Você conhece a secretária do Ethan? Já está aqui no edifício?*

— Sim... — sua voz saiu sumida após ouvir o namorado pronunciar o nome.

O elevador perdeu impulso e logo parou no andar dos escritórios da McCain & Associated. Quando se voltou, com uma lágrima teimosa a correr por seu rosto, Dana viu que Ethan não estava mais lá. Com passos lentos, ela saiu do elevador e respirou fundo na tentativa de acalmar o coração. Paul continuou falando, sem perceber sua voz embargada.

— *Venha antes de sair. Preciso me encontrar com um cliente e talvez não esteja aqui quando voltar.*

— Está bem... Vou falar com Joly. Até já.

Ao desligar, precisou apenas erguer os olhos para deparar-se com a amiga.

— Dana o que aconteceu? Está pálida! E chorando?!

Prestativa, Joly a conduziu até o sofá da sala de espera, então se sentou ao seu lado.

— Não foi nada — respondeu, tentando secar a lágrima, disfarçadamente.
— Não minta para mim — pediu. — Vi que você estava no elevador com Ethan. O que foi? Ele foi grosseiro com você?
— Não — sua voz saiu alto demais.
— Desculpe-me, eu disse que ele não estaria aqui. No entanto...
— Não foi nada, Joly — Dana tentou sorrir. — Sério! Eu é que ando sensível demais nesses últimos dias.
— Está bem... — Ainda desconfiada, Joly se pôs de pé, dizendo: — Então podemos ir?
Ao chamado, Dana expôs o pedido do namorado. A amiga a atendeu de pronto. Dana a seguiu sem olhar para os lados. A impressão que tinha era a de que a qualquer momento se depararia com Ethan. E covardemente, mesmo sabendo ser impossível, desejava que tal encontro não acontecesse nunca mais.
Joly a guiou por um corredor largo e comprido, com muitas portas envidraçadas de ambos os lados. A decoração em todo o andar era requintada e sóbria. As paredes eram na maioria em vidro e divisórias em tons pastéis, sendo o único toque de vida, um grande vaso contendo um bambu mossô, colocado ao final do corredor. A porta pela qual a amiga a fez passar era a penúltima.
Entraram numa antessala e, depois de cumprimentarem a secretária, seguiram para a porta à esquerda. Dana então viu o namorado sentado à sua nova mesa, posicionada no extremo oposto a de outro advogado que falava ao telefone. Este era loiro, tão pálido e belo quanto Joly ou o patrão de ambos.
— Dana! — Paul saudou ao vê-la, livrando-a das comparações. Foi em sua direção e, depois de acenar para Joly, beijou a namorada no rosto, discretamente. — Sente-se melhor? Ainda está pálida.
— Estou bem, obrigada. — Para tirar o foco de si, disse, analisando seu entorno. — Então é aqui que está agora... Muito bonita essa sala!
— É, sim... Dana, deixe-me apresentá-la. Este é Seager Holmes.
O homem loiro recolocou o fone no gancho e lhe estendeu a mão.
— Muito prazer, Seager. Sou Danielle Hall — disse, apertando a mão estendida.
— O prazer é meu, Danielle — retrucou, com sua voz de veludo.
Não foi possível fugir de comparações uma segunda vez. A pele era igualmente fria, como a da amiga e de Ethan.
— Na verdade, essa sala pertence a ele — Paul interrompeu seu raciocínio. — A minha estará disponível em alguns dias, segundo Ethan.

Mais uma vez, ouvir o nome pronunciado pelo namorado feriu-a de morte, distraindo-a por completo das similaridades entre patrão e os antigos funcionários.

— A sala é nossa — corrigiu Seager, olhando para Dana com curiosidade. — Estou apreciando a companhia.

Joly, que assistia o diálogo à distância, adiantou-se e tocou o ombro de Dana.

— Agora que já conhece o escritório de seu namorado, podemos ir?

Dana agradeceu a interrupção. Era complicado administrar uma conversa leve com a consciência pesando feito chumbo. Após se certificar de que o namorado a encontraria naquela noite, despediu-se dos dois advogados e partiu, Joly literalmente a arrastou até chegarem ao elevador que minutos antes serviu como câmara de tortura.

Ethan McCain não estava presente, porém Dana podia senti-lo em cada canto da cabine, em sua boca. Caso houvesse a mínima chance de êxito, ela pediria que Paul reconsiderasse sua decisão. Aquela mudança não acabaria bem, não com a namorada perdendo o senso de dever e atraída por um homem que acabou de conhecer. Não importava se na sexta ou na terça, qualquer das versões era próxima demais para tamanha traição.

∞

Ethan andava de um lado ao outro em sua sala, impaciente. Vez ou outra tomava um gole de uísque diretamente da garrafa. Rogava que a ardência em sua garganta o ajudasse a ordenar os sentimentos. A ambiguidade de estar exultante e miserável o desnorteava. Tinha provado a doçura da boca de Danielle, assim como provou seu sangue. E ainda que ela não tivesse correspondido, desejava-o. Infelizmente, a confirmação trouxe também a ciência do senso de lealdade aflorado para com o namorado.

Sendo sincero, admitiria que as lágrimas de Danielle, após o telefonema do humano, o afetaram muito mais do que ter a boca macia pressa à sua. Ethan não entendia por que o sofrimento dela o abalava. Confuso, bebeu outro gole de uísque.

— Posso ouvir seus resmungos da minha sala — disse Thomas ao entrar, sem bater.

— Tape os ouvidos! — Ethan retrucou, mal-humorado.

Ignorando-o, o amigo sentou numa das cadeiras para clientes.

— Prefiro tentar resolver. Daqui a pouco temos uma audiência e não quero que você acabe insultando o juiz. Não quero vê-lo preso por desacato.

Ethan estava prestes a mandá-lo ao inferno, quando a dúvida lhe ocorreu. Antes que pudesse pensar no que falava, formulou a pergunta e a disparou:

— Thomas... O que sentiu quando conheceu Joly?

— Nós a conhecemos juntos. Sabe o que senti.

— Não, apenas sei o que vi. Ela estava chorando, nos aproximamos. Você foi o primeiro a falar com ela. Lembro-me como se fosse hoje seu olhar em minha direção. Era como se dissesse *não se atreva!*... Apesar de achá-la atraente, respeitei. Você marcou de encontrá-la à noite naquele mesmo lugar. Ficou fora por quatro dias. Então, quando voltou, levou-a com você, transformada.

Thomas olhava para além da janela com um sorriso nos lábios, como se fosse possível ver a cena de seu encontro com Joly ao ouvir a narrativa do amigo.

— Sim... — disse sem olhar para Ethan. — Eu a transformei naquela mesma noite.

— Está bem... Sei disso! — Ethan exclamou, impaciente. — Estou perguntando o que sentiu? E não me venha com aquelas bobagens de sinos tocando ou borboletas no estômago.

Thomas riu, divertido.

— Mas os sinos tocaram, meu amigo. Na verdade, eles tocam até hoje.

— Pumft! — Ethan agitou as mãos no ar em sinal de desistência. — Esqueça que lhe perguntei algo. Volte para sua sala, recorde-se das badalas e me deixe resmungar em paz.

— Perdoe-me — o sócio disse, seriamente. — Vou responder. Quando conheci Joelle, acreditei que meu interesse por ela não fosse diferente do seu. Acreditei que apenas a desejava por ser jovem e bonita. Nosso tipo preferido de companhia por uma noite. Porém, quando a vi ir embora, ainda chorando a morte do pai, senti como se algo se quebrasse dentro de mim.

Ethan sentou no sofá e prestou maior atenção. Sentiu-se quebrado ao tocar a mão de Danielle. Thomas continuou alheio a expressão preocupada do amigo:

— Não fui capaz de pensar em mais nada a não ser nela durante toda à tarde. Seu cheiro ficou em meu nariz, seu rosto gravado em minha mente. O toque delicado de sua pele tatuado na palma de minha mão.

Ethan ouvia, estarrecido, sentindo-se perdido.

— Fui para o encontro com Joly, muito mais cedo que o combinado — Thomas prosseguia. — Esperei por ela escondido nas árvores, temendo que tivesse mudado de ideia e que nunca mais a visse. Então, na hora marcada, ela apareceu. E estava linda!... Observei-a por cinco minutos inteiros apenas pelo prazer de olhá-la.

Ethan depositou a garrafa de uísque no chão. Definitivamente, estava perdido.

— E nesses cinco minutos, antes mesmo de tocá-la, eu soube que a amava com minha alma. Que nada no mundo faria sentido se ela não estivesse comigo. Com Joly, esqueço a criatura amaldiçoada que sou e acredito que posso ser algo melhor.

— Como tem certeza de que isso que sente é... amor? — perguntou, incrédulo.

— Como pode não ser, meu amigo? Joelle é a minha vida. Se um dia me faltasse eu morreria! Se todas aquelas bobagens espirituais sobre almas que se dividem e se procuram forem verdadeiras, Joly é minha metade. Minha alma gêmea.

Ao se calar, como se finalmente entendesse a estranheza vinda com as questões, Thomas indagou, tendo o cenho franzido:

— Por que está me perguntado essas coisas? Acaso devo acreditar que esteja, de verdade, sentindo o mesmo por Danielle? Está apaixonado por ela?

Ethan preferiu não responder. Apenas pediu:

— Poderia me deixar sozinho? Prometo me acalmar e resmungar menos.

Thomas permaneceu sentado, escrutinando o rosto do amigo, porém logo se levantou. Antes de sair, disse:

— Lembre-se que às duas horas nós temos de estar no tribunal.

Então se foi, deixando o vampiro sozinho com suas dúvidas. Assim que a porta foi fechada, Ethan levantou e voltou a andar de um lado ao outro.

Não poderia estar apaixonado por Danielle? Impossível! Nem ao menos sabia o motivo de ter perguntado como as coisas funcionaram entre Thomas e Joelle. Sim, ao amigos formavam um casal unido, eram felizes, mas nunca cobiçou algo parecido para si. A situação de ambos era completamente diferente.

Era fato que a humana embaralhava suas ações, levando-o a voltar atrás em suas decisões. Como a de esquecê-la, para naquela manhã, cancelar um encontro com clientes somente por descobrir que ela estaria em seu edifício. Impulsividade não era sinônimo de paixão. O que sentia pela humana, vulgarmente qualificando, era um violento tesão. E só.

Apaixonado? Pumft!... Ele desdenhou. Tal sentimento implicaria em uma entrega que mulher alguma nunca teria. Jamais seria a sombra de um homem como aconteceu com seu pai.

Irritado por minimamente se comparar a Henry, Ethan sentiu urgência de deixar seu escritório. Ignorando seu elevador, partiu para as escadas e correu até sua cobertura. Despiu-se ainda na sala de estar e se dirigiu à piscina. Atirou-se na água fria e permaneceu no fundo, olhando o padrão dos azulejos, até que a superfície agitada por seu mergulho retornasse à placidez. Logo fechou os olhos e tocou a própria boca, deixando que Danielle lhe viesse à mente.

Os cabelos dela ondulando na brisa amena do parque. Danielle dançando multicolorida, distraída ao som da música. Danielle vestida num corpete preto parada na sacada e olhando em sua direção como se o visse. Danielle rolando sobre lençóis. Danielle tímida, tocando sua mão. Danielle com a boca na sua. Danielle... Danielle. Danielle!

De súbito o ar lhe faltou e ao emergir para alcançar a borda, enquanto o sorvia aos bocados, atreveu-se a cogitar o improvável. Ele, Ethan Smith McCain, poderia sim, estar apaixonado por Danielle Hall.

— Não! — negou em voz alta para que se ouvisse.

Não aconteceria, determinou. Entregar-se ou se importar com alguém era para os fracos. Ele não se deixaria cair naquela armadilha. *Se* o sentimento existia, lutaria contra ele até matá-lo. Conheceu a humana, provou de seu sangue, beijou-a. Dar-se-ia por satisfeito e a esqueceria, pois não se renderia a um sentimento dito *nobre* que somente convertia homens fortes em nada.

Não era característica dos enamorados serem generosos? Pois bem... Danielle que fosse feliz com o rábula. Casasse e tivesse vários filhos, que tivesse a vida medíocre própria aos mortais até que envelhecesse e morresse, enfim livrando o mundo de seus sortilégios de bruxa maldita. Ou talvez, Ethan considerou ao recordar como matou Sabina e as mulheres que lhe representaram perigo, caso não conseguisse se livrar da influência de Danielle, pudesse se valer do mesmo expediente extirpador.

∞

Seis e meia, início de noite. Com a proximidade do inverno o dia já escurecera, assim como o humor de Ethan McCain. Deixando o tribunal após nova vitória, ele não saboreava a conquista, nem a ânsia pela iminente caçada, apenas domava o mau gênio para não gritar com o amigo que se recusava a entender um pedido.

— Não adianta se aborrecer, Ethan — Thomas falou ao seu lado, seguindo suas rápidas passadas. — Sabe tão bem quanto eu que agora não é o momento para longas viagens.

— Pode não ser, mas vou mesmo assim... Custa assumir meus compromissos por duas semanas? — Ethan insistiu, trocando a pasta de mãos apenas para ocupá-las.

— Por que viajar agora? Explique-me ao menos isso — o amigo pediu, antes de acrescentar: — E a humana?

Ela era a razão de sua retirada. Sair da cidade seria melhor do que matá-la, cometendo assim, um desatino irreparável. E o faria sem maiores explicações. Acelerando o passo, disse apenas:

— Vocês olharão por ela, eu... Tenho de resolver alguns problemas na Inglaterra. Tentarei ser breve. Caso não possa assumir meus compromissos, peço a Joly que os cancele, obrigado e boa noite, Thomas.

Dito isso, adiantou-se. Não estava longe do NY Offices e da mesma forma que andou até o tribunal, voltou a pé para seu edifício. Descobriu que não era seguido de perto ao chegar ao elevador e não ver Thomas em parte alguma. Tanto melhor!

No 40º andar, pisando firme, remoendo a recusa, Ethan passou direto por Joly e foi para sua sala. Ao chegar, largou a pasta no sofá, retirou o sobretudo e o paletó e se dirigiu para as bebidas, já afrouxando a gravata e desabotoando os dois primeiros botões de sua camisa.

Não se admirou ao ouvir o som seco da maçaneta segundos depois de ter fechado a porta.

— Thomas me informou que você pretende viajar.

— Sim — ele respondeu antes de beber um gole de uísque, sem olhá-la.

— Resolvi esta tarde. Há dias que venho pensando em ir até a Inglaterra. Quero ver como está tudo por lá. Preciso dar atenção aos meus outros negócios, não só a esse escritório.

— Entendo... — disse Joly, aproximando-se. — Mas por que agora?

— O que tem de especial no *agora?* — perguntou, encarou-a pela primeira vez no dia.

— Almocei com Danielle, sabe disso!

— Sei e agradeço por ter me dado a oportunidade de estar com ela uma última vez.

— Última vez?! — Joly se espantou. — O quer dizer com isso?

— Estou dizendo que não a quero mais. Simples assim. — Ethan sorveu o conteúdo do copo de um gole só e voltou a enchê-lo.

— Está bem... — Joly começou, ignorando seu comentário. — Sei que o que fiz não é certo, mas... Hoje durante nosso almoço, eu a *induzi* a me dizer o porquê de chegar chorosa ao nosso encontro.

— Não me interessa, Joelle.

— Ela me contou — continuou, ainda ignorando-o —, que você a beijou e...
"E ela não correspondeu", ele pensou irritado. Joly prosseguia:
— ... que ela se sentiu confusa. Disse que na noite passada sonhou com você.
— Lamento por ela — retrucou, taciturno.
— Não acredito no que estou ouvindo! — Joly se exasperou. — Nós estamos perto, Ethan!
— Não, Joelle! — Ethan depositou o copo sobre a mesa, com violência. — Ninguém aqui está perto de coisa alguma simplesmente porque não se tem *nada* a conseguir.

O vampiro passou as mãos pelo cabelo e foi até a grande janela para olhar o céu escurecido. Era melhor acabar com a farsa de uma vez.
— Eu a enganei... Está bem?
— Como assim? Eu não...
— Eu nunca quis nada sério com a humana — Ethan a cortou. — Queria dela o que quero de todas. Usá-la de todas as formas deliciosamente degradantes e despachá-la em algum táxi na manhã seguinte.
— Eu não acredito nisso! — Joly vociferou, aborrecida.
— Pouco me importa no que você acredita. Essa é a verdade. Apenas me instigou ela ser comprometida, gostei do desafio. Encarava essa conquista sem indução como um jogo, mas vi o quanto é aborrecido — ele se interrompeu para beber de seu copo antes de prosseguir, enfadado: — A garota gosta mesmo do namorado humano, então, que fiquem juntos.
— Está me dizendo — a amiga dosava o tom das palavras —, descaradamente que me usou, Smith McCain?
— Estou — admitiu, inabalável. — E também a liberando dos cuidados para com Danielle. Nosso visitante não voltou a atacar. É provável até que já esteja longe da cidade. E como a humana não é mais uma raridade, pode deixar que se vire sozinha de hoje em diante.

Ao se sentar, acrescentou simulando animação:
— Veja pelo lado bom... Agora pode voltar a viver com seu amado companheiro. Será o fim da separação que nunca houve.
— Como pode ser tão cego?! — Joly indagou, incrédula, furiosa. — Ás vezes eu de verdade o odeio, McCain!

O advogado imortal ergueu o copo em um brinde solitário.
— Bem-vinda ao clube, *ma chère amie!*

Capítulo 16

Dana despertou com Black a lamber seu rosto. Demorou alguns segundos até que ela reconhecesse o teto de seu antigo quarto. Estava em Albany há quatro dias, atendendo a um chamado de sua mãe. Aparentemente Stacy Hall entrou em uma de suas tantas crises de carência afetiva, exigindo ter a limitada família reunida em torno de si. Na verdade, ela duvidava de sua necessidade, visto que esta surgira após contar à mãe sobre sua dispensa do *Daily News* durante uma conversa telefônica.

Apesar dos protestos de Paul, Dana aproveitou a oportunidade para fugir de Nova York, mesmo que por poucos dias. Estava envergonhada e nada animada em encarar o namorado depois de praticamente ter beijado outro homem. Um, que para piorar sua situação, sentia mais a falta do que a de Paul, com quem se relacionava de modo satisfatório há três anos.

Ethan McCain é o problema, Joly a alertou. Sua atitude no elevador comprovava todo o resto dito pela nova amiga e ela, com certeza, fora sua conquista mais fácil, deixando-se beijar sem nem ao menos receber uma cantada barata da parte do famoso advogado. Evidente que Ethan devia rir de sua entrega sempre que recordasse. Ou talvez não, visto que um homem como ele não perderia tempo com mulheres sem graça e desfrutáveis.

Ainda cismava, mirando o teto, quando Stacy entrou trazendo uma bandeja com o café da manhã. Excepcionalmente Black não se importava com a presença dela ou a de seu pai. Indo se deitar aos pés de sua dona, o gato começou a se banhar como se ninguém tivesse incomodado seu sono.

— Bom dia, minha princesa — disse Stacy, sentando-se na beirada da cama. Ela esperou que a filha se sentasse para depositar a bandeja sobre seu colo. — Como passou a noite?

— Muito bem, mamãe, obrigada — mentiu. — E você?

— Perfeita! Fico mais tranquila quando está em casa. Nossa família fica completa. Acho que nunca saberá como sentimos a sua falta.

— Também sinto a de vocês — Dana assegurou.

Sem pensar, descobrindo ser ela a necessitada de afeto despretensioso, colocou a bandeja de lado e abraçou a mãe. Aconchegada nos braços maternos, foi inevitável não se sentir uma criança desprotegida diante do desconhecido. Então, apertou-a ainda mais, emocionada.

— O que foi, meu anjo? — a mãe, indagou amável.

Ao ouvir o apelido carinhoso, comumente usado pelo namorado, Dana sentiu o peito oprimido e involuntariamente soluçou.

— O que foi, Dana? — Stacy insistiu, preocupada. Afastando-a para encará-la, pediu: — Seja o que for me conte. Acha que não percebi como está estranha desde que chegou?... Você tem sido a companhia perfeita, porém sempre foge de minhas perguntas... Sou sua mãe. Se você não puder contar comigo, com quem contará?

Dana não sabia o que dizer, então somente deu vazão ao choro contido.

— Dana, o que aconteceu? — A mãe se alarmou com o pranto repentino da filha. — É por causa de seu emprego no jornal?

A filha chorosa moveu a cabeça, negativamente.

— É alguma coisa com Paul? — Dana negou. — Com os pais dele? O que fizeram dessa vez?

— Os pais de Paul não fizeram nada — ela disse, por fim. — Nem ele tampouco. O problema sou eu!

— Não entendo. Explique-me, Dana — Stacy pediu aflita.

— Há cinco dias eu... eu beijei outro homem. — Colocar em palavras e dirigi-las à mãe tornou seu ato ainda mais constrangedor.

— Por que fez isso?! Quem é ele? Você o ama? — Levando a mão à boca, Stacy perguntou: — Paul descobriu?

— Não! — Dana se apressou em esclarecer. — Paul nem ao menos pode sonhar com isso. Eu morreria. E o pior de tudo é que não amo esse outro homem. Eu mal o conheço.

— Então... Por que o beijou? Estou confusa.

— Eu também estou confusa... como poderia explicar... — Dana secou as lágrimas enquanto procurava por palavras condizentes com a verdade. — Eu apenas me senti... atraída e me deixei beijar.

— Você vai se encontrar com esse homem mais uma vez? — A mãe indagou, perscrutando-lhe o rosto.

— Espero verdadeiramente que não — disse Dana sem qualquer convicção.

— E você tem certeza de que ama o Paul?

— Absoluta — respondeu rápido demais.

— Então não vejo motivos para tanta preocupação — a mãe tranquilizou-a. — Sentir atração por outros homens é aceitável.

— Mamãe! — Dana exclamou, chocada.

— Ora, vamos, Danielle! — Stacy franziu a testa. — Não estamos mortas e desejar uma mudança de vez em quando não é pecado. Sou radical quanto a traições apenas quando elas acontecem de fato. E você não foi para cama com esse homem, foi?

— Não! — Dana se exaltou. Ao perceber seu exagero involuntário baixou o tom ao reafirmar: — Não aconteceu.

Mas, ainda que as chances fossem nulas, cogitou a possibilidade de estar em uma cama com Ethan McCain, admitiu para si. Stacy pareceu ler seu pensamento, pois a olhava com descrença, ainda que tentasse tranquilizá-la.

— Não se recrimine, querida. Você sempre se preocupou demais com assuntos sem a menor importância. É assim desde pequena. Ser irresponsável às vezes não faz mal a ninguém.

Dana nada disse e, quando sua mãe levantou e beijou sua testa, achou melhor seguir o exemplo e dar o assunto por encerrado.

— O importante é que hoje é domingo, seu último dia aqui. Seu pai não poderá sair conosco após o culto, então vou reivindicar sua companhia exclusiva e faremos passeios agradáveis, mas antes... Estive pensando em levá-la ao cemitério. Faz tempo que não vou à campa de sua tia. Pode parecer bobagem de minha parte, mas sempre que você está por perto eu sinto a presença de Maria.

— Eu adoraria, mamãe — concordou com um sorriso.

Stacy deixou o quarto, satisfeita. Dana sorriu à sua saída e, percebendo estar com fome, voltou sua atenção para a bandeja sobre a cama. Enquanto comia um pedaço de pão lambuzado com geléia caseira de morango, tentava se fiar nas palavras da mãe que conferiam normalidade à sua traição. Seria melhor seguir o raciocínio e encarar seu ato como um simples deslize. O importante seria não reincidir no erro.

Enquanto mordia o segundo pedaço de pão, Dana pousou os olhos na foto de sua tia, disposta em sua escrivaninha. Maria foi uma mulher bonita, tanto que a ideia da mãe — fortemente repudiada por seu pai — sempre lhe pareceu maluca. Ter nascido há exatos oito meses e vinte cinco dias após sua morte misteriosa, não valia como prova. Caso fosse seu espírito reencarnado, ela lamentaria não ter herdado a beleza em vez de sua marca de nascença. Segundo Stacy o desenho era idêntico, somente divergindo o local. A de Maria estava nas costas, acima das nádegas e a dela, à direita do quadril.

Para Dana, ter nascido pouco tempo depois da morte da tia era apenas coincidência, porém, como sua mãe tinha verdadeira adoração pela irmã caçula, Dana respeitava suas crenças mesmo que não compartilhasse das mesmas. Ainda analisava a foto de Maria, quando Black se aproximou para averiguar o que tinha de interessante na bandeja bem fornida. Dana deu a ele um pedaço de bacon antes de afagar a cabeça negra.

— Quem sabe na próxima encarnação eu nasça como um gato... A vida parece bem mais simples para você, meu amigo.

∞

Ethan acabava de arrumar sua mala. Levaria poucas roupas uma vez que não se ausentaria por muitos dias. Viajaria no final da tarde seguinte e desejava estar com tudo pronto até lá. Olhando para a cama, sorriu para Laureen. A humana retribuiu o gesto enquanto comia um bocado da pasta encomendada para ela. Queria-a forte e saudável uma vez que decidira vê-la com maior frequência depois de sua volta.

— Para onde vai? — Laureen perguntou pela terceira vez.

— Para Londres. Tenho algumas propriedades na cidade assim como um centro de antropologia.

— Parece interessante — comentou antes de abocanhar mais uma garfada de macarrão.

Ethan percebeu o quanto ela estava faminta. Quase se sentiu culpado por não alimentá-la do modo correto. Não queria que a humana morresse de inanição, porém se preocupava mais em mantê-la satisfeita na cama uma vez que ela estava se mostrando eficiente em ajudá-lo a esquecer. Enquanto a via devorar o macarrão ao *Pesto* o vampiro se aconselhou a tomar maior cuidado com a dieta da humana.

— Por que eu não posso ir com você? — Laureen perguntou como se procurasse em sua mente limitada uma boa razão para ser deixada, quando tudo ia tão bem entre eles. Ethan se impacientou.

— Porque assim eu determinei — disse, lacônico. — Apenas coma e durma.

Quando a humana o obedeceu, teve de reconhecer que sua irritação não era por sua voz melosa, sim, pela proximidade de sua saída à procura de alimento. Nos últimos dias, sempre que se saciava de sangue humano, sentia vontade quase incontrolável de seguir para certo endereço em East Village. E Ethan sabia que encontraria o apartamento vazio, pois conseguiu manter distância apenas na noite de quarta. Pois, sem forças em se manter firme, foi procurá-la e encontrou as luzes apagadas, o silêncio deprimente.

Como não poderia recorrer a Joly, em simulado desinteresse, perguntou sobre Danielle a Paul. O rábula lhe informou que a namorada viajara para Albany, no Oregon, e que passaria alguns dias na casa dos pais. Ethan não pôde deixar de reparar na coincidência. Matou Maria naquele estado. O vampiro considerou interessante que as duas únicas mulheres que tiveram o poder de atraí-lo pertencessem a cidades próximas.

Deixando a arrumação de lado, Ethan seguiu para seu gabinete. Irritou-se mais ao perceber que Joly ainda não tinha providenciado a documentação para seu julgamento na manhã seguinte. Ele desejava sair de sua cobertura e seguir direto ao tribunal. Preferia adiar um encontro com Thomas, este ainda contrário a viagem repentina. Ethan estava satisfeito que fosse somente por esse motivo. Ao que parecia sua amiga magoada nada revelou sobre a discussão que tiveram.

Sedento, o vampiro se esqueceu da documentação e partiu. Uma vez na garagem, saiu para a noite nova-iorquina em alta velocidade como se mil demônios o seguissem. Enquanto dirigia o BMW, tentava não pensar em Danielle, ciente de que era uma luta perdida. Evitava ao máximo nomear o que sentia, mas morria aos poucos de saudades dela. Contrariado, Ethan apertou o volante, maldizendo a descoberta de sua paixão. Sua vida seria mais fácil caso somente a desejasse como um macho que quer uma fêmea.

O que Henry ganhou em uma relação amorosa, estável e monogâmica? Nada, escarneceu. Justine nem mesmo lhe deixou uma meia vida ao morrer. Ethan conhecia a mãe pela imagem de um quadro que antes permanecia intocado no quarto de seu pai e que atualmente lhe pertencia. Fora uma mulher bonita.

A herança dos traços maternos sempre fora evidenciada em seu rosto de linhas aristocráticas, nos cabelos castanhos e nos olhos de rio, como seu pai costumava descrevê-los. Por inúmeras vezes antes que descobrisse a verdade, Ethan se questionou o quanto a semelhança poderia ser a responsável pelo afastamento entre os dois.

Henry McCain foi quem mais amou. Ainda na presente data, sentia sua falta como se a ausência fosse uma chaga incurável. Reflexo de uma vida marcada por separações. Quando Ethan ainda era uma criança, o pai antropólogo providenciou para que continuamente estivesse em algum colégio interno.

Nos poucos dias do ano correspondentes às férias, Ethan podia sentir o distanciamento deliberado. Com o passar do tempo, o jovem Ethan desconfiou ser considerado culpado pela morte da mãe. Descobrira a verdade sobre suas antigas suspeitas no dia que retornou para casa paterna, após formado em advocacia pela universidade de Coimbra, Portugal.

Surpreendentemente, Henry se mostrou feliz com seu regresso da Europa. Em conjunto com os pais de Thomas, providenciara uma recepção de boas vindas aos dois. Ethan se lembrava da alegria que sentiu como se a revivesse. Nunca fora recebido pelo pai com tamanho entusiasmo. Extasiado, deixou-se perder no abraço negado durante toda sua infância e adolescência. A noite foi agradável. As famílias cearam, conversaram sobre o futuro promissor dos filhos recém-formados. Tudo perfeito até que o recém-diplomado ficasse sozinho com um pai ébrio.

Estavam na sala da mansão de seu pai. Henry o fitava fixamente, seus olhos azuis estavam mergulhados em globos vermelhos. Ethan não deu muita importância à inspeção. Estava adorando a súbita atenção recebida. Percebeu a gravidade da análise silenciosa, quando o pai lhe perguntou com voz embargada:

— Por que não foi você?

— Perdão. — Ele não tinha entendido.

— Por que não foi você a morrer em vez de sua mãe?

— Não saberia lhe dizer — respondeu, simplesmente, ferido. A pergunta foi como uma bofetada.

— Então eu digo o motivo. — Henry continuou insensível. — Justine morreu porque você sempre foi uma criatura egoísta. Maligna. Desde o ventre sabia que não suportaria dividir as atenções de sua mãe comigo, então a matou.

— Pai, é melhor que eu o leve para o quarto. O senhor está ébrio e incoerente.

A despeito da dor sentida, Ethan tentou ajudar o pai a levantar da poltrona. Sabia que não devia dar importâncias aos absurdos que o álcool colocava em sua boca. Tentou pegá-lo pelo braço ao que foi empurrado com violência.

— Não me toque!

Pacientemente, Ethan voltou à sua poltrona e deixou que o pai destilasse todo o ressentimento contido. Henry continuou a encará-lo.

— Você é tão malditamente parecido com ela. É bem provável que o destino o tenha feito crescer assim para caçoar de mim...

— Pai, por favor...

— Caçoar de mim assim como ela e seu amante. — Henry continuou como se o rapaz nada tivesse dito, levando o coração do jovem advogado a gelar.

— O quê?! — Ethan exclamou, estupefato.

— Você ouviu bem, meu jovem... Justine deve ter dado boas risadas às minhas custas enquanto estava com meu bom amigo, Ethan Tolker.

Ethan então sentiu o coração acelerar. Num primeiro momento foi incapaz de crer, pois sua mãe não poderia ter traído seu pai com seu padrinho. Esquecido do respeito que devia ao pai, ele gritou:

— Não sabe o que diz! Como ousa falar tal disparate sobre minha mãe?

— O quê? A verdade dói? Não está feliz em saber que não é meu filho? Massageando as têmporas de súbito doloridas, Ethan murmurou:

— No momento me encontro incapaz de pensar, mas sei que diz apenas bobagens inspiradas pelo vinho. Como eu poderia ser fruto de adultério e ainda assim ter sido apadrinhado pelo amante de minha mãe?

— Porque na ocasião eu não sabia — Henry falou, cansado. — Tolker me ajudou com o funeral. Apoiou-me nos primeiros dias, providenciando amas que cuidassem e alimentassem você, quando eu sequer suportava olhá-lo ou ouvir seu choro. Foi ele quem escolheu seu nome, o bastardo.

Ethan ouvia tudo imerso num silêncio mortal.

— Esse foi o último gracejo de sua parte. — O homem ferido pelas lembranças prosseguia. — Depois de seu batizado, uma das amigas confidentes de sua mãe, enojada com tamanha desfaçatez, contou-me a verdade. Evidente que eu não acreditei. Não daria crédito algum a uma *amiga* que, inúmeras vezes, insinuara-se a mim. Como resposta eu lhe dei uma boa bofetada, mas ainda assim ela insistiu, disse-me que procurasse pelo diário de minha esposa.

Henry se interrompeu por um momento, então voltou à narrativa corrosiva:

— Não tive coragem, mas nos dias seguintes, vendo toda atenção que ele lhe dispensava, acabei por procurar o maldito diário. E então a verdade se revelou clara em cada página. Em muitas delas sua mãe escreveu que me amava, que jamais me deixaria por homem algum, mas que se sentia atraída por Ethan. Nos relatos correspondentes a gravidez, ela deixou claro sua infelicidade por você ser filho do amante e não meu.

A cabeça de Ethan latejava. Alheio, importando-se com as próprias feridas, Henry explicou:

— Sabe por que você cresceu privado de seu amado padrinho? — O pai que conhecia não lhe deu tempo de resposta. — Porque eu o matei! Um tiro certeiro, bem aqui — disse apontando o próprio coração. — Nem cheguei a ser indiciado, pois agi em legítima defesa da honra. Nome bonito, não? Você sabe bem o que digo, afinal... Agora é um advogado.

— Pai, por favor... — Ethan sussurrou no limite de suas forças.

— Ainda me chama de pai? Não me lembro do dia em que fui um pai para você.

— Você foi meu pai todos os dias de minha vida e sempre será — Ethan gritou a verter lágrimas quentes. — Não importa o que diga. Não importa o que estava escrito nas páginas de um diário velho. Maldição! *Você* é meu pai!

Henry tremeu diante da convicção furiosa de Ethan. Como se o enxergasse pela primeira vez na noite, arregalou os olhos azuis.

— O que eu fiz? — Henry se aproximou trôpego e tocou os ombros do filho. — Perdoe-me por magoá-lo dessa maneira. Mas já que comecei irei até o fim... No dia que matei seu pai voltei para casa, decidido a doá-lo para adoção, mas quando cheguei ao seu lado... E você me encarou com os olhos fluviais de Justine eu me encantei por você. Simplesmente não pude mandá-lo embora e jurei que nunca lhe contaria toda essa sordidez. Contudo o tempo foi passando, você foi ficando mais e mais parecido com ela... Tente entender... Era mais do que eu poderia suportar.

Henry ajoelhou-se como se perdesse as forças. Trêmulo, ergueu uma das mãos e secou as lágrimas no rosto de seu filho.

— Ainda amo sua mãe, Ethan — admitiu, exausto. — Eu não vivo, apenas sobrevivo. Não há um único dia que eu não reze implorando para que Justine venha me buscar. — Segurando as mãos do jovem advogado e procurando seus olhos ainda úmidos, pediu: — Perdoe-me, por favor. Não somente por hoje, mas por todos os anos que o mantive longe. Era doloroso, porém mais fácil para mim. Agora que você concluiu seus estudos e veio para ficar em definitivo eu me apavorei, por isso meu destempero.

— Eu posso entender — Ethan falou ainda ferido.

— Eu o amo, filho — Henry declarou por fim. — Mesmo não conseguindo desvinculá-lo da traição de Justine, eu sempre o amei.

— Então, por favor, nunca mais repita que não é meu pai.

O antropólogo assentiu. Para Ethan pareceu que permaneceram horas presos num abraço conciliador. Após aquela noite, Henry tentou recuperar o tempo perdido. Eram raras as vezes que deixava passar uma oportunidade de estarem juntos em algum evento ou viagem.

E foi em um desses encontros entre pai e filho, onde Henry tentava aproveitar a companhia que se privou por longos anos, que ele acabou por perder a vida e Ethan fora transformado no que hoje era.

Ainda na noite reveladora, ele odiou a mãe por ter sido promíscua, porém, relevou sua falha logo em seguida. Não lhe restava opção visto que o pai não somente a perdoou como ainda desejava passar a eternidade celestial ao seu lado. Justine sempre foi sua única exceção por anos seguidos. Se antes Ethan não demonstrava respeito pelas mulheres, depois de saber ser fruto de uma traição, as desprezou veementemente.

Sua atual exceção era Joly, que havia resistido a sua investida canalha dias após sua união com Thomas. Na ocasião pareceu boa ideia visto que ele e Thomas tinham o hábito de dividirem as mesmas mulheres. Uma bofetada veio lhe mostrar que esteve errado e por sorte, Thomas jamais tomou conhecimento do breve episódio.

Atualmente, passados mais de cem anos na companhia do casal, Ethan acreditava na veracidade de seu amor. O amigo e seu pai eram as únicas referências que tinha de homens apaixonados. Não queria ser como nenhum dos dois. Não seria.

O som de uma sirene trouxe o vampiro à realidade. Ethan olhou pelo retrovisor em tempo de ver a viatura policial parar atrás de seu carro. Estava estacionado na rua pouco movimentada sem nem ao menos notar como tinha acontecido. Quando o policial se aproximou da janela de seu carro, já a encontrou com o vidro descido.

— Documentos, por favor — o guarda pediu, secamente.

Ethan vasculhou o porta-luvas até encontrar o documento pedido. Então, pegou sua carteira e, depois de retirar sua habilitação, entregou os dois ao guarda que os analisou.

— Você estacionou em local proibido, sabia?

— Desculpe-me, não percebi. Entregue a multa que saio em seguida.

— Não tão rápido rapaz — disse ao entregar os documentos. — Está tudo certo com esses. Pena que não posso dizer o mesmo de seu carro.

— Como? — Ethan uniu as sobrancelhas.

— A lanterna traseira está quebrada.

— Não, não está!

— Você tem razão. — O homem foi até a traseira de seu carro. Em segundos, Ethan ouviu o som de vidro quebrado. O policial voltou à sua janela. — A lanterna traseira está quebrada.

— Pois é... Ela está quebrada — afirmou com seriedade.

— Eu posso fazer vistas grossas se você for legal comigo. Posso até deixar de ver outras irregularidades em seu belo carro, meu amigo.

— Assim como a câmera em sua viatura está vendo?

— Que gentileza sua em se lembrar — o policial debochou. — Não se preocupe. Ela está quebrada. Nosso *arranjo* ficará entre nós.

— Entendo... — encarando-o, o fez prisioneiro de seu olhar e prosseguiu: — E eu ficaria muito grato se o senhor fosse legal comigo. O que acha de me seguir por um tempo. Podemos ir?

O policial assentiu e voltou à viatura. Ethan ligou seu carro e partiu. Guiava sem pressa, sempre conferindo pelo retrovisor se era seguido por seu novo *amigo*. Levou-o para uma das ruas tranquilas de Greenwich Village e estacionou. O policial fez o mesmo. Olhando ao redor para se certificar que estavam realmente a sós, Ethan saiu de seu carro e foi para o interior da viatura. Certificou-se de estraçalhar a câmera mesmo estando quebrada. Era hora de o policial ser legal com o vampiro.

Ethan estacionou seu carro na garagem do NY Offices, horas depois. Saciado de sangue, leve pelos copos de uísque que tomou num dos bares da cidade, remoendo suas cismas. Seguiu para o elevador sem pressa. Sim, sabia que procurar por detalhes que o lembrassem da humana retardaria o processo de desintoxicação, mas naquele momento não se importava. Assim que as portas se fecharam, Ethan se encostou a parede do elevador e fechou os olhos. Então pôde sentir o cheiro dela, mesmo fraco.

As doses homeopáticas de Danielle conseguiram satisfazê-lo. Bastava agora seguir para seu tratamento intensivo nos braços de Laureen. A intenção, porém, foi interrompida ao notar que havia outro vampiro em meu apartamento. Espreitando todos os cantos da sala, deixou as chaves sobre o aparador e se dirigiu para as escadas. Antes que chegasse ao seu destino, o cheiro familiar confirmou a visita indesejada. Logo a irritação substituiu a cautela, quando avistou a bolsa em seu sofá.

— Droga!

Ethan voou para seu quarto a tempo de ver a intrusa soerguendo a humana deixada sobre a cama.

— Qual é seu nome, querida? Você se lembra?

— Laureen — Ethan respondeu pela moça sonolenta.

— Ethan! O que pensa que está fazendo? — Joly o fuzilou com o olhar, sem sair do lado de Laureen.

— Essa pergunta é minha. O que você pensa que está fazendo aqui, no meu quarto, importunando minha hóspede?

— Hóspede?! — ela olhou em direção a garota e em seguida para o rosto impassível do vampiro. — Olhe para ela! Está fraca, magra. Aposto que posso contar seus ossos se desejar.

— Gosto delas assim, sem excessos.

— Tudo não passa de piada para você, não é?

Ethan não retrucou. Joly possuía o dom de irritá-lo e naquele momento o fazia com maestria, interpondo-se entre ele e a humana.

— Você ainda não me respondeu. O que faz aqui?

— Vim trazer o processo do caso Moore — respondeu sem encará-lo.

— Fazendo hora extra? — zombou.

— Não seja mal-agradecido. Disse que era urgente e eu esqueci. Vim apenas ajudá-lo.

Naquele instante, Ethan deixou de ouvi-la, considerando, pela primeira vez, que todo o álcool ingerido poderia tê-lo afetado. Sentia-se tonto, irritado e disperso, porém passou a analisar a forma como a amiga acariciava os cabelos de Laureen. Por vezes a mão feminina passeava pelas escápulas pálidas da garota seminua. Joelle era realmente uma mulher muito bonita e, mesmo que seu o gesto fosse com o intuito de confortar a garota, estava despertando as mais excitantes fantasias na mente embriagada do vampiro.

— Quer dividir? — perguntou sem pensar.

Joly o encarou com olhos arregalados, que cresciam ainda mais à medida que as palavras adquiriam seu real sentido, esclarecendo a malícia da pergunta capciosa.

— Eu não o reconheço! Você está doente, Ethan McCain! — Ao se calar, ela se voltou para a garota, tentando erguê-la mais uma vez.

— O que pensa que está fazendo? — ele indagou, seriamente.

— Vou levá-la para casa — Joly avisou, olhando-o enviesado. — Dê-se por satisfeito por eu não contar para Thomas sobre essa sua proposta absurda.

— Largue-a, agora! — Ethan rosnou.

Que se danasse seu sócio. Ethan costumava fazer para se arrepender. E não se arrependia todas às vezes. Nem que ele tivesse de arrastar Joly para fora de seu apartamento, tendo de se entender com Thomas, não deixaria que levasse a humana. Em alerta, Joly retribuía o olhar enfurecido segurando Laureen pelo braço, porém não tentava levantar o corpo da cama.

— Deixe-a... Se não vai brincar, não pegue o brinquedo.

Bufando, Joly por fim deixou a cama. Passou por ele com um esbarrão malcriado e se dirigiu para a escada. Ethan a seguiu, ouvindo-a esbravejar enquanto descia:

— Sabe que não aprovo o que está fazendo com essa garota, não sabe?

— Assim como você sabe que sua opinião pouco me importa.

— Ethan, você bebeu? Somente estando bêbedo iria dizer essas coisas.

— Se sabe a resposta, por que pergunta?

Chegando à sala Joly passou a andar de um lado ao outro.

— Sabe que não deve beber. O álcool age diferente em nós.

— Gosto da sensação. — Vê-la enfurecida atiçava mais a sua luxúria. As imagens da vampira com a humana, ambas nuas em sua espaçosa cama inundavam sua mente. — Tenho vodka e uísque aqui. Quem sabe se provasse um gole você não mudasse de ideia e fosse comigo para o *playground* — sugeriu, piscando e apontado para o andar superior. — Afinal, não é da natureza das mulheres serem fiéis. Thomas não precisa saber... E eu dou conta das duas.

— Ultimamente, a cada dia que passa, eu gosto menos de você, Smith McCain!

— Em compensação eu a amo mais todos os dias — debochou. — Então? O que me diz?

— O processo que pediu está ali — Joly avisou apontando para o gabinete. Bufando, ela pegou sua bolsa e se dirigiu para a porta. — Espero que você volte à razão e não mate essa infeliz com sua perversão.

— Devo entender sua partida como um não? — Ethan troçou.

Como resposta recebeu o estrondo da porta ao ser fechada com violência. Um dos vidros das grandes janelas se partiu, provocando leve divertimento ao vampiro. Joly era bisbilhoteira e temerária, tirava-o do sério, mas ele gostava dela. Na verdade, naquele momento, sentia muito mais do que um simples *gostar*. E uma vez que não a teria, Laureen deveria bastar.

Suspirando, Ethan foi até o bar. Encheu um copo até a metade de uísque e o engoliu de um gole só, nem mesmo sentindo o sabor de seus maltes. O fogo amigo correu por meu corpo exigindo passagem pelas veias recém-irrigadas.

Olhando para o alto da escada, o vampiro não encontrou motivos para protelar mais. Em segundos estava parado à soleira da porta de sua suíte. O cheiro de Joly misturado ao da humana em sua cama o inebriava.

Entrando no cômodo espaçoso, Ethan se livrou de sua jaqueta. Admirava o dorso nu de Laureen enquanto desabotoava a camisa sem pressa alguma. Joly tinha razão, Laureen estava magra além do normal, contudo, não conseguia se importar. Ajoelhando-se no colchão, beijou a panturrilha da humana adormecida. Ela se mexeu e resmungou algo ininteligível. Ele continuou subindo seus beijos. Quando atingiu a coxa, afastou o lençol para expor o corpo nu. Ansioso apertou uma das nádegas, levando Laureen a gemer em seu sono. Ethan sorriu. Logo a faria gemer conscientemente. Continuou a excursão pelas costas macias. Chegando ao pescoço, ele afastou o cabelo e em seu ouvido, ordenou:

— Desperte, doce Laureen. É hora de me fazer esquecer...

Naquele instante, já esquecido de Joly, todos os elementos completaram seu ciclo. O álcool, o corpo quente, a insanidade e o desejo incontrolável por outra humana cumpriram seu papel. Quando a mulher em sua cama se voltou e o encarou com languidez, Ethan soube que fracassara aquela noite. Em vez do azul celeste, enxergou os olhos de fogo, âmbares como labaredas ardentes. E não se importou. Entre o céu e o inferno, preferiu ser consumido pelas chamas e se deixou arrastar pelo poder de seu amor.

Capítulo 17

Na manhã seguinte, quando Ethan chegou ao escritório depois de deixar o tribunal, Joly sequer o cumprimentou. Não a julgava. Em seu último encontro ele ultrapassou todos os limites da grosseria. E não culparia a bebida. Fora um canalha pelo simples prazer de ser intratável. Ao perceber a gravidade de sua proposta, pela primeira vez deu razão ao pai.

Ele era, sim, uma criatura egoísta. Tão maligna que ao se sentir miserável se comprazia em contaminar a todos. Cansado de lutar, Ethan reconheceu que estava dando voltas em torno de si mesmo, como um maldito cão que persegue o próprio rabo. Ignorar o que sentia se mostrava tão desgastante quanto degradante. Amava Danielle Hall, e nada que fizesse mudaria o fato.

Foi preciso se enojar do desejo que sentiu por Joly e enxergar o que fazia com Laureen para que, por fim, tomasse consciência das evidências de seu inédito amor. Ante a verdade, não conseguiu concluir sua farsa alucinada.

Apesar de sua mente embriagada lhe mostrar Danielle, diante de si estava uma mulher debilitada. O corpo não somente estava magro como também coberto por hematomas e os olhos azuis, sem brilho algum. Desconheceu-se por se importar e, em um gesto raro de compaixão, trouxe Laureen para seus braços e lhe acariciou os cabelos até que dormisse; sem dar continuidade a copula.

Enquanto a embalava, Ethan tentou identificar o momento exato em que se apaixonou por Danielle. Não obteve resposta, apenas a certeza de que não havia salvação para sua alma. Aceitando a verdade irrevogável, passou as horas seguintes bolando um plano digno e eficaz que lhe trouxesse Danielle em definitivo. Resolveu manter a viagem. Ordenaria os pensamentos e quando voltasse, iniciaria sua batalha pelo coração da humana. E ela viria livre de ilusões. Tão logo esquecesse o rábula, ela viria.

Essa certeza valia toda a luta. Que seria justa na medida de suas limitações. Para tanto precisaria de aliados. Era imperativo que trouxesse Joly e Thomas de volta, porém verbalizar seus erros e desculpar-se, sendo sincero, era extremamente difícil. Tanto que Ethan deixou que a amiga entrasse e saísse de sua sala, sem nunca lhe dirigir a palavra até que finalmente a chamasse em sua sala, no final da tarde.

Joly entrou empertigada, com o queixo erguido. Numa postura desafiadora, permaneceu de pé em frente à mesa de Ethan.

— Sente-se, por favor — ele pediu, amável.

— Estou bem de pé — disse, secamente.

— Você é quem sabe — Ethan refreou o mau humor pela falta de colaboração. Era merecido.

— Se dissesse logo o que deseja, nos pouparia um tempo precioso — Joly sugeriu.

— Tempo para nós não é problema — ele sorriu, apaziguador.

— Ao que me consta, você tem uma viagem marcada para hoje.

— É verdade.

— Bem... Diga o que deseja. Nós podemos ter todo tempo do mundo, mas a partir do momento que nos propomos a viver entre humanos e advogar suas causas, temos que trabalhar no tempo deles. Em nosso show não pode ter falhas.

— Está bem, Joly... — disse Ethan ao se recostar em sua cadeira. — Chamei-a aqui para lhe pedir perdão.

— Pelo quê, exatamente? — Ela cruzou os braços e o encarou. — Por ser um idiota completo, mentiroso, manipulador de mentes ou explorador de humanas indefesas?

— Por ser idiota completo e mentiroso. Não vou me desculpar por coisas que talvez continue a fazer. Seria hipocrisia de minha parte.

— Ethan... Eu não tenho tempo nem paciência para suas gracinhas.

— Quem está sendo engraçado? — Ethan indagou seriamente. — Estou tentando me desculpar por ontem. Fui grosseiro com você. Isso sem mencionar minha proposta indecente. Nunca tive o direito de dizer tais coisas.

— Não teve mesmo! — Joly descruzou os braços. — E não devia beber tampouco.

— Já disse que gosto do efeito, só isso... E esse não foi o problema. Eu fui, de fato, um cretino. E para provar que estou arrependido, vou deixar Laureen no prédio onde mora antes de seguir para o aeroporto — não estava mentindo.

— Agora! — exclamou, encarando-o. — Se quer meu perdão, deixe-me levá-la agora.

Ethan não tinha motivos para adiar a saída da humana.

— Você tem a chave. Vá buscá-la.

— Está falando sério? — Joly o analisou em dúvida.

— Estou... Vá buscá-la. Só que caberá a você apagar as lembranças dela.

— Não tem problema. Farei com prazer... E ainda a induzirei a nunca mais se envolver com você.

— De nada adiantaria, mas pode fazer como desejar. Não pretendo procurá-la outra vez. Na verdade, eu não precisava dizer isso, mas... Eu não pretendo procurar por nenhuma outra nos próximos dias.

— Está brincando comigo? — Joly semicerrou os olhos, evidenciando sua descrença.

— Em absoluto — garantiu ainda sério. — Não sinto necessidade de companhia.

— O que mudou em tão pouco tempo? — perguntou, incrédula.

— Perdoe-me, mas *isso* eu não sinto vontade de dividir com você.

— Talvez seja melhor... — ela disparou após alguns segundos em silêncio. — Depois das coisas que me disse, não sei se quero saber de detalhes de sua vida.

— Entendo-a perfeitamente e também peço desculpas pelo que lhe falei. Só vou lhe adiantar que nem todas as minhas palavras foram sinceras — Ethan não deixou que ela se manifestasse ao vê-la abrir a boca para retrucar. — E vamos ficar assim... Não direi mais nada.

Joly se manteve calada. Ethan apreciou sua aceitação. Ainda não queria dividir o que sentia. Ela não acreditaria e eles acabariam engrenando nova discussão. Quando voltasse de viagem a traria para seu lado. No momento, agiria indiretamente.

— Voltando aos assuntos práticos... Como estão os preparativos para nosso Halloween?

— Como já lhe disse, está tudo bem encaminhado. Será no Hilton e...

— No Plaza — Ethan a cortou.

— Como?! — Joly perguntou, confusa. — Por quê?

— Eu quero que seja no Plaza.

— Mas, Ethan... Está tudo pronto, praticamente. O salão no Hilton está reservado desde...

— Por favor, *chère amie* — valendo-se do apelido carinhoso, Ethan se ergueu e foi até a *querida amiga*. — Você é meu gênio particular, conceda-me esse pequeno desejo.

— Está bem... — ela concordou com um suspiro. — Vou ver o que consigo em tão pouco tempo.

— Em doze dias? — Ethan exclamou, animado. — Você fará maravilhas!

A amiga sorriu.

— Voltamos às boas, não voltamos?

— Sim, voltamos — acompanhou-a no sorriso, então, mudando de assunto por completo, perguntou: — Você conseguiu descobrir porque Danielle foi dispensada do jornal?

— Não — Joly respondeu em alerta. — Isso estava na lista de pedidos, mas eu risquei o item depois que você me mandou deixar a garota por conta própria.

— Pois recoloque o item na lista e descubra — pediu, reprimindo o riso ante o súbito mau humor de Joly.

— O quê? É para eu voltar a ser babá de Danielle?

— Quero apenas que descubra, está bem? — Ethan voltou para sua cadeira. — E, por favor, quando sair, chame Thomas.

— Desculpe, mas não será possível — enquanto falava, Joly se dirigia à porta. — Ele tem compromissos a tarde toda. Mesmo a contragosto ele assumiu suas obrigações, esqueceu? Acho que você só o verá depois de sua volta.

— Uma pena. Reconheço que não era hora de sair da cidade, mas eu preciso, de verdade.

— Não precisamos voltar a esse assunto. Já está tudo encaminhado... Eu distribuí todos os seus casos pendentes dessas duas semanas entre Thomas e Andrew. Se surgir algum imprevisto eu posso contatá-lo, não?

— Sim... Por menor que seja o problema.

A secretária o olhou mais uma vez, desconfiada, já com a mão na maçaneta. Ambos sabiam que se mesma pergunta tivesse sido feita no dia anterior, diria para todos se virarem sem sua ajuda. Não a culpava. Até mesmo ele se espantara com a resposta sincera.

— Tem certeza de que não quer me contar o motivo dessa mudança?

— Tenho.

Joly deu de ombros e, se preparava para sair, quando ele chamou sua atenção.

— E tenho um último pedido...

— O que é dessa vez? — ela perguntou ao se voltar.

— Quero que enderece um convite do baile para o Sr. Collins e sua namorada.

Em uma fração de segundo Joly estava sentada em uma das cadeiras à frente do vampiro, encarando-o com evidente irritação.

— O que pretende? Sei que não posso muito contra você, mas não vou deixar que use Dana sem tentar defendê-la.

— Calma! — Ethan estendeu as mãos em sinal de paz. — Não pretendo fazer mal a ela.

— Não aceito essa resposta e não vou sair daqui ou fazer qualquer coisa que me pede se não me disser exatamente o que está tramando.

O vampiro pôde sentir seu mau gênio aflorando. Odiava ser confrontado. Ainda não se sentia pronto para expressar em palavras o que com muito custo aceitou em pensamento. Joly igualmente se mostrou irredutível, encarando-o com seriedade. Por fim, o líder cedeu: ele precisava dela, não o contrário.

— Apenas escute. O que estou prestes a dizer é a mais pura verdade e não admitirei que duvide ou achincalhe.

— Estou ouvindo, McCain — Joly avisou, suavizando o olhar.

— Eu amo Danielle — Ethan admitiu de chofre, a amiga permaneceu impassível, encarando-o em silêncio. — Não vai dizer nada?

— Isso era tudo? Que você a ama há muito tempo não tenho dúvidas, o que me preocupa é o que vai fazer com isso.

— Como *não* tem dúvidas se nem eu mesmo sabia?

— Ah, por favor!... Você nunca se perguntou a razão por boicotar sua aproximação?

— Nunca fiz tal coisa! — Ethan se exasperou.

— Você sempre teve medo do que sente por ela, Ethan!... Para mim, esse fato ficou claro como água quando me envolveu na história. Você nunca se preocupou com a segurança de humano algum. Sem falar que, *se* realmente só desejasse usar a garota como me disse dias atrás, você o teria feito há muito tempo. Não faria todo esse teatro, chegando ao ponto de trazer o namorado humano para trabalhar conosco. Antes até, nunca prometeria não fazer mal a ele.

Ethan a ouvia estupefato e Joelle prosseguia, alheia às suas reações:

— Você o teria matado, beberia seu sangue até a última gota bem diante dos olhos de Dana então a tomaria para si e lhe apagaria a memória. Toda aquela conversa de jogo... De usá-la para então despachá-la em um táxi na manhã seguinte, não passava de seu medo falando. Importa-se com o que Dana possa pensar de você. E eu nunca, em todos esses anos que o conheço, o vi se preocupar com a opinião de alguém.

Ethan permaneceu mudo, as palavras de Joly calando fundo em sua alma. Queria poder protestar, dizer que estava enganada, contudo não poderia. Quantas oportunidades ele teve de possuir Danielle? E não precisaria enumerá-las, bastava se lembrar da noite no Central Park. De repente, a resposta que procurou a noite inteira o atingiu como um raio. Apaixonou-se por Danielle quando sentiu seu cheiro de fêmea pronta para o amor. Ainda alheia à expressão incrédula do vampiro, Joly acrescentou:

— O problema aqui, McCain, é o que você vai fazer com o sentimento. Gosto de verdade da garota para deixar que brinque com os sentimentos dela enquanto administra o que sente. Estranhei você estar à porta dela na terça passada e a forma que agiam quando saíram do elevador. Por isso a induzi a me dizer o que tinha acontecido. Depois das palavras dela, eu soube que você teria uma chance, mas como o bom mimado que sempre foi, estragou tudo. Não confio mais em você.

— Confie! — Ethan achou sua voz. — Antes eu estava cego. Agora reconheço que a amo. Sei disso porque nunca senti atração igual. Danielle foi a única a despertar meu interesse.

— Sei que ama a mortal, mas ela não foi a única. Desculpe lembrá-lo, mas você disse o mesmo em sua declaração póstuma a Maria. Depois de matá-la, disse ter se arrependido, pois nunca sentira atração igual. Disse que talvez ela pudesse ser a mulher de sua vida, que poderia amá-la. Lembro-me que você ficou mal por dias e dias depois que tirou a vida dela.

— Sei disso — ele retrucou, contrariado.

Não gostou da citação a Maria, pois lembrava perfeitamente o que sentiu na época de sua morte. Arrependera-se por seu engano, sim, porém tinha consciência de que agira em defesa própria. A garçonete fora uma vítima inocente de seu temor, mas nunca se deixaria ser derrotado por aquela que carregasse a marca. Qualquer fêmea que cruzasse seu caminho que a carregasse morreria, fosse ela mortal ou imortal. Contudo, poderia ficar tranquilo. Pelo pouco que viu de Danielle, não corria perigo.

— Asseguro-lhe que agora é diferente. Danielle não é Maria. O que sinto é mais intenso e verdadeiro. Não é minha intenção fazer qualquer mal a ela.

— Posso acreditar que está sendo sincero?

— Dou-lhe minha palavra de honra!

Joly analisou o rosto de Ethan por um tempo.

— Certo! Vou acreditar em você... Mas ajudarei apenas porque sei que Dana está confusa. Se ela não demonstrasse qualquer interesse eu não participaria disso. E nem adianta me lembrar o quão manipuladora eu posso ser. É por ela que farei o que me pede.

— Obrigado — ele agradeceu, sinceramente. — Então, mande o convite e providencie para que ela tenha tudo o que precisar.

— Sim... — Joly revirou os olhos. — Como se Dana fosse aceitar alguma ajuda.

Antes que Ethan pedisse um esclarecimento, Joly já tinha partido. Não se deu ao trabalho de chamá-la de volta, deixaria para conhecer detalhes sobre Danielle quando voltasse. Com um suspiro, conferindo as horas em seu relógio de pulso, Ethan percebeu que deveria começar a organizar seu escritório. Sentia que tivesse de partir sem se desculpar com Thomas. Ficaria também para seu retorno da Inglaterra e seria uma das primeiras coisas que faria, antes mesmo de iniciar nova etapa na conquista.

Capítulo 18

Dana não estava em um bosque, sabia que não corria perigo, mas a sensação de observação constante a deixava apreensiva. Então ela o viu, atraída pelo cabelo lustroso. Mesmo de costas Ethan McCain seria inconfundível. Sua presença dominava o ambiente e, como esperado, tinha todos os olhares femininos sobre si. Para desapontamento geral, ele não estava só.

Sua acompanhante era linda. Um golpe de misericórdia em carne e osso na alto-estima de toda mulher comum. Óbvio. Ethan McCain nunca se contentaria com o comum; com ela. Por essa razão, entristecida Dana se perguntou o que o advogado fazia na modesta cantina. Ele e a estonteante companheira combinariam com restaurantes sofisticados.

Analisando o casal, Dana sentiu um profundo aperto no peito e lamentou que fosse sua obrigação servi-los. Padeceu um pouco mais quando foi ignorada ao entregar o cardápio. A lembrança do beijo ainda ardia em sua boca, então como ele poderia estar com outra? Ela seria assim, tão desinteressante? Como ele poderia ter esquecido?

"Quem disse que eu esqueci, Danielle?" Ethan indagou ao encará-la de súbito.

∞

Carregar a bandeja repleta de copos, tomando o devido cuidado para não derrubá-los, exigiu de Dana certo grau de concentração, depois do sonho perturbador que tivera em sua hora de folga. Nesses momentos ela se arrependia de ter oferecido ajuda para uma de suas amigas de faculdade. Terry se formou com ela, porém não exerce a profissão. Optou por se casar com o namorado descendente de italianos, Roberto Bedin.

Juntos comandavam o restaurante da família em Little Italy, o mesmo em que Dana experimentava suas habilidades como malabarista. O serviço era puxado e um tanto delicado, mas seu arrependimento se esvaia ao ver o contentamento da amiga em tê-la por perto.

Estava no Florença há seis dias, cobrindo a licença inesperada de uma das funcionárias. Dana se habilitou ao cargo temporário na noite seguinte ao seu retorno de Albany, quando esteve no restaurante depois que Paul avisou que não poderia encontrá-la. Terry a acompanhou no jantar, e durante a conversa viu a chance de se ocupar enquanto a ajudasse, além de ganhar dinheiro extra que reforçaria suas economias.

O namorado não gostou da novidade ao ponto de iniciar uma acalorada discussão. Paul considerava que ela se rebaixara ao se oferecer para servir mesas. Nem mesmo levou em consideração quando ela afirmou que seria por no máximo 25 dias. Dana por sua vez o igualou aos pernósticos pais. Fora criada em um lar livre de preconceitos sociais e sempre acreditou que toda ocupação era digna. Por essa razão não se deixou influenciar, mantendo a palavra empenhada. O relacionamento estava estremecido desde então.

O tempo limitado dificultava os encontros e consequentemente adiava a reconciliação. Dana sentia falta da companhia de Paul. A viagem à casa dos pais ajudou a esclarecer suas dúvidas, então o queria por perto. Não se sentia mais culpada por seu deslize, apenas envergonhada por não conseguir apagá-lo da memória. Se possível, evitaria ao máximo cruzar o caminho de Ethan McCain. Tudo o que queria era a calmaria de seu relacionamento estável. Complicado era administrar seus sonhos.

— Ei, Dana — Terry a chamou.

— Um instante — pediu enquanto começava a servir. Assim que entregou todas as bebidas seguiu até a amiga.

— Tenho boas notícias — Terry disse ao se aproximar. — Não terei problemas se você não vier no dia trinta e um.

— Obrigada!

Finalmente Dana teria uma chance de estar com Paul. Joly os convidara para participar do baile anual de Halloween promovido por seu patrão para ajudar crianças carentes. Dana admirava a iniciativa. Mesmo que o anfitrião não aparecesse nas colunas sociais, o evento era esperado por boa parte da elite nova-iorquina. Nem em seus sonhos mais ingênuos, cogitou estar em uma das festas, porém, com Paul trabalhando no escritório, ela teria a oportunidade. Sentia-se apreensiva, mas acreditava que seria impossível cruzar duas vezes com Ethan durante o badalado evento.

— Não me agradeça — disse a amiga. — Você está me fazendo um favor e eu não poderia negar esse pedido. Será apenas uma noite e eu mesma ajudo caso seja preciso.

— Mesmo fazendo um favor, não me considero em posição de ter privilégios... Então... Obrigada. — Dana sorriu, agradecida. — Agora deixe que faça meu trabalho. Hoje a casa está cheia.

— Está bem — Terry também lhe sorriu.

Exaustão era tudo que Dana conseguia sentir quando chegou ao seu apartamento naquela noite. Atirou-se em seu sofá, esgotada como se sua folga não tivesse sido no dia anterior. Black veio para o colo de sua dona que passou a lhe acariciar a cabeça, fazendo com que ronronasse.

— Como passou o dia? — Dana perguntou. — Alguém me telefonou? Não? Então, pelo visto, eu terei de tomar a iniciativa.

Colocando o gato de lado, sem se importar com o adiantado da hora, Dana alcançou o telefone e ligou para o namorado. Depois de três toques, ele atendeu com a voz sonolenta.

— Me desculpe por te acordar.

— *Sem problemas, Dana. O que quer?*

Estava habituada ao apelido carinhoso, então a frieza contida em seu nome a quebrou. Receosa, disse a verdade:

— Sinto sua falta. Queria ouvir sua voz.

— *Também sinto sua falta. Há dias não nos vemos e...* — De repente ele pareceu alarmado. — *Você sabe que horas são?!*

— Duas e quinze da madrugada.

— *Você chegou agora?!*

— Sim... Hoje o movimento foi intenso e...

— *Não é seguro ficar até essa hora na rua. Quando essa loucura vai acabar?*

— Em alguns dias. — Ela suspirou cansada. — Paul... Eu não quero brigar.

— *Então diga para Terry que não pode voltar ao restaurante... Se alguma coisa de ruim acontecer a você, eu vou...*

— Nada vai acontecer. Meu carro fica no estacionamento e onde moro é tranquilo.

De repente Dana se enterneceu. Talvez a resistência de Paul tivesse sido apenas preocupação e ele não soubera se expressar na ocasião, visto que estavam ambos exaltados.

— *Não sei, anjo... Ainda acho melhor que desista.*

Dana ficou feliz pela retomada do apelido, porém não cedeu.

— Paul, por favor... Só mais alguns dias. Não vamos voltar a esse assunto. — Dana tentou mudar o tema: — Adivinhe... Vou estar livre na noite da festa. Poderemos ir ao Halloween.

— *Ah, meu anjo...* — Seu tom era pesaroso. — *Não poderei ir.*

— Por que não?

— *Estou cuidado de um dos casos de Ethan enquanto ele está fora. Joelle me passou a responsabilidade esses dias. Tenho páginas e mais páginas para analisar. Não posso me distrair com nada.*

— Que pena! Eu queria muito ir a esse baile com você.

— *Mas você pode ir com Joelle. Não precisa perder a festa por minha causa.*

— Que graça teria? — perguntou, desanimada.

— *A graça que toda festa sempre tem. Além do mais, é uma boa oportunidade de fazer bons contatos.*

— Vou pensar a respeito.

— *Faça isso* — O namorado mudou o tom. — *Anjo... Sinto mesmo sua falta.*

— Eu também. Não gosto quando brigamos.

— *Nem eu tampouco... Vou tentar não tocar mais no assunto, está bem?*

— Seria perfeito — disse Dana, sorrindo.

— *Ótimo!* — Paul exclamou, rouco, após alguns segundos em silêncio. — *Você não sabe como é importante para mim, Danielle.*

Dana nem reparou na voz angustiada, apenas ouvira o nome. Por que Paul teve de chamá-la daquele jeito? Ultimamente apenas uma pessoa a chamava pelo nome inteiro.

— Sim, eu sei — disse um tanto culpada.

— *Sabe? Isso é bom!* — de súbito animado, acusou-a. — *Você me acordou!*

— Acordei — ela concordou, confusa. — Quer que eu desligue para que volte a dormir?

— *Não. Na verdade estou completamente desperto agora.*

— Entendo! — De fato entendia e na tentativa de afastar pensamentos inquietantes, ela indagou de modo sugestivo. — O que posso fazer por você?

— *Pode me dizer o que está usando.*

Dana olhou instintivamente para o próprio corpo, largado no sofá. Vestia uma calça jeans surrada, uma camiseta rosa de malha sob o casaco bege que nem ao menos se deu ao trabalho de tirar quando entrou. Sorrindo disse:

— Estou deitada em minha cama, usando aquele conjunto preto que você adora.

— *Eu sabia! Eu consigo ver seus peitos através da renda?*

— Consegue. Na verdade, você os está mordendo sobre a renda — Dana gemeu baixo como se realmente tivesse recebido o carinho. Ela ouviu, satisfeita, um gemido do outro lado da linha.

— *Eu estou abrindo o fecho do sutiã. Quero vê-la antes de brincar com eles.*

A intenção de Dana era somente contentar ao namorado, contudo, sem que pudesse evitar a imagem se formou em sua mente, sobressaltando-a. Definitivamente não era Paul que estava lá, beliscando seus mamilos. A culpa atingiu seu ápice, ela tentou expulsar o rosto intruso, ignorar os dedos frios, mas não foi capaz, excitada como estava. A voz rouca de Paul a confundia mais.

— *Eu os pego em minhas mãos. Aperto-os com força até os bicos ficarem duros em meus dedos. Então os cubro com a boca e os chupo com vontade.*

Quando Ethan fez exatamente o que fora descrito, Dana sentiu seu centro pulsar. Rendida aos toques imaginários ela expulsou Black do sofá e, depois de retirar o casaco rapidamente, acomodou-se melhor.

— O que mais? — incentivou-o. A voz rouca e lasciva prosseguiu:

— *Desço minha mão por seu corpo e a coloco dentro de sua calcinha...*

— Sim... — Dana gemeu. Para ela, estavam em um elevador. — Como seria se estivesse dentro de mim?

— *Sublime! Eu estou em você, meu amor, indo cada vez mais fundo.*

Sim, ele estava, prensando-a contra a cabine, arremetendo o quadril com força. Ansiosa pela satisfação Dana se tocou até que atingisse seu clímax.

— Ah... — gemeu enquanto estremecia tendo um par de olhos verdes encarando-a com intensidade.

— Oh, meu anjo...

De imediato o encanto se desfez. O que foi fazer? Estava com Paul, não com Ethan. Jamais com Ethan!

Mortificada, com a imagem dos dois advogados se revezando em sua mente, Dana ainda trocou mais algumas palavras com o namorado antes de desligar e correr para o banheiro. Precisava de um banho frio.

Minutos depois, já em sua cama, Dana tentou decidir o que faria quanto ao Halloween. A festa perdera um pouco do brilho ao saber que o namorado não iria. Não desejava estar sozinha quando se encontrasse com o dono de suas fantasias. Talvez o melhor a fazer fosse devolver o lindo convite preto junto a um pedido de desculpas. E torcer para que Joly não se decepcionasse.

A amizade entre as duas se firmou nos últimos dias. A francesa estava animada por tê-la na festa. Dana especulou se teria coragem de novamente ir contra a vontade da nova amiga que, assim como Paul, não considerou boa ideia que ela fosse trabalhar com Terry. Pela vontade de Joly, estaria na McCain & Associated, exercendo as funções de secretária enquanto não surgisse uma nova chance em algum jornal. Dana consideraria boa ideia, caso fosse capaz de esquecer um detalhe: Ethan McCain.

Dana sorriu sem humor. Por mais que tentasse se desligar do advogado, mais seus caminhos se aproximavam. Era como se estivesse presa em um de seus sonhos, onde andava e andava e não chegava a lugar algum. Aliás, não apenas nas últimas noites, mas também em seus cochilos, sonhar com Ethan se tornou corriqueiro. Para o bem de seus pecados, invariavelmente acordava afogueada. Não era de admirar que o idealizasse estando acordada.

Em uma dessas noites, quando despertou depois de sonhar com Ethan a ordenar que abrisse a porta envidraçada e o convidasse a entrar, teve a impressão de que alguém esteve na sua sacada, de verdade. Não tivera coragem de conferir e na manhã seguinte providenciou uma cortina. Recordava daquele sonho em particular, pois ele a amedrontou. Os olhos verdes que a aqueciam, estiveram injetados e raivosos.

Na ocasião, Dana acreditou estar sob influência das notícias recentes. Dias antes, outra moça que morava sozinha foi encontrada morta. Ela não atentou ao nome, mas lembrava da ênfase que deram ao estado no qual fora encontrada. Em seu corpo debilitado havia evidências de abuso sexual, muitos hematomas e mordidas; no pescoço, nos pulsos.

Coincidentemente, no dia posterior a essa morte, Joly se tornou super protetora, indo todas as manhãs em seu apartamento para saber se estava bem ou se precisava de algo. Antes de ir embora, recomendava que ela não abrisse a porta a estranhos e que, caso fosse preciso, bastaria chamá-la que ela viria ajudá-la, de imediato. Dana se divertia com o oferecimento, visto que Joly não era fisicamente mais forte do que ela própria. E se mostrava tão delicada às vezes, que seria muito mais fácil para Dana socorrê-la do que o contrário.

Lembrando-se da atenção da amiga, Dana sentiu o coração apertado com a iminência de sua recusa em ir ao baile, porém o faria. Estava resolvida, não iria sem Paul. Talvez, se ficasse em casa, ele pudesse aparecer tarde da noite depois que revisasse os processos. Ela não precisava dizer para Terry sobre a mudança de planos, assim poderia preparar algo especial para o namorado em seu apartamento ou no dele. Com o arranjo, decidiu que seria exatamente o que faria.

∞

— Como assim, não vai? — Joly perguntou, incrédula, na manhã seguinte.

Fora tão fácil planejar, Dana pensou, encarando os grandes olhos escuros da amiga. Paul logo cedo rejeitara seu convite para jantar, reafirmando estar muito ocupado. Explicou que a audiência seria na segunda-feira e que precisaria estar concentrado, pois não pretendia falhar com Ethan. Ficou combinado que se encontrariam no apartamento dela, na noite seguinte ao baile para uma noitada simples de filme e pipoca. No mais, bastou esperar pela habitual visita relâmpago da amiga que agora deixava claro que não aceitaria sua recusa.

— Estou esperando, Dana — insistiu. — Por que não vai?

— Não sei... Paul terá de trabalhar, então eu pensei...

— Em não ir?! — Joly a cortou. — Está maluca! Ou ele não quer que você vá?

— Não é isso... Na verdade, Paul insiste para que eu participe da festa.

— Eu concordo com ele. Você vai comigo e pronto. Vai ser divertido. Depois voltamos juntas.

Dana deliberou por um minuto, considerando manter sua decisão, porém terminou por sorrir ante a determinação da amiga.

— Está bem... Vou com você.

— Isso! — a francesa exultou. — Já pensou em qual roupa usará?

— Estava com uma ideia... — Dana começou, ainda pensando.

— Você vai como as criaturas que tanto gosta? Como uma vampira? — perguntou Joly, fazendo uma careta ao vê-la hesitar.

— Não dessa vez — assegurou. — Eu estava pensando em ir de Christine Daaé.

Joly a olhou com admiração.

— Hummm... A donzela do fantasma?... Perfeito! Você ficará linda.

Dana sorriu timidamente ao elogio antecipado, pensando que mulher alguma ficaria linda perto da francesa. A amiga poderia ir de monstro do lago Ness que ainda seria a sensação da festa.

— Precisamos apenas encontrar o vestido perfeito — Joly comentou, pensativa.

— Isso não será problema — Dana afirmou, acomodando-se melhor sobre seu sofá. — Conheço a figurinista de uma companhia de teatro amador. Ela sempre me socorre nessas ocasiões.

— Maravilhoso!

Dana teria que providenciar o vestido em regime de urgência, uma vez que a festa seria dali a quatro dias. Joly não só a fez entrar em contato com a figurinista, como se deu a manhã de folga. Após um telefonema para Kim Wes, confirmando a disponibilidade de emprestar um traje, as duas partiram. Seguiram no Austin Martin conversível de Joly, com a capota arriada, aproveitando a manhã ensolarada. A conversa fluía fácil entre elas, a francesa parecia particularmente animada. Em menos de vinte minutos a amiga estacionava o veículo vermelho diante do endereço indicado por Dana.

— Obrigada por nos receber tão cedo — Dana se desculpou a guisa de cumprimento. — Kim, essa é Joelle Miller, uma amiga. Joelle, esta é Kim Wes.

— Prazer — disseram as duas em uníssono antes que Kim se dirigisse a Dana: — Não é tão cedo assim... Entrem.

As três seguiram em silêncio pelo corredor principal até uma das salas nos fundos da casa de dois andares. A figurinista tinha se adiantado e deixado dois vestidos dispostos no camarim.

— E então? — Kim indagou, indicando as peças.

— Eu gostei — Dana anunciou, adiantando-se para tocar o tecido.

— Não sei... — Joly os olhava, criticamente. — Não há outros?... Sem querer abusar.

— Não é abuso algum. — A figurinista sorriu para a francesa. — Vamos deixar Dana experimentando esses. Venha me ajude a dar uma olhada nas outras araras.

— Sim, vamos... — Joly seguiu Kim, animada.

Dana sorriu indulgente e fez sua parte no combinado. Experimentou primeiro o vestido que mais gostou entre os dois. Feliz com o resultado, ela sorriu para sua imagem no espelho e, segurando a saia do longo vestido, moveu-se lateralmente, imitando passos de dança. Talvez fosse precipitado, mas não desejou outro vestido. O traje creme, com detalhes em renda no busto, assentou-se bem em seu corpo. Com os cabelos presos de acordo e a maquiagem adequada, seria a pupila do fantasma.

Ainda se movia distraída na frente do espelho, quando Joly bateu à porta.

— Posso entrar para ver como ficou?

— Pode...

Dana sorriu ao ver a porta ser aberta antes que terminasse sua resposta. Joly parecia mais ansiosa do que ela própria. Kim entrou em seguida, trazendo outro vestido. A figurinista foi se sentar numa das cadeiras, olhando-a com admiração enquanto que a amiga francesa se posicionou atrás de Dana e a mirou através do espelho.

— Linda! — exclamou Kim.

— Não dei nada por esse vestido, mas ficou perfeito! — Joly admitiu.

— Por mim, você nem precisa experimentar os outros. Este ficou muito bem em você... Basta prender seu cabelo assim e...

Joly se calou abruptamente. Segurava os cabelos de Dana como se estivesse prestes a fazer um rabo-de-cavalo, porém não se movia. Olhava com atenção para um ponto na nuca descoberta.

— Joly?... O que houve?
— Nada — ela respondeu, saindo do breve transe. — Esqueça o que eu disse. Vamos deixar seu cabelo solto. Podemos prendê-lo somente aqui... — disse ao segurar duas mechas generosas atrás da cabeça. — Depois colocamos alguns enfeites e estará pronta.
— Também gostei desse vestido. E acho que você tem razão... Prefiro meu cabelo solto.
— Joelle — chamou Kim, aproximando-se. — Me deixe ver se o vestido precisa de algum reparo.
— Pois não... — Joly se afastou, pensativa.
— Vai mesmo ficar com esse? — a figurinista perguntou para Dana.
— Sim, gostei dele.
— Muito bem.

Sem mais palavras, Kim passou a procurar por alguma imperfeição nas peças. Depois de decidir apenas reforçar os colchetes, pediu que o tirasse. Dana a atendeu, despindo o corpete e a saia que compunham o vestido, sempre com os olhos postos em Joly que, por encanto, perdera o entusiasmo, mantendo-se distante.

Vestida somente em suas roupas íntimas, entregou as duas peças para Kim. Logo estendeu o braço para pegar suas roupas depositadas no espaldar da cadeira ao lado da ocupada pela distraída Joly. Acabava de vestir a camiseta quando a amiga a olhou e de um salto se levantou, apontando a lateral de seu quadril.

— Dana, o que é isso?
— É minha marca de nascença — ela respondeu ao alcançar a calça *jeans*.
— Está me dizendo que nasceu com *isso*?! — Joly inquiriu incrédula.
— Nasci — Dana confirmou, estranhando a reação. Com as sobrancelhas unidas, afastou um pouco a lateral da calcinha para exibir o desenho inteiro antes de acrescentar: — Ainda bem que é escondida. Não sei como seria se estivesse em algum lugar aparente.
— Como seria... — Joly murmurou, voltando a sentar sem desviar os olhos do desenho.
— Eu a herdei de minha tia. Segundo minha mãe, a irmã tinha uma nas costas.
— Tinha?
— Minha tia é falecida — Dana explicou, sem pesar.
— Lamento.

— Ah, sem problemas! Não a conheci. Ela morreu nove meses antes do meu nascimento. Minha mãe acredita que eu seja uma espécie de reencarnação ou algo do tipo — acrescentou, descrente.

— Algumas pessoas acreditam nessas coisas — retrucou Joly, intimista. — Como sua tia morreu?

— Na verdade nunca chegaram a uma conclusão. Segundo as pessoas que a viram pela última vez, ela estava bem. Mas foi encontrada morta, sentada nos fundos do bar onde trabalhava como garçonete. Quando eu tinha idade suficiente para entender, minha mãe me contou que não encontraram qualquer ferimento em seu corpo, o que não justificava que o corpo dela estivesse sem sangue.

As duas mulheres ouviam em silêncio. Joly, impassível. Kim com sua costura manual interrompida.

— Vocês vão achar bobagem de minha parte — Dana prosseguiu —, mas acho que devido a essa história, a fascinação que eu tinha por histórias de vampiros desde criança, piorou. Sei que eles não existem, mas se fosse o caso, essa seria uma explicação lógica para o que aconteceu com minha tia Maria.

Dana percebeu quando Joly prendeu a respiração. Então olhou para o rosto da amiga a tempo de ver a tristeza se apoderar de seu olhar.

— Não fique assim, Joly. Isso aconteceu há muito tempo. Nem conheci minha tia — tranquilizou-a enquanto vestia sua calça. — Não precisa ficar impressionada.

— Está bem — concordou, estranhamente, embargada. — Dana, eu estive pensando... Acho que você tem razão. Já que Paul não pode te fazer companhia, talvez fosse melhor não ir ao baile.

— O quê?! — Dana a encarou, admirada. — Por que isso agora?

— Não sei... Eu vou ter de ajudar a receber os convidados. Não vou parar a noite toda. Você ficará sozinha. Acho que não será divertido como pensei que fosse.

— Ah, moça... — Kim entrou na conversa. — Dana nunca se importou com essas coisas. Ela é capaz de se divertir apenas admirando a festa. Além do mais, quando se tem a oportunidade de ir a uma recepção no Plaza?

— Isso mesmo — Dana franziu a testa. — Há um minuto estava toda animada, agora não quer que eu vá... Você está incoerente, Joly.

— Por favor, Dana, não vá! — a amiga suplicou. — Sei que fiz parecer ser um evento imperdível, mas...

— Me desculpe. Se fosse antes eu até te atenderia, mas agora que vim até aqui e arrumei o que vestir, eu não vejo motivos para ficar em casa.

A súbita preocupação era incompreensível. Não teria mal algum em ficar sozinha por breves instante, afinal, Joly não se ocuparia o tempo todo. Ainda poderiam aproveitar a festa como determinado. Foi desse argumento que Dana se valeu durante a volta para seu apartamento. A amiga dirigia muda, e quando se dignava a falar, valia-se de monossílabos. Fato raro visto que a secretária legal invariavelmente dominava todas as conversas.

Ao chegarem diante do prédio em East Village, Joly ainda tentou convencer Dana do contrário, porém esta se manteve firme na decisão. A amiga aceitou sua posição, contrariada. Alegando ter se lembrado de algo importante, reforçou as recomendações usuais para que não falasse com estranhos e partiu.

Dana permaneceu na calçada, vendo o carro vermelho ganhar distância. Sem chegar a qualquer conclusão quanto à mudança de humor, deu de ombros e entrou. Tinha suas próprias reações para administrar. Um misto inédito de medo e ansiedade que ela tentava ignorar, sem sucesso.

Talvez, quis crer, que seu receio em ver Ethan se mostrasse infundado e ao se encontrar com o namorado na segunda-feira, nem mesmo se lembrasse do famoso advogado. Se assim fosse, tudo voltaria ao normal.

Capítulo 19

Confortavelmente acomodado na cadeira de seu escritório na McCain & Associated, Ethan analisava alguns relatórios, inteirando-se nos acontecimentos ocorridos em sua ausência. Um copo repousava vazio sobre a mesa, instigando o vampiro a enchê-lo já que a dose única de uísque não cumprira a tarefa de acalmá-lo. Tanto quanto a leitura não a cumpria.

Cogitava atender sua vontade, quando Joly irrompeu porta adentro, sem se anunciar. A secretária tinha no rosto uma expressão acusadora.

— Ethan! Por que não me avisou que voltaria hoje?

— Somente retribui um pouco de seu próprio veneno — informou com seriedade, deixando os papéis sobre a mesa. — Resolvi adiantar minha volta, quando ficou claro que você e Thomas me escondiam algo importante.

— Muito maduro — Joly debochou. — Se não me engano você disse que precisava de um tempo fora. Apenas proporcionamos o que queria. — Sem se abalar pela expressão taciturna de seu líder, sentou diante dele. — Como foi em Londres?

— Interessante — respondeu, lacônico.

Ethan verdadeiramente apreciou os momentos que passou em sua terra natal. Mesmo que Henry o tenha *exilado* na Inglaterra durante suas férias, ainda gostava do lugar. Com o intuito de distrair-se, assistiu a comédia de costumes "The Rivals", em cartaz no *Royal Haymarket*. Num dos intervalos conheceu uma de sua espécie, Annie era um encanto, muito agradável, porém não lhe despertou qualquer interesse além o de manter uma conversa livre de reservas.

Lamentava por ter sido um tanto grosseiro ao recusar as investidas da imortal, mas sabia que não agiria de outra forma. Depois daquela noite, Ethan pouco deixou as dependências da mansão, saindo apenas para visitar o centro de antropologia que criou em homenagem ao pai e as outras propriedades que possuía; na cidade e arredores. Em todo esse tempo, ocupado ou não, ele cismava com as conversas mantidas com o casal amigo. Thomas parecia impassível, ao passo que Joly sempre denunciava certo nervosismo.

Foi pela amiga que soube da nova ocupação de Danielle, que agora servia mesas em um restaurante em *Little Italy*. A novidade não o agradou. Conhecia o potencial da jornalista e temia que o temporário se tornasse permanente. Além do mais, queria-a longe dos perigos noturnos. Thomas se absteve de opinar, restando a Joly tranquilizá-lo, assegurando que a vigiava até que estivesse em segurança.

Disse ainda que Thomas a ajudava, ficando no apartamento que alugou e nunca devolveu. Ambos estavam atentos para que nada de mal acontecesse. A esse comentário o vampiro passou a desconfiar que Joly estivesse lhe escondendo algo. Que o marido lhe fazia companhia não era novo, extraordinário era a participação ativa na vigilância. Para agravar sua má impressão, sonhou com Danielle morta, sentada à porta em que deixou Maria.

Ethan evitava recordar as sensações de perda e abandono. O sonho, aliado à falta que sentia da humana, assim como as evasivas de seus aliados, fizeram com que ele adiantasse sua volta. Não se encontrara com Thomas, mas ali, diante de uma Joly notoriamente incrédula, Ethan via que agira da forma correta.

— Foi interessante — repetiu placidamente —, mas não tenho muito a falar sobre Londres. Prefiro que você desembuche de uma vez e me conte tudo que vem escondendo aqui.

— Agora que está de volta, eu tenho mesmo que contar — a secretária aquiesceu após um longo suspiro. — Se eu não fizer, outro o fará. Já foi bem difícil convencer Andrew e Thomas a não lhe telefonarem.

— O que aconteceu de tão grave? — Ethan começava a se irritar. — Conte-me!

— Laureen está morta — ela disse por fim.

Ethan levou um segundo para processar a informação. Encontrava-se em tal estado de ansiedade que entendeu o nome errado. O alívio sentido cedeu lugar à preocupação.

— Como assim? Eu a feri a esse ponto?

— Não, Ethan — Joly o tranquilizou. — Eu a levei para casa... Laureen estava fraca, mas não tanto.

— Mas, então... — ele pareceu confuso.

— Ela foi atacada! Provavelmente pelo mesmo vampiro do parque.

— E você escondeu isso de mim?! — Ethan estava no limite de seu controle.

— De nada adiantaria que voltasse. O mal já estava feito.

— O caso parou nos jornais? — Ethan inquiriu, considerando o argumento.

— Sim, a morte foi noticiada... E relacionada às do parque já que o corpo apresentava as mesmas características. Com o agravante de que ela fora abusada sexualmente.

— Não podem ter sido fatos isolados — o vampiro comentou após um minuto em silêncio. — Agora não restam dúvidas. É pessoal.

— Acredito que, sim... — Joly retrucou, desviando o olhar. O movimento não passou despercebido ao vampiro.

— O que mais tem a me dizer?

A amiga mordeu o lábio, pensou por um instante, então despejou de uma vez:

— Não tenho certeza, mas acredito que esse vampiro esteve em nosso prédio.

— Onde mora? O que ele... — Ethan se calou ao entender as palavras receosas e levantou rapidamente, arrastando a cadeira com violência. — No prédio de Danielle?!

A amiga assentiu, levando Ethan a finalmente explodir:

— Está mentindo! Tem absoluta certeza de que ele foi até lá. Como pôde esconder isso de mim?!... De mim?!... Está maluca? Eu devia ter voltado o quanto antes.

— Tenha calma, Ethan. Nada aconteceu... Isso foi há alguns dias. Thomas está comigo desde então. Seja quem for não voltou a pisar na sacada de Danielle.

— O desgraçado chegou assim tão perto? — Ethan esbravejou.

— Sim! Quando senti o cheiro e fui verificar não tinha ninguém nos arredores. Não fui além porque fiquei com medo de sair e deixar Dana sozinha. Desculpe-me.

— Desculpá-la, Joelle? Minha vontade é de... É de chacoalhar você para ver se sua cabeça funciona — Ethan foi para o meio da sala onde passou a andar de um lado ao outro, transtornado. Tentando se controlar perguntou: — Reconheceu o cheiro?

— Não! Não é ninguém conhecido. E ele não voltou.

— Mesmo assim. Como vou ter paz sabendo que Danielle corre perigo?

— Eu já disse que Thomas e eu estamos vigiando. Nenhum imortal sequer passou a um quilometro dela depois daquela noite.

— Muito bem! Mas ainda resta saber por que esse intruso quer me afrontar? Como sabe que Danielle é importante, chegando ao ponto de ir ao seu apartamento?

— Eu não tinha pensado nisso.
— Por acaso você não comentou com...
Ela nem ao menos o deixou terminar, cortando-o, ofendida:
— Não, Ethan. Fora Thomas, ninguém sabe de seu amor pela humana.
Enquanto Joly replicava, indignada, Ethan sentiu o cheiro familiar. Tentou sinalizar para que a secretária se calasse, porém, em sua fúria particular, ela não notou o gesto. Com a amiga ainda a falar, ele se aproximou da porta furtivamente e a abriu de chofre. Joly acompanhou seu movimento, confusa.
— Nem adianta tentar sair agora — Ethan ciciou para alguém fora da sala. — O que é isso? Agora ouve conversas através da porta?
Samantha o encarou de queixo erguido, ofendida.
— Sinceramente não me interessa os seus assuntos particulares. Vim apenas conversar com Joly. Como vi que ela estava ocupada, já estava de saída.
A ruiva se encontrava parada à entrada da sala de espera. Ethan sabia que àquela distância ela ouvira perfeitamente o que foi dito em sua sala e a detestou mais.
— É bom que não se interesse e melhor ainda que guarde o que ouviu para si.
Nesse momento Joly se juntou a ele na porta. Samantha não se deixou intimidar.
— E a quem eu contaria? Ah... Espere... — Ela se interrompeu, pensou por um instante antes de prosseguir: — Algo se encaixa... Talvez eu deva checar se essa humana é a mesma que namora um de seus funcionários. Paul Collins, não é esse o nome? Andrew já me falou dele. Os dois conversam às vezes e...
— Cale a boca! — Ethan teve ganas de matá-la. Em um milésimo de segundo Joly estava ao lado de Samantha, tentando fazer com que saísse.
— Não preciso de ajuda — a ruiva se desvencilhou de Joly e voltou a dizer a Ethan: — Não ouvi porque quis. Foi uma infeliz coincidência e não se preocupe... Não vou contar nada, afinal não é da minha conta.
Sem mais, virou-lhes as costas e partiu altivamente. Antes que Samantha saísse de suas vistas, Joly voltou para junto de Ethan e o empurrou gentilmente para o interior da sala, como se temesse algum tipo de perseguição.
— Eu acredito nela. Samantha pode ser estranha, mas nunca foi indiscreta.
— Desculpe-me por não compartilhar de seu julgamento. Nunca gostei dela e saber que ouviu o que dissemos...
— Ela não dirá nada. Além do mais...

— O quê? — ele indagou rispidamente, ainda irritado pela intromissão.
— Às vezes eu me pergunto... — Joly pareceu não saber como dizer. — Se esse seu *amor* não seria somente capricho.
— Perdão? — Ethan quis acreditar que não tivesse entendido.
— Eu posso estar certa. Veja bem, você nunca amou ninguém para saber... E se for somente um capricho? Talvez você devesse desistir e deixar que Dana siga sua vida em paz.
— Não haverá paz para Danielle enquanto eu não estiver em paz! — Ethan retrucou sombriamente.
— Mas, Ethan...
— Já chega, Joelle! — ele a cortou. — Não entendo aonde quer chegar com essa conversa, mas lhe adianto que é inútil.
— Apenas temo pela segurança da garota. Talvez, se esse intruso soubesse que você não deseja nada com ela, nunca mais a procurasse e...
— O que está me escondendo? — cortou-a mais uma vez. Ethan conhecia sua habilidade com as palavras. — O que mais aconteceu?
— Nada! — Joly afirmou, veemente. — Realmente temo pela garota, mas se você está convicto do que sente e me garante que Danielle sempre estará segura, sendo você o responsável ou não pelas coisas ruins que possam lhe acontecer... Eu não volto a esse assunto.
Joly tentou dar voltas, contudo Ethan finalmente entendeu suas reais intenções.
— Por que exatamente *eu* faria mal a Danielle?
— Eu não disse que faria.
— Joelle, Joelle... Eu a conheço tão bem — Ethan a mirava desconfiado como se tentasse adivinhar seus pensamentos.
— Está bem — ela disse, por fim. — Eu temo que você possa feri-la. Sem intenção é claro, mas eu temo. Apenas me dê sua palavra.
— Não preciso empenhar minha palavra quanto a isso — Ethan sibilou, ofendido. — Não vou machucá-la.
— Se é o que diz... Vou confiar em você — foi o que disse, mas ela não parecia convencida.
— Não perca tempo com bobagens — ele pediu, contornando à sua mesa de trabalho para novamente sentar. — Pelo que vejo... Agora, mais do que nunca, preciso trazer Danielle para meu lado. Como está o relacionamento dela com o... Paul? Você passou um de meus casos para ele como lhe pedi?
— Passei... Eles mal têm se visto. E como Paul tem de estar no tribunal na segunda-feira pela manhã, não vai ao Halloween.

— Perfeito! — Ethan sorriu satisfeito. — Depois dessa festa, espero que tudo mude entre mim e sua protegida.

∞

Ethan não experimentava a sensação de expectativa desde que não pôde ter Maria quando determinou, contudo a nova situação há muito tempo deixou de ser comparável. Com Danielle, para agravar a ansiedade havia o inédito amor. Sentimento que reavivava outros, como a esperança e a estranha falta do que ainda não possuía.

Nada bom, o vampiro sentenciou enquanto seguia o carro da humana que voltava para seu apartamento depois de mais uma noite na cantina onde agora trabalhava.

Guiando o BMW com uma mão apenas, Ethan mantinha o braço livre apoiado na janela aberta e remexia nervosamente em seu cabelo, sem que notasse. Com os olhos fitos no Accord, a um carro à frente do seu, ele aproveitava o percurso para doutrinar a si mesmo. Quando Danielle estacionasse, ele não deveria se aproximar para segui-la de perto como pateticamente o fizera quando ela saiu para a calçada do Florença, quando a acompanhou como uma sombra que entrasse em seu carro.

Esteve próximo, confirmou que ela estava bem como Joly havia dito, sentiu o cheiro... Enfim, saciou a falta sentida, portanto não havia razão para repetir a ação. De fato não havia, contudo, após deixar o BMW na rua lateral à 8th Street, Ethan ignorou todos os seus conselhos e correu até a entrada do prédio de Daniele.

Chegou a tempo de vê-la deixar o carro e lamentou que não pudesse abrir a porta para ela ou ajudá-la a descer, segurando-lhe a mão como o bom cavalheiro que ela merecia que fosse.

E lá estava a esperança, falta, alimentando o amor, fazendo com que ele contrariasse o que determinou e a seguisse de perto, aproveitando aquela breve aproximação para satisfazer-se com o agradável odor que ela exalava.

Depois de esgueirar-se para o interior do prédio logo atrás dela, Ethan a acompanhou escada acima. Sua perseguição teve fim quando Danielle abriu a porta, apressada e nervosamente, para entrar e se trancar onde ele *ainda* não tinha acesso.

Em segundos o vampiro estava na sacada. Para sua surpresa uma cortina tinha sido colocada na porta envidraçada. Por um instante ele se irritou com a nova barreira, contudo o sentimento se extinguiu ao entender que a limitação valeria também para o intruso, caso ele se atrevesse a voltar.

Com seu retorno à cidade, Ethan duvidava que acontecesse, mas não pecaria pelo excesso de confiança. Não naquele sentido, pois no que dependesse dele, sabia ser capaz de eliminar quem se atrevesse a ameaçar Danielle.

Quando a luz do quarto foi acessa e Ethan pôde vê-la por uma generosa fresta, ele reiterou o pensamento. Aniquilaria o intruso sem uma pergunta sequer se ele ousasse pousar os olhos na jovem que inocentemente se movia pelo quarto, alheia ao quanto se expunha ao retirar o casaco e a camiseta.

Apenas ele, Ethan, poderia participar da intimidade de sua futura companheira.

Com seu velho coração expandido o peito e o corpo vibrando em expectativa, ele escrutinou o ventre plano, o colo de seios perfeitos ainda cobertos pela peça íntima. Chamando por seu gato, ela se virou de costas, retirou a calça e o sutiã. Caso se livrasse da calcinha branca, Ethan saciaria sua vontade de vê-la nua, mas Danielle não o fez.

Na verdade, ele se contentaria com a seminudez caso ela se voltasse, porém ela não se virou tampouco. Ethan não lamentou o fato por apreciar a visão do cabelo de doce graciosamente caído às costas nuas, por se excitar ao imaginar suas mãos na cintura acentuada, nas nádegas arredondadas.

Cedo demais Danielle procurou por uma grande camiseta azul, indicando a Ethan que teria sua apreciação interrompida. Ela terminava de cobrir o corpo, quando o telefone tocou.

Depois de olhar com apreensão na direção da sacada, Danielle se acomodou na cama e atendeu ao chamado. Ao ver o sorriso imediato que suavizou a expressão, Ethan soube que odiaria o que ouviria.

— Oi, Paul! — ela cumprimentou com entusiasmo. — Sabe que não me acordou... Acabo de chegar.

Durante a pausa o sorriso minguou, mitigando o ciúme, despertando a curiosidade do vampiro.

— Não é tão tarde... E você tinha prometido. Não vamos brigar, por favor.

Foi a vez de Ethan sorrir, tendo seu espírito apaziguado. Pelo visto ele não seria obrigado a ouvir declarações melosas. Ao que parecia a harmonia do casal estava abalada. Danielle voltou a sorrir, porém sem o mesmo entusiasmo.

— Sim. Decidi ir ao baile... Não há a mínima possibilidade de você ir?

— Não, não há — Ethan antecipou a única resposta, pois cuidou para que o rábula não estivesse livre. Durante o Halloween ele teria Danielle inteiramente para si.

— Realmente uma pena.

O comentário dela veio confirmar as palavras do vampiro, contentando-o.

— Sim, irei com Joly. Como disse, será uma boa oportunidade de fazer bons contatos... Já escolhemos minha fantasia.

Ethan não se fantasiava em todas as festas beneficentes que patrocinava, mas aquela seria uma das vezes que o faria. Bastaria Joly lhe contar qual fantasia fora escolhida. Fosse qual fosse ele faria o par de Danielle. Feliz com sua decisão, ele manteve a atenção na conversa.

O contentamento sofreu forte abalo quando a ouviu dizer em um murmúrio:

— Sim, eu estou na minha cama...

Qual a relevância da informação? Ethan se questionou. Teve sua resposta ao vê-la esfregar uma perna a outra, sorrir e morder o lábio inferior em atitude altamente lasciva, em sua opinião.

Para agravar a situação, Danielle fechou os olhos e, após uma pausa, disse:

— Estou usando apenas uma calcinha branca.

A mentira não ajudou a arrefecer a súbita fúria do vampiro. Não podia sentir o cheiro de cio, mas via que ela se excitava pelo despontar dos bicos de seus seios sob a camiseta e a vermelhidão em seu rosto e pescoço. Para a condenação do observador, ela correu a mão livre pelo ventre, indicando que se tocaria intimamente.

— Eu te sinto aqui... — ela afirmou entre um lânguido gemido.

Rosnar foi inevitável antes que Ethan avançasse um passo, colocando-se inteiramente entre a fresta da cortina, repudiando fortemente o fato de não poder entrar. Incontinente Danielle se calou e olhou para a porta envidraçada.

Mesmo ciente de que não era visto, com os lábios unidos rigidamente enquanto respirava pelo nariz como um animal bravio, Ethan sustentou o olhar humano. Não a procurou logo na primeira noite após retornar de Londres para vê-la tocar-se ao trocar obscenidades pelo telefone. Sendo revisitado pelo ciúme, ele esperou pelo desenrolar da cena perturbadora que apenas por antever já o fazia padecer de raiva e desvirtuado desejo.

De súbito o sorriso de Danielle se foi. Depois que ela se sentou lívida e composta, ainda a olhar em sua direção, ouviu-a dizer:

— Paul, é melhor não brincarmos essa noite... Eu... eu estou cansada e...

— E o quê? — Ethan indagou num sussurro, como se participasse da conversa. Ela teria mudado de ideia por sentir sua presença?

— Anjo? — Paul a chamou. — Qual o problema? Juro que se eu pudesse, iria até aí.

— Não! — Dana se alarmou.

Estar diante do namorado quando esteve prestes a embarca em sua fantasia já a lutar contra um rosto sempre presente em seu pensamento, reduziria sua consciência a quase nada.

— Então me diz o que está acontecendo — pediu Paul.

— Estou mesmo cansada — usou a verdade como desculpa.

Como explicaria que desde cedo, quando deixou a cantina e ao entrar em seu prédio sentia como se estivesse sendo acompanhada? Como diria ao namorado que ao se trocar virou as costas para a porta por ter a nítida impressão de que havia alguém em sua sacada, olhando-a fixamente? E o pior... Como contaria a Paul — se nem ela mesma acreditava — que parecia ter visto uma fraca névoa embaçar o vidro, como se respirassem próximo a ele, tornando impossível se render à satisfação oferecida?

— Me desculpe — disse, sem saber ao certo se para Paul, para ela mesma ou para quem nem mesmo estava lá.

— Tudo bem, anjo — Paul se mostrou resignado. — Não importa que diga o contrário, está tarde. Preciso dormir, pois amanhã tenho uma pilha de documentos para estudar. Os casos que McCain aceita são complexos. Um saco!

Ouvir o nome de Ethan na voz do namorado em nada ajudou. Ainda a olhar para a sacada, ela disse apenas:

— Então, bom descanso.

— Desejo mesmo a você, anjo... Vá descansar. Boa noite!

Após a despedida, Dana recolocou o fone no gancho e, mesmo receando ter uma nova experiência sobrenatural, foi até a porta da sacada, afastou as cortinas com um movimento brusco e a abriu. De imediato o vento noturno a envolveu, mas este não foi capaz de arrefecer o leve desejo que se apossara dela quando certo criminalista burlou suas defesas e se preparou para reproduzir os movimentos que Paul ditaria.

Com o coração aos saltos Dana avançou um passo, analisando a sacada com atenção, verdadeiramente temendo ver um vulto ou alguém. Evidente que nada veria, ela zombou de si mesma. Provavelmente haveria uma explicação lógica para a névoa, algo relacionado ao vento frio e o vidro ainda quente pelo sol vespertino.

Claro que há horas era noite, o que derrubaria sua tese, mas... fantasmas não existem!

Não, não existem, Dana insistiu, entretanto, como tinha acontecido no elevador privativo de Ethan McCain, uma voz soou em sua mente.

"Venha!"

Completamente trêmula, inexplicavelmente voltando a se excitar, Dana ameaçou se mover, mas não saiu do lugar.

"Saia", disse a voz. "Contemple as estrelas."

Dana se sentiu aquecer e verdadeiramente quis atender àquele estranho chamado, contudo, entendeu que se o fizesse estaria aceitando a loucura, rendendo-se à paranoia. Com a opressão a atacar seu peito, ela recuou um passo.

— Isso é maluquice — disse, sem saber para quem. — O melhor que faço é dormir!

Com o coração a falhar algumas de suas incertas batidas, tão abalado quanto a humana por finalmente sentir o cheiro corruptor, pela frustrada oportunidade de tê-la para si, o vampiro esperou que a humana encerrasse a rejeição, fechando a porta e cerrando as cortinas para que ele nem mesmo pudesse vê-la.

Era o que a postura defensiva sugeria, porém Danielle reafirmou sua imprudência e deixou tudo como estava antes de recuar, sem deixar de olhar para fora; para ele.

Sim, ela não o via, mas o sentia e, mesmo que não soubesse, conversava com ele.

— Não tem ninguém aí — ela disse com cênica indiferença, como se tivesse ouvido seu pensamento. — Deixei a porta aberta para provar que não tenho nada a temer, mas se for você Black, trate de entrar logo!

Ethan se divertiu com a questionável coragem, genuinamente. Com o humor livre de escárnio ele riu mansamente como há dezenas de anos o fazia. Saboreando o contentamento que eliminou a fúria, o vampiro se recostou no parapeito e, de braços cruzados, ficou a observar cada movimento da humana.

Tão contraditória quanto o imortal, em vez de dormir Danielle retirou um pequeno computador portátil da bolsa, abriu-o e depois de se acomodar sobre a cama, com as pernas cruzadas em borboleta, passou a escrever com admirável habilidade. Vez ou outra ela parava a ação, ajeitava uma mecha de cabelo atrás da orelha e olhava de esguelha para a sacada, tornando-se adorável aos olhos do vampiro, despertando outros tantos sentimentos há mais de um século esquecidos.

Após o turbilhão de emoções sentidas naquela noite, Ethan considerou a cena como um presente de boas-vindas. Aquele momento ímpar com a dona de sua obsessão fazia com que ele se sentisse... vivo.

Sem dúvida seria como um presente de Natal se ela tivesse atendido ao seu chamado, contudo Ethan reconhecia não ser merecedor de tão importante mimo.

— Sem presente de Natal para mim — murmurou como um lamento, quando Danielle se moveu para cruzar as pernas nuas de outra maneira. — Infelizmente... Eu seria capaz de brincar com ele a noite inteira.

Dana parou de digitar no pequeno teclado de seu *netbook* e olhou para fora. Não era como se tivesse ouvido alguma coisa, mas parecia que sim. Somando-se ao pulsar aflito de seu coração e aos fortes tremores, vieram os calafrios em sua coluna.

De fato era maluquice deixar aquela porta aberta, lutando contra o temor que não arrefecia ao ser enfrentado. Depois de engolir em seco, Dana se levantou e foi até a porta. Daquela vez não houve vozes em sua mente, mesmo que a impressão de haver alguém ali persistisse.

Enquanto Danielle se aproximava, Ethan endireitou sua postura e esperou com a respiração suspensa. Por um instante ele acreditou que ela fosse sair e imediatamente se desculpou com os deuses pelo que faria quando a tivesse ao alcance de suas mãos, mas pela segunda vez ela parou ainda sob a proteção da barreira invisível.

Por instantes infinitos ambos ficaram frente a frente. Ele a decorar cada mínimo e gracioso detalhe da face corada, sentindo seu corpo reagir dolorosamente ao dela. Ela a mover os olhos, procurando ver o que não podia, igualmente reagindo a ele.

Em um segundo de insanidade o vampiro abriu a boca para ordenar que a humana o visse... Que ela saísse. Não para ver as estrelas como gracejou, mas para que ele a fizesse tocá-las. Porém, se relevasse o espetáculo que dariam a olhos curiosos — ou hostis —, Ethan recordou que teria que manipular a memória dela para que juntos atingissem o céu, e se calou.

O baile está próximo, disse a si mesmo. Em campo neutro e seguro ele deixaria de sabotar a si mesmo, como disse Joly, e daria início à sua conquista. Naquele momento, o melhor que tinha a fazer era sair dali para que ambos tivessem paz.

Ao subitamente se sentir livre do que quer que fosse, Dana recuou, fechou a porta e as cortinas, mas não completamente para não ceder ao medo. Decidida a apagar de sua mente aquele final de noite inquietante, excitante e estranho, determinou ser hora de dormir.

Rendida pelo cansaço com o qual bravamente lutou, Dana adormeceu minutos após se deitar.

Evidente que Ethan não iria longe, então esteve todo o tempo sentado na marquise do prédio vizinho. Resistiu ao chamado mudo da cortina entreaberta por uma hora inteira após a luz ter sido apagada.

Quando tudo que ouvia era o leve ressonar, Ethan voltou à sacada para velar o sono de Danielle. Satisfeito com os acontecimentos da noite, apesar da breve interferência do rábula, contentou-se também por ser ele a sentinela que com sua presença impediria temerárias visitas noturnas.

Estava de volta, para ficar.

Capítulo 20

Requinte e sofisticação eram as palavras que melhor descreviam o cômodo no qual se encontrava. Atendendo a recomendação de Joly — agradecida por não sentir olhos invisíveis em si —, Dana estava afundada na espaçosa banheira de uma das suítes do Plaza, enquanto a amiga tomava as últimas providências para o baile beneficente no *Terrace Room*.

Dana poderia dizer, sem exageros, que estava maravilhada com a recepção irrepreensível por parte dos funcionários primorosamente uniformizados, assim como com a opulência observada desde o saguão até o quarto reservado pela amiga; onde o antigo e o novo dividiam espaço em harmonia para proporcionar total conforto a quem pudesse pagar.

Ainda admirada com a suntuosidade do lugar, Dana constatou que facilmente se acostumaria com todo aquele luxo, caso tivesse acesso a ela mais vezes. Brincando com a espuma, ela se congratulava por ter obedecido à amiga e lhe era agradecida por insistir em levá-la mais cedo para o hotel, ignorando sua relutância. A vizinha teve razão ao alegar que, mesmo sendo noite de Halloween, seria pouco prático dirigir fantasiada quando tinha uma suíte inteirinha à sua disposição.

Por vezes Dana desconfiava das regalias que Ethan concedia à secretária, assim como estranhou a visita relâmpago quando o viu na escadaria do prédio, porém, nunca mencionou. Se o advogado fora o pivô da separação ou se eles mantinham um caso amoroso, dificilmente saberia, pois eram discretos.

Dana gostaria de confirmar suas suspeitas, pois o fato explicaria o interesse da amiga sobre o que acontecera no elevador no dia em que chegou chorando aos escritórios, ou a recomendação para que se mantivesse afastada de Ethan. Se fosse além, poderia até mesmo justificar as constantes tentativas da francesa para que desistisse de ir ao baile.

Logo Dana descartou a hipótese, não importava quantas vezes Ethan invadisse seus pensamentos ou a tivesse beijado, ela jamais representaria qualquer risco para alguém como Joly.

Contrariada, Dana esfregou as pernas com força. Definitivamente ela não seria um problema e aquele assunto não era de sua conta. Para ela somente interessava Paul e a falta que ele faria na recepção. Dana tentou se animar por lembrar que, talvez, em menos de 24 horas estivesse com o namorado depois de dias de afastamento. Fato inédito, a expectativa não a animava. Provavelmente fosse a ansiedade em participar de um baile expressivo para a alta sociedade que a dispersasse.

Dana imaginou que talvez pudesse redigir uma matéria baseada nos acontecimentos do evento tão esperado e vendê-la para algum jornal ou revista. Distraída com a possibilidade, Dana se esqueceu de Paul e de casos amorosos antiéticos, envolvendo sua amiga e um advogado que não deixava sua cabeça em paz.

Minutos depois, leve pelo banho, porém ainda ansiosa com o que viria, Dana deixou o banheiro vestindo um roupão de algodão turco, branco, com detalhes dourados e o monograma do hotel. Munida do creme hidratante da Miller Harris, sentou sobre a cama — de alta cabeceira forrada — e começou por espalhá-lo nos braços, adorando a oportunidade de prolongar o odor da loção usada no banho.

Quando dava atenção a uma das pernas, ainda saboreando a qualidade dos mimos oferecidos pelo hotel, Dana ouviu duas batidas leves na porta da suíte. Imaginando ser Joly, disse sem interromper o esfregar de sua pele:

— A porta está aberta, pode entrar.

Dana ouviu a movimentação na entrada, então a voz improvável:

— Boa noite, Danielle. Joly está por aqui?

Ao levantar de súbito Dana quase tropeçou nas próprias pernas, deixando cair o frasco de creme para fechar a frente do roupão, quando ninguém menos que Ethan Smith McCain se materializou em sua frente. Como se não fosse um hóspede do Plaza, o advogado estava descalço, vestido em uma calça preta. A camisa branca de babados estava aberta até quase a cintura, permitindo que seu peito bem talhado, coberto por pelos escuros pudesse ser visto quase que em sua totalidade.

O certo era desviar o olhar, porém Dana fora acometida por uma paralisia generalizada.

— Desculpe se a assustei — ele falou mansamente, quando não obteve resposta, medindo-a de alto a baixo —, mas você disse que a porta estava aberta. Imaginei que estivesse vestida.

Dana sentiu-se nua ante a inspeção no mínimo descarada. Tentou encontrar alguma resposta, mas não conseguia sequer pensar. Apenas seus olhos pareciam ter vida própria, revezando entre o peito, a boca perfeita e os olhos pecaminosamente verdes.

Terrificada, Dana sentiu suas bochechas queimarem. Sabia que estava vergonhosamente corada e nada podia fazer. Como não se pronunciava, Ethan continuou:

— Preciso falar com Joly. Ela está?

Com algum esforço, Dana conseguiu mover a cabeça, negativamente.

— Certo... — ele disse. — Então é melhor eu procurá-la.

Dana assentiu. Com seu o coração aos saltos viu Ethan seguir em direção a porta. Porém, antes que saísse, ele se voltou e a encarou com aqueles olhos que a perseguiam em sonhos.

— Na verdade... Foi bom encontrá-la sozinha — afirmou. Dana apenas uniu as sobrancelhas, sem atinar o sentido por trás das palavras. Ethan, concluiu: — É que nosso último encontro foi um tanto... inusitado.

Dana desejou ser fulminada por um raio para não ter de comentar sua vergonha máxima diretamente com o co-autor do delito. Como tal descarga poderosa não recaiu sobre ela, Dana foi obrigada a limpar a garganta e procurar por sua voz.

— A-acho que seria melhor... — pigarreou — esquecermos aquilo.

— Desculpe-me uma vez mais — ele pediu brandamente. — Não quero constrangê-la com minha insistência, mas tampouco quero que se estabeleça um clima embaraçoso entre nós.

— Quando o que aconteceu for esquecido — ela retrucou um pouco mais firme nas palavras. —, não haverá razão para embaraço.

— Assim espero — Ethan finalmente abriu a porta e, com a mão na maçaneta, anunciou antes de sair: — Mas não lhe garanto que vá esquecer algo que apreciei. Com sua licença.

Uma vez sozinha, suas pernas cederam e Dana caiu sentada sobre a cama.

Ela ouviu o que imaginava ter ouvido?! Ethan McCain dissera que tinha apreciado o beijo? Impossível! Com certeza uma mulher tão patética quanto ela não deveria passar de piada para homens como ele.

Era isso! Ele fazia graça com a situação, não estava reproduzindo a fala de seu sonho. Confusa, Dana se deixou cair de costas sobre o colchão. Cada pelo de seu corpo se arrepiando ao se lembrar das palavras exatas:

"Mas não lhe garanto que vá esquecer algo que apreciei".

Involuntariamente seu corpo se aqueceu. Dana tentou culpar o aquecedor, uma vez que as noites começavam a ficar mais frias. A camareira deveria ter elevado a temperatura. Sim, seu calor não tinha qualquer relação com as palavras vindas de um pirata. Seria aquela a fantasia? Ela ainda abanava o próprio rosto e pescoço, tentando adivinhar o personagem, quando ouviu a voz de Joly.

— Você não está se sentindo bem? — Ela correu e se sentou ao lado de Dana que ergueu o corpo. — O que aconteceu?

— Nada! — garantiu ao ver a expressão preocupada.

— Soube que Ethan esteve aqui... — Dana não pode deixar de reparar que a amiga lhe observava o rosto com um interesse especial, avaliando-a. — Ele fez algo a você?

Mais uma vez, Dana acreditou que a reação de Joly só poderia ser movida pelo ciúme. Tentando tranquilizá-la, garantiu:

— Não aconteceu nada. Ele apenas perguntou por você então saiu à sua procura, quando eu disse que não estava.

— Melhor assim — Joly sussurrou.

Dana especulou se era para ela ter ouvido aquilo. Não saberia, pois a amiga apenas prosseguiu, em tom mais alto:

— Já está tudo pronto. Alguns convidados já estão chegando, preciso me arrumar. — Ela olhou para o roupão que Dana vestia. — E você também. Quero que fique ao meu lado durante toda a noite.

Dana não sabia se apreciava tamanha atenção, porém, como era sua companhia não poderia fazer muito a respeito. Ao ficar sozinha, depois que Joly seguiu para o banheiro, ela foi até uma das poltronas do quarto e alisou a trama delicada de seu traje. Sorrindo, vestiu suas roupas íntimas então colocou as duas peças que compunham o vestido, uma saia longa de organza bordada dividida em camadas e um corpete com mangas rendadas e colchetes na lateral. Ao se posicionar diante do espelho, já vestida, Dana sorriu para sua imagem.

Finalmente atenderia a um pedido de sua mãe e seria outra personagem num baile de Halloween: a escolhida do "Anjo da Música". Dana simplesmente amava musicais, sendo "O Fantasma da Ópera", uma adaptação do romance de Gaston Leroux, seu preferido. Tinha simpatia por Raoul, o herói. Porém, invariavelmente torcia pelo final feliz de Erik — o fantasma — mesmo sabendo que o final da história nunca mudaria.

Dana aplicava o batom, repassando mentalmente suas cenas preferidas onde o fantasma se fazia presente, quando Joly passou vestida apenas em peças íntimas por seu campo de visão no espelho. Dana sentiu um baque mortal em sua autoestima. A secretária legal era a personificação da perfeição. Naquele momento ela teve certeza de que Ethan caçoara de seu beijo pueril no elevador. O mais provável era que ele e Joly tivessem mesmo um caso.

Toda a beleza do advogado combinava com a de sua funcionária. Eles eram, assim como o colega de sala de Paul, as pessoas mais bonitas que Dana conhecia. Acreditando ter matado a charada, ela sentiu uma pontada de ciúme e se compadeceu pelo marido deixado. Com certeza o pobre homem não teve chances de salvação diante de um furacão chamado Ethan McCain.

— Dana, você tem certeza de que está bem? — a amiga perguntou, preocupada.

Quando levou os olhos na direção da voz, Dana notou que Joly estava completamente vestida.

— Sim... — ela sorriu, envergonhada. — Acho que *desliguei*.

— Você está estranha hoje — Joly a avaliou mais uma vez.

— É apenas ansiedade. — Dana sorriu ainda mais para demonstrar que não sentia nada de anormal. Além do ciúme desproposital, poderia acrescentar.

— Está certo... — Joly então abriu os braços e perguntou: — Como estou?

— Divina! — Dana exclamou sinceramente.

Com os cabelos escuros caindo pelos ombros nus, Joly era agora a materialização de Afrodite, deusa grega do amor e da beleza. O vestido de crepe de seda branco tinha detalhes dourados no busto e nas faixas que se cruzavam na frente de seu corpo, formando um imenso X que salientava os seios e, enroladas em volta de seu corpo, demarcava sua cintura. Apesar de longa, a saia da peça possuía fendas laterais que atrairiam todos os olhares masculinos para as pernas bem torneadas. Em seus pés, Joly usava sandálias douradas de saltos tão altos e finos que Dana tremeu somente por imaginar usar algo parecido.

— Definitivamente divina — repetiu quase que para si mesma.

Se suas suspeitas fossem verdadeiras, Ethan ficaria orgulhoso. Mais uma vez sua autoestima foi atingida, assim como seu coração sentiu uma nova fisgada. A voz de anjo de sua amiga a trouxe de volta de seus devaneios.

— Você também esta divina! — disse ao se aproximar. — Com licença.

Antes que Dana pudesse retrucar, Joly rapidamente pegou as laterais de seus cabelos e as prendeu atrás da cabeça. Dana nem mesmo viu que a amiga tinha presilhas nas mãos. Ainda arrumando os cabelos de Dana, Joly puxou algumas mechas deixando que elas caíssem naturalmente na lateral de seu rosto. Com uma careta de reprovação ao próprio trabalho, recolheu de volta as mechas deixando o rosto de Dana livre. Depois prendeu brincos delicados e brilhantes em suas orelhas.

— Joly... — Dana arfou. — Isto é...?

— Sim, são diamantes... E antes que pergunte, não são meus. São emprestados, então não os perca!

— Joly, eu acho melhor não...

— Deixe de bobagens, Dana. Veja como ficaram bem em você!

Obediente ela se olhou no espelho. Realmente estava bonita. Inacreditavelmente ela se *sentia* bonita. Jamais seria concorrência para a francesa, mas se estivessem num concurso, acreditou que levaria o terceiro lugar.

— Pronta para a festa?

— Sim! — Dana lhe sorriu através do espelho. Ao prestar atenção na beleza pálida de Joly junto ao seu próprio reflexo, um calafrio correu por sua coluna, como um *déjà vu*.

— É melhor sairmos logo, você está ficando com aquela expressão esquisita de novo — disse Joly.

— Claro... Vamos! — Dana exclamou, movendo a cabeça para afastar a sensação incômoda. — Deixe-me somente calçar os meus sapatos.

Logo deixaram a suíte e seguiram para a festa. Foi com a respiração suspensa que Dana acessou o *Terrace Room*. O amplo salão fora decorado especialmente para a ocasião em tons de roxo que casavam perfeitamente ao preto e dourado. Grandes vasos com rosas negras enfeitavam algumas mesas dispostas na parte elevada, assim como o indefectível *Jack-o'-lantern* tinha lugar de destaque em outras.

Dois caldeirões cenográficos colocados ao lado das escadarias que levavam à área reservada aos dançarinos exalavam fumaça rosa que subia em espiral rumo ao teto. Acompanhando sua ascensão e dissipação, Dana descobriu as figuras Renascentistas que o adornavam, assim como descobriu os lustres de cristais — cópias dos afixados no Palácio de Versalhes. Magníficos. A jornalista fazia notas mentais que pudesse utilizar em sua matéria.

Como mencionado por Joly, alguns convidados já circulavam pelo salão ou dançavam ao som do *Pop Rock*. Uma variedade divertida e curiosa de anjos, fadas, duendes, personagens de filmes clássicos, super-heróis ou desenhos animados dividiam espaço com os garçons. Como não poderia deixar de ser, havia também a variedade ilimitada dos inevitáveis vampiros e bruxas.

Dana sorriu animada, adorava fazer parte de tudo aquilo. Intimamente se chutou por ter recusado o convite, e se parabenizou por não ter cedido aos pedidos estranhos de Joly para que o dispensasse em definitivo.

— Dana — a amiga chamou sua atenção. — Eu preciso circular pelo salão para cumprimentar algumas pessoas. Se você não se importasse, gostaria que fosse comigo.

— Sem problemas. Vamos!

Desde então, Dana não parou. Quando Joly disse *circular* não o fez no sentido figurado. Dana teve a impressão de que a francesa conhecia, intimamente, todos os convidados. Ela apertava as mãos dos homens, dava breves beijos na face das mulheres e sempre, sem nunca esquecer, apresentava-a. A parte constrangedora da noite ficou por conta de sua apresentação desnecessária a Billy Jones, seu antigo editor-chefe. O homem alto de cabelo grisalho, vestido de corsário inglês, se encarregou de esclarecer que já a conhecia. Acrescentou ainda, que Dana fora uma das melhores jornalistas que tivera em seu jornal. Sem aguentar tamanha desfaçatez, ela pediu licença e se afastou. Joly ainda trocou algumas palavras com ele antes de se juntar a ela.

— Desculpe-me, Dana. Eu realmente me esqueci que você tinha trabalhado para ele.

— Está tudo bem, Joly. Você também não tem que se lembrar de tudo.

— Mesmo assim, peço desculpas. — Joly olhou em volta. — Bem... Acho que agora podemos aproveitar um pouco a festa. Acredito que a maioria dos convidados esteja aqui.

Dana olhou em volta, imitando o movimento da amiga. Com certeza o número de convidados triplicou desde que chegaram. Ela sentia falta apenas de um. Estava curiosa para ver se sua dedução sobre a fantasia de Ethan McCain estava correta. De repente, ao mirar o rosto de Joly, viu-o se iluminar. Dana acreditou que o dono da festa tinha chegado e com o coração aos saltos olhou na mesma direção. Ainda que decepcionada, admirou o recém-chegado. Sem dúvida o homem para o qual Joly sorria era igualmente bem apessoado, porém Dana não o conhecia.

— Venha Dana, quero apresentar você a uma pessoa.

Joly a puxou pela mão até o convidado não fantasiado. Vestido num terno caro, complementado por uma gravata de seda azul, ele destoava dos demais. E por sua altivez, percebia-se que não se importava em ser exceção. Seus cabelos castanhos faziam par perfeito com os olhos da mesma cor. Como Ethan, possuía traços aristocráticos e perfeitos. Tão logo as avistou, ele lhes sorriu, em especial para "Afrodite".

— Dana, eu quero que conheça Thomas Miller. Meu... ex-marido.

Dana apertou a mão estendida e mais uma vez se surpreendeu com a frieza dos dedos.

— Muito prazer em conhecê-la, Danielle. — Cumprimentou-a. — Ultimamente tenho ouvido falar muito em você.

— É mesmo? — Dana perguntou, timidamente.

— Sim. Joly simplesmente a adora! — A ex-esposa o beliscou no pescoço ao que ele a puxou para um abraço e disse a centímetros de seu rosto: — Sabe que não pode me agredir e sair impune. Agora você terá de me conceder, no mínimo, três danças.

— Qualquer coisa para não ser processada por lesão corporal — Joly retrucou, sorrindo. — Dana, vou cumprir minha pena e já volto.

Dana os assistiu se afastar, incrédula. Se aquele era um casal separado, ela precisava desmanchar com Paul algumas vezes. Ao se lembrar do namorado o remorso corroeu seu coração. Estava há mais de uma hora vagando pelo salão, tinha provado bebidas fumarentas em taças finas e timbradas, comido alguns canapés com aspecto estranho, porém deliciosos e, entre uma coisa e outra, desejava a chegada do filantropo mais mal-educado que teve a oportunidade de conhecer sem que em momento algum se lembrasse do *seu* advogado.

Dana se arrependeu no mesmo instante por não ter trazido seu celular. Trocar algumas palavras de carinho, dizer a Paul que ele lhe fazia falta, talvez aplacasse sua culpa.

— Parece preocupada, bela Christine.

Ao ouvir a voz próxima ao seu ouvido, Dana sentiu o sangue congelar em suas veias. Esteve tão distraída que não reparou na chegada do anfitrião. E agora ele estava li, às suas costas.

Criando coragem e rezando aos céus para que seu rosto não estivesse tão vermelho quanto julgava estar, Dana se voltou na direção de Ethan. Se o sangue já não circulava, o ar pareceu ter esquecido o caminho para seus pulmões ao se deparar com o rosto meio coberto pela máscara branca. Foi preciso ordenar ao seu corpo que continuasse a funcionar. Ela respirava pelos lábios entreabertos, sorvendo o ar rarefeito do salão e procurava mentalmente uma palavra que descrevesse Ethan McCain, porém não achou nenhuma. Belo pareceu feminino demais para alguém que exalava masculinidade e divino rebaixaria os deuses.

Melhor ficar sem uma definição e tentar respirar continuamente ante tal visão perturbadora. Quais as chances de ele ter escolhido aquela fantasia ao acaso? Criando coragem para baixar os olhos, ela o examinou. Ele não era um pirata. Isso seria bom demais para ela, talvez mais fácil de ignorar. Porém o que via era a condenação eterna de seus sonhos. Ethan se vestira como seu par, com o traje completo. Aquela noite ele era Erik, o Fantasma da Ópera. E com certeza seria o espectro que lhe assombraria por muitas outras noites ainda. Apesar de estar com o rosto parcialmente coberto, Dana pôde ver com clareza quando ele juntou as sobrancelhas.

— Danielle, você está bem? Está pálida.

Que bom, ela pensou paralisada, branco era menos vergonhoso do que vermelho.

— Quer se sentar? — ele indagou, solícito. Ao sentir os dedos frios na pele nua de seu braço, Dana foi liberada do transe.

— Não. Eu... Eu estou bem, obrigada — assegurou ao se afastar um passo.

— Tem certeza? Se desejar posso lhe acompanhar até uma das mesas.

— Não precisa. Eu estou esperando por Joly — disse apontando à frente.

— E onde ela está? — ele perguntou, olhando na direção indicada.

Dana vasculhou a área onde achou que o casal estivesse, porém não os viu em parte alguma no salão.

— Ela estava dançando com Thomas bem ali — falou num murmúrio, imaginando se Ethan teria ciúmes. Se ele sentiu algum, não demonstrou.

— Eles devem estar com algum conhecido — Ethan justificou o sumiço. Então se voltou para ela, medindo-a sem reservas. — Você está perfeita, Danielle! E... Já que formamos um casal, o que me diz de dançarmos.

— Casal?! Como? — Não conseguiu disfarçar a confusão ou o embaraço.

— Você não é Christine Daaé? — ele inquiriu, ocultando um sorriso.

— Ah, sim... — concordou, desconcertada, achando por bem resistir antes que realmente não tivesse salvação. — Mas não creio que minha personagem faça par com a sua. A outra metade de Christine é Raoul.

— Com efeito... Mas o virtuoso visconde de Chagny não está aqui, está?

Não, ele não estava, Dana pensou com pesar. E não estaria mesmo que Paul tivesse ido ao baile. Não era hábito do namorado se fantasiar para festas de Halloween. Cada um agia a sua própria maneira, Dana o justificou mentalmente como se alguém o julgasse. Ainda imbuída nesse espírito defensor, retrucou:

— Ainda assim acredito que a Srta. Daaé deva ser fiel.

— Não vejo como uma dança inofensiva possa manchar a honra de um namorado ausente — Ethan replicou, conciliador, estendendo-lhe a mão após uma leve mesura.

Sem argumentos coerentes para refutar a afirmação e sem forças para resistir ao pedido encantador, Dana imitou o gesto e estendeu a mão. Ele estava prestes a segurá-la, quando ela sentiu dedos delicados e frios em seu ombro.

— Achei você — disse Joly, puxando-a. — Com licença Ethan, preciso dela um instante.

Antes que Joly a levasse embora, Dana vislumbrou o olhar incrédulo do homem à sua frente. Ele lhe pareceu contrariado. Pouco provável, decidiu. Ethan estava apenas sendo gentil por perceber que estava sozinha. Agora que Joly aparecera não teria motivos para lhe dar maior atenção. Por sua vez, Dana deveria estar grata por ter sido *resgatada* e não decepcionada com a interrupção. Enquanto se deixava arrastar por entre as pessoas, lamentou intimamente que "Erik" não tenha insistido. Ao chegarem ao estremo oposto do salão lotado, Joly parou e lhe sorriu.

— Nem precisa me agradecer.

— Pelo quê? — Dana perguntou séria demais.

— Por tirá-la de lá. Sei que depois do que aconteceu no elevador você não se sente à vontade com ele. Você me disse, esqueceu?

Não, não tinha esquecido. E, sim, sentia-se pouco à vontade perto de Ethan, porém, por mais que custasse a admitir, estava gostando da proximidade. Todavia não poderia revelar tal absurdo a Joly. Se a amiga realmente fosse amante do advogado seria ainda mais constrangedor. E ela, Dana, era uma mulher comprometida. Não poderia ralhar com a amiga por afastá-la de outro homem.

— Obrigada por isso — disse por fim, sem convicção alguma. — Então... Foi apenas me resgatar ou precisava mesmo de mim?

— Claro que preciso de você. Já cumpri minha pena com Thomas, agora podemos nos divertir. Além do mais, quero lhe apresentar ao editor-chefe do *Today*.

Dito isso Joly a puxou pela mão mais uma vez a arrastando pelo salão. A amiga a levou até um grupo inusitado que conversava animadamente, formado por Gomez e Morticia Addams, ambos combinando as fantasias com seus portes físicos. E um casal tão perturbadoramente lindo quanto Joly, Thomas e Ethan. A mulher se vestiu de Alice, porém em versão nada infantil. Uma peruca loira com corte Chanel emoldurava seu rosto de porcelana e o vestido azul-claro, curto demais, deixava as longas pernas à mostra.

Dana se penalizou por todas as mulheres presentes ao ver tamanha beleza. O homem que a acompanhava, apesar de vestir terno azul muito escuro estava sem gravata e usava um chapéu ao estilo do Chapeleiro Maluco do mesmo conto de sua acompanhante. Dana jamais cogitaria juntar aquelas duas personagens como um casal, mas no caso deles combinavam.

Ao se aproximarem, todos do grupo riam de algo dito pelo *Chapeleiro*. A *Alice* interrompeu seu riso imediatamente ao vê-las. Foi seu par quem primeiro as cumprimentou:

— Joelle, você está de tirar o fôlego. Thomas já a viu assim?

— Viu, experimentou e aprovou — Joly respondeu com bom humor.

Dana tentou decifrar o significado de suas palavras. Eles teriam voltado? E Ethan? Estaria vendo demais? Bem, não teve tempo de se perder em especulações. Logo Joly começou as apresentações:

— Andrew Kelly, esta é Danielle Hall, a namorada de Paul Collins.

— Prazer em conhecê-la, Danielle — ele cumprimentou ao pegar sua mão. Ele também tinha os dedos frios. — Paul fala muito sobre você... Pena que ele não pôde estar aqui esta noite.

— O prazer é meu, Andrew — ela retribuiu, afável. — E, sim, é realmente uma pena.

— Danielle, está é Samantha, esposa de Andrew — disse Joly, lhe indicando a "Alice".

— Prazer, Samantha. — Dana pegou a mão estendida. Ao sentir a temperatura da pele delicada, ela imaginou se todos naquela noite estariam com as mãos frias.

— Não... — corrigiu a mulher, encarando-a fixamente. — O prazer é meu, Danielle!

Não passou despercebido para Dana o olhar enviesado que Joly lançou à esposa de Andrew. Contudo ela nada disse, apenas continuou as apresentações:

— E estes são o Senhor e a Sra. Howden.

Dana os cumprimentou, desconfortável com o olhar insistente de Samantha. Ao tocar as mãos de ambos, Dana percebeu que eles tinham a temperatura normal em suas palmas. Aparentemente somente os funcionários de Ethan tinham a temperatura corporal abaixo da média.

— Dana, Charles é o editor-chefe do *Today*. Eu disse a ele a excelente jornalista que você é. E que ele faria muito bem se lhe desse uma oportunidade.

— Joly, não... — Dana não teve tempo de protestar.

— Eu concordo.

E mais uma vez na noite o sangue de Dana gelou. Com exceção a ela e Joly todos os presentes cumprimentaram Ethan, que chegara sorrateiramente.

Agradecendo que ele não pudesse notar o torpor que lhe causava, ela o ouviu acrescentar:

228

— Tive a oportunidade de ler uma matéria interessante redigida por Danielle. Acredito que você, de fato, não vá se arrepender, Charles.

— Bem... Diante de um elogio vindo de Ethan McCain, acredito que seria lamentável se não tivesse a oportunidade de conhecer seu trabalho. Atualmente você está com quem, minha jovem?

— Eu... — Dana se concentrou em manter a voz estável. — Trabalhei até pouco tempo no *Daily News*.

— E por que não está com eles?

— Não saberia dizer, senhor.

Dana novamente corou. Apreciava a iniciativa da amiga, mas não estava preparada para falar sobre seu último emprego. Não sabia o que responder e corria o risco do Sr. Howden não considerá-la tão competente quanto Ethan ou Joly diziam que fosse. Inacreditavelmente, o advogado veio em seu socorro.

— Charles, se lhe interessa conhecer o trabalho de Danielle, marque uma entrevista. Não creio que agora seja a melhor hora de tratar desses assuntos.

— Você tem razão, meu jovem — disse Charles. Então se voltou para Dana. — O que me diz de ir ao jornal, vejamos... Amanhã pela manhã?

— Eu... — Dana mal pôde acreditar. Ainda não se sentia à vontade em ser indicada, mas não deixaria passar a oportunidade. — Eu adoraria!

— Então está combinado!

Samantha observava toda cena com curiosidade e sempre deixava seu olhar recair em Dana. Talvez fosse impressão, mas seu interesse pareceu aumentar após a chegada de Ethan. A "Alice para maiores" olhava de um ao outro de forma debochada. Dana não entendia aquela atitude silenciosa, claramente hostil, nem a razão de serem dignos de especulação.

— Legal, Dana — disse Andrew, sorrindo. — Paul com certeza ficará feliz em saber.

— Acredito que sim — ela lhe sorriu de volta.

— Sim... — disse Samantha, maliciosamente. — Ele realmente ficará muito feliz em saber o quanto Ethan se preocupa com ela.

Andrew encarou a esposa com o cenho franzido, porém nada disse. Ethan sequer se virou em sua direção. Foi Charles quem quebrou o breve instante constrangedor.

— Agora que chegamos a um acordo, é melhor aproveitarmos a festa — disse ao anfitrião. — Seu baile este ano está divino, meu amigo.

— Obrigado! Porém novamente o mérito não é meu. Quem sempre organiza tudo é minha bela secretária.

Ao terminar a frase, Ethan se curvou e beijou o alto da cabeça de Joly. Pela terceira vez na noite, Dana sentiu uma pontada traiçoeira de ciúme.

— Isso porque você me dá toda liberdade de decisão — disse Joly, sorrindo para ele.

Definitivamente o relacionamento entre os dois ia além do campo profissional, mas então, por que Thomas não se importava? Ele e Joly formavam um belo casal e, apesar da separação alegada, se davam muitíssimo bem. Os olhos da amiga brilhavam quando estava perto do ex-marido, não quando estava com Ethan, como naquele momento. O que estava deixando passar? Dana pensou. E o pior. Por que se importava?

Inesperadamente Ethan tocou o ombro de Dana, próximo à base do pescoço, fazendo com que ela perdesse a linha de raciocínio. Lento e manso, ele moveu o dedão em uma leve carícia à qual o corpo feminino respondeu de imediato, eriçando-se.

— Agora se nos dão licença, gostaria de levar Danielle para...

— Lamento, *mon cher ami* — Joly o cortou, pegando firmemente a mão de Dana, entorpecida pelo carinho circular em sua pele. — Preciso conversar algo importante com ela. Vamos!

Joly a afastou do grupo, sequer permitindo que se despedisse dos demais, mais uma vez a afastando do advogado. A cada interrupção Dana ficava mais confusa com o comportamento da amiga que, daquela vez, levou-a para o meio da pista de dança.

— Adoro essa música — Joly anunciou, iniciando uma dança solitária a sua frente. — Não me acompanha? Ou você só gosta daquelas velharias que ouve em seu apartamento?

A provocação veio acompanhada de uma careta. A Dana restou sorrir da expressão engraçada que em nada desfigurava o rosto irretocável. Desistindo de entender a boa amiga, Dana começou a dançar no ritmo da balada.

De longe, Ethan observava as duas mulheres que se moviam ao som da música moderna. Se não estivesse sendo consumido pela ira, apreciaria a cena. O que diabos estaria acontecendo com Joelle afinal? Ela agia estranhamente desde seu retorno de Londres. Coincidência ou não, no mesmo dia em que surgira com toda aquela conversa absurda de que ele poderia fazer mal à Danielle. Como se isso fosse possível!

Ethan a amava mais a cada dia.

Esteve em sua sacada nas duas madrugadas anteriores, repetindo a ação da noite em que retornou de Londres. Ela não voltou a abrir a porta, mas a proximidade fora válida. Antes disso, ele pacientemente a vigiou de seu carro, próximo ao Florença, apenas para segui-la na volta ao seu apartamento, certificando-se pessoalmente de que ela estava segura.

Esperou ansioso até aquela noite para estar com ela e, agora, quando tinha a chance de uma aproximação real, Joly a todo instante o privava de sua companhia. Deliberadamente ela arruinava seus planos.

Sua amiga não tinha o direito. Ainda mais naquela noite quando estavam em frente ao parque no qual conhecera Danielle. Não quando ele poderia conquistá-la e aplacar o desejo que os castigava. Sim, pois ela também o queria.

A humana não poderia imaginar, mas naquela noite, vê-la em um vestido claro e rendado com a saia longa e cheia, mexia com sua recordação mais antiga. Era como se Danielle pertencesse a sua época. Ele recordava como o jogo da sedução era muito mais interessante, quando tudo que lhes era permitido ver era o colo das donzelas e imaginar o que os tecidos, rendas e laços escondiam. Quando a visão de um tornozelo nu era capaz de despertar as mais luxuriantes fantasias.

O vampiro conhecia muitas partes daquele corpo esguio, porém morreria mil mortes se por ventura ela levantasse a saia de seu vestido e ele vislumbrasse o pé pequeno. Vibrava em antecipação, quente em expectativa.

Um dos garçons passou ao seu lado e Ethan se serviu sem nem olhá-lo, perdido na imagem real de Danielle. Intimamente debochou de si enquanto sorvia o gim por inocentemente ter acreditado que uma vez tendo reconhecido seu amor, o desejo se acalmaria. Era um tolo desavisado. Amá-la apenas tornava tudo mais intenso.

Mal se conteve ao chegar à sua suíte, vizinha a delas, e lhe sentir o cheiro. Tentou com todas as suas forças permanecer onde estava, porém entrou em crise de abstinência.

Rendido ao seu vício, inventou uma desculpa qualquer para ir até ela. E não se arrependeu. No breve minuto que a flagrou sentada sobre a cama a espalhar a loção perfumada na perna nua, todo o sangue fresco que corria em suas veias velhas ferveu.

Foi preciso se convencer com fortes argumentos que não teria tempo de seduzi-la uma vez que Joly voltaria a qualquer momento. Deveria seguir com seu plano em conquistá-la, mas dar ouvidos à consciência exigiu extrema força de sua parte. Assim como controlar sua crescente excitação ante a "não reação" de Danielle.

Ethan sorriu intimista, ainda vendo-a dançar com Joly, ao se lembrar do estremecimento feminino à sua presença, ao seu toque. Ethan adorava a mudança da cor de suas bochechas, rubra em acanhamento, pálida em seus alarmes. Igualmente apreciava vê-la sorver o ar com os lábios entreabertos, ou quando os olhos âmbares dela se perdiam ao vasculhar sua face sem perceber que ele acompanhava todo o movimento das pupilas especulativas. Como aconteceu no elevador e naquela mesma noite, ali no salão, quando resolveu que já era hora de se aproximar e permitir que ela o visse.

Ele se encontrava na festa antes mesmo da chegada dela com Joly. Não a perdeu de vista desde então, enquanto as duas vagavam pelo salão cumprimentando os convidados. Não permitiu que ela o visse, pois queria vê-la livre de sua influência. Ethan sabia que Danielle perderia toda naturalidade ao ficar constrangida e se colocaria na defensiva no momento em que a cumprimentasse.

Ineditamente, o vampiro descobriu que o satisfazia somente estar no mesmo ambiente que ela. Sua noite só não estava completa porque muitos dos convidados requisitavam sua atenção e Joly insistia em afastar Danielle quando conseguia fugir de algum grupo enfadonho de políticos, empresários ou clientes de seus vários advogados.

Deveria ser ele a rodá-la teatralmente durante a dança como sua secretária agora o fazia. Ethan iniciava um plano alternativo de aproximação, quando sentiu o toque conhecido em seu ombro.

— Linda, não? — perguntou Thomas ao parar ao seu lado.

Ethan entendia a referência a Joly, porém concordou sem deixar de olhar Danielle:

— Absolutamente linda!

— Sorte que nos entendemos — o amigo exclamou, sorrindo.

— Evita confusão — Ethan arrematou sem acompanhar o riso. Ponderou por um segundo então perguntou: — Acaso você sabe o que está acontecendo com sua esposa?

— Não. Por quê? — Thomas o encarou com o cenho franzido.

— Ela está estranha. A princípio imaginei que estivesse monopolizando Danielle por que quisesse apresentá-la para pessoas importantes, agora, porém, não entendo por que ela não me deixa chegar perto.

— Difícil entender as mulheres. Mesmo imortais. — Thomas o olhou com pesar. — A atenção desmedida dela está se tornando um problema, não?

— E dos grandes — confirmou Ethan. Tentando encobrir o mau humor, acrescentou em tom trocista: — Estou novamente pensando em deixá-lo viúvo.

— Não precisa chegar ao extremo — o amigo falou, novamente sorrindo. — Será um prazer distrair minha Joly de sua função de guarda-costas.

— Eu agradeceria muito.

Thomas alargou o sorriso, exibindo os caninos salientes e lhe deu dois tapas no peito.

— Não se atormente. Eu vou tirar minha esposa de cena. — Depois de olhar para Ethan de alto a baixo, pediu: — Mas, por favor, não arraste Danielle para seu covil subterrâneo.

Finalmente um motivo para sorrir. O vampiro não o dividiria, bastava comprazer-se em saber que, caso a seduzisse, levá-la-ia, sim, para seu covil; que naquela noite era a luxuosa suíte ocupada por ele. Por mais que gostasse da história do fantasma de Gaston Leroux jamais sujeitaria sua "Christine" a um lugar tão obscuro e úmido como um ninho num lugar alagado. Danielle sempre teria o melhor que pudesse lhe oferecer.

Expectante, completamente imóvel, Ethan assistiu o sócio se aproximar e segregar algo ao ouvido da esposa. A francesa se voltou para ele, sorrindo abertamente. Ato contínuo, ela conversou com Danielle e se afastou. Antes que a humana se preparasse para deixar a pista, o vampiro foi ao seu encontro.

Como se o responsável pela música lhe adivinhasse o pensamento, trocou o ritmo agitado por uma balada romântica, perfeita.

— Será que agora posso ter a honra de uma dança com minha Christine.

Ela se voltou para ele com o rosto de anjo completamente desprovido de cor. O coração aos saltos, os lábios rosados já livres de batom. Sem esperar que a humana esboçasse qualquer reação, o vampiro tomou-lhe os dedos delicados e a puxou de encontro ao corpo.

Danielle protestou ao abraço, colocando a mão sobre o peito largo na tentativa de manter alguma distância. Retirou-a logo em seguida como se até mesmo o contato com o tecido sobre Ethan a queimasse. De súbito, suas bochechas se tingiram de um vermelho vivo, antes que ela comentasse com voz graciosamente trêmula:

— Creio que não seja necessária tanta proximidade.

— Por que se prender às reservas, Danielle? — Ethan indagou, encarando-a. — Se o desnecessário pode ser muito mais prazeroso?

Ethan a viu abrir e fechar a boca sem nada dizer. Oportunista, ele aproveitou a confusão para estreitá-la mais em seus braços. Sentir o corpo amado próximo e o coração humano bater acelerado, fez com que o seu falhasse uma ou duas batidas. Aquele contato ainda não era metade do que ele queria dela, porém tê-la tão perto sem que precisasse *incentivá-la*, deixava-o maravilhado.

Estava no melhor dos céus, contudo os deuses não conspiravam em seu favor naquela noite. Quando se preparava para tocar os cabelos macios com seu nariz, ainda na primeira sequência de passos, Ethan ouviu o grito.

Imediatamente estacou com Danielle presa em seu abraço. Enquanto considerava a possibilidade de o som ter sido fruto de sua imaginação, aquele único grito desesperado foi seguido de outro e mais outro.

Ethan ergueu a cabeça para descobrir de onde exatamente vinha o alarido, porém teve sua atenção desviada por Danielle que novamente lhe tocou o peito, sem reservas daquela vez. Alarmada, encarava-o inquiridoramente.

Antes que lhe dissesse qualquer palavra tranquilizadora, foi empurrado de encontro a ela pelas pessoas à sua volta. Ethan percebeu que estas também estavam sendo empurradas por aquelas que gritavam apavoradas e que provavelmente procuravam a saída.

Manter a ordem era a regra básica em situações de pânico, porém naquela noite era a última a ser seguida. Ethan antevia que seus convidados sairiam machucados caso caíssem aos pés da multidão descontrolada, contudo era praticamente impossível controlá-los em meio ao caos. Paciência, apenas uma merecia seus cuidados.

Seguro, sem se importar em ser cavalheiro ou ético Ethan ergueu Danielle sob seu braço esquerdo e a tirou do meio da confusão. Andava por entre as pessoas rápido demais para os padrões normais, tinha a consciência e não se importou com o fato. Sequer tomou conhecimento do braço dela em seu pescoço ou da sua mão em seu peito, queria apenas deixá-la em segurança.

Quando a depositou no chão, na parte pouco movimentada do grande salão, segurou o rosto amado.

— Você está bem? — perguntou, preocupado.

— Sim, estou... Mas como você...?

O que ela tentou perguntar ele nunca saberia. Antes que fosse preciso procurar por Joly, ela apareceu ao seu lado, alarmada.

— Você precisa ver o que aconteceu. Eu cuido dela.

— Leve-a para o quarto — ordenou. Joly assentiu, pegou uma Danielle incrédula pelo braço e saiu.

Ethan retirou sua máscara, deixou-a cair ao chão e voltou para a multidão, porém dessa vez seguiu contra ela. Depois de uns minutos conseguiu chegar até onde estava formada a confusão. Ele não pôde acreditar no que via.

Enquanto a maioria se evadia do salão, alguns poucos curiosos seguiam até um círculo formado em volta do corpo de Charles Howden, largado ao chão. Sua esposa era amparada por Samantha que o fitava de forma indagadora, assim como Andrew e Thomas. O vampiro se aproximou dos amigos e perguntou por entre dentes:

— Quem é o responsável por isso?

— Se soubéssemos ele estaria morto — assegurou Andrew, seriamente.

— Não vimos nada de anormal, Ethan. Ninguém suspeito a noite toda. Cheguei até aqui atraído pelos gritos. Charles já estava sem vida e sua esposa em choque — Thomas explicou.

O líder do grupo analisou o corpo inerte com maior atenção. Estava sujo de sangue. Aparentemente não fora bebido, mas se podia ver a marca de mordida em seu pescoço. O cheiro de imortal estava no ar, impregnava todo o corredor, porém Ethan não o reconheceu.

Impaciente pela falta de pistas, Ethan passou as mãos pelos cabelos, despenteando-o enquanto a raiva lhe invadia. Se aquele intruso tinha alguma pendência a resolver com ele que o procurasse de uma vez. Sua ação era confusa. Por que se servir de seus restos, matar pessoas em sua festa? E o pior de tudo. Por que procurar por Danielle?

— O que faremos, Ethan? — Thomas indagou, acercando-se do amigo.

— Acho que já saíram pessoas demais. É melhor pedir aos seguranças que fechem as portas. Eu chamo a polícia — disse ao pegar seu celular. Enquanto discava, continuou: — Com certeza a essa altura, alguém responsável pelo hotel já esteja a caminho para saber o que aconteceu aqui. — Olhando na direção dos poucos curiosos, pediu a Andrew: — Por favor, tire essas pessoas daqui.

Seu sócio o obedeceu incontinenti, levando os curiosos em direção ao salão. Ethan foi atendido e informado de que a polícia já estava a caminho. Depois de guardar o celular em seu bolso, se voltou para Thomas.

— O melhor que temos a fazer é sair daqui. Os peritos vão querer examinar o local e nossa presença somente os atrapalhará. — Quando todos estavam afastados do corpo, Ethan percebeu que a senhora Howden continuava em choque nos braços de Samantha. Olhando para a vampira já livre da peruca, pediu: — Será que você poderia apagar a lembrança do que ela viu?

— Eu já tinha pensado nisso, mas fiquei com receio de que o todo poderoso não aprovasse. Afinal, nunca se preocupou com os sentimentos alheios.

— Sam, agora não... — pediu Andrew, repreensivo.

— Apenas faça, por favor — Ethan pediu novamente, ignorando o comentário.

Não poderia retrucar, pois ela estava certa. O vampiro passou as mãos pelo cabelo já bagunçado e olhou em volta, afastando-se do grupo. As portas estavam fechadas, alguns poucos convidados revoltados por terem sua passagem bloqueada. Sua festa, perfeita fora transformada em um cenário de terror. Na verdade, aquele estava sendo o melhor de todos os bailes: Danielle esteve presente. Que infeliz coincidência começar o tumulto quando finalmente a tinha em seus braços.

Ethan cerrou os punhos com força. Quando colocasse as mãos no desgraçado que estava fazendo aquelas coisas, o infeliz se arrependeria de ter cruzado seu caminho.

— Está chegando cada vez mais perto — disse Thomas ao seu lado. — Primeiro com você, no parque... — ele baixou a voz para que apenas Ethan ouvisse e continuou: — Dias atrás, na sacada de Danielle... Agora aqui!

— Sim... O desgraçado se aproxima e foge. Odeio covardes! — Ethan vociferou entre dentes.

— Não vejo o que podemos fazer — o amigo lastimou.

— Nem eu tampouco. — O vampiro ainda olhava a confusão no salão. — Na verdade, não há nada a se fazer. Enquanto esse cretino não resolver me enfrentar cara a cara, tudo que me resta é esperar, preparado.

— Ei... — Thomas tocou em seu ombro. — Está claro que o problema é com você, mas não me exclua. O dia que esse infeliz resolver enfrentá-lo, eu estarei lá para ajudar.

— Eu também... — assegurou Andrew, aproximando-se. — Nem pensem em me deixar fora da diversão.

Ethan olhou de um ao outro e esboçou um sorriso.

— Obrigado! Mas não creio que esse intruso apareça para um confronto, quando vocês estiverem por perto. Tudo que ele tem feito até agora é mostrar que está presente, como um lembrete. Ele sabe aonde vou, conhece meus hábitos... — então olhou para Thomas. — Conhece as pessoas que me são importantes.

— Não pense nisso — pediu o amigo. — Tomaremos cuidado e... Cuidaremos uns dos outros.

— Sim... Esse intruso será a única baixa nessa história toda. Ficaremos atentos — disse Andrew.

— Obrigado, mais uma vez! — Ethan tocou o ombro de ambos. — Agora, se me dão licença...

Seguindo para o outro lado do salão, Ethan tentou deixar sua raiva de lado e ligou para Joly. Não poderia fazer nada quanto ao seu inimigo oculto. Somente poderia se precaver e cuidar de Danielle. Naquele momento tudo que lhe interessava saber era se ela estava bem e em segurança. Depois que fosse dispensado pelos policiais, iria até a suíte ocupada por elas. Se fosse preciso, enquanto Danielle dormisse, ele velaria seu sono.

Enlevado com a cena imaginada, ele reprimiu um sorriso. A ideia de estar próximo a ela enquanto dormisse fez com que se esquecesse de onde estava ou do caos a sua volta. Danielle era sua promessa de paraíso em meio ao inferno.

Capítulo 21

Em pouco tempo amanheceria e Dana ainda rolava em sua cama sem conseguir conciliar o sono. Sequer conseguiu cochilar. A adrenalina da noite ainda corria por suas veias. Ela não descobriu nada do ocorrido na festa por Joly. Depois que a amiga a tomou, literalmente dos braços de Ethan, levou-a para o quarto e, sem qualquer explicação, ordenou que se trocasse, pois a levaria de volta para seu apartamento.

— Não íamos passar a noite aqui? — Dana perguntou, aturdida. — Me diga o que aconteceu. O que queria que Ethan visse?

— Infelizmente não podemos ficar — respondeu apenas a primeira pergunta. — É melhor que você vá embora. É mais seguro.

— Seguro como?

— Dana, por favor, me ajude. Eu preciso ir embora e vou levar você de um jeito ou de outro.

— Mas...

— Troque de roupa, Danielle — Joly falou, mirando-a diretamente nos olhos.

De súbito, Dana sentiu uma vontade incontestável de obedecer e, sem nada dizer, tirou as vestes de "Christine" e voltou a ser Danielle. Depois de colocar as peças em um cabide, retirou as presilhas e os brincos emprestados. Perfeitos, pensou pesarosa. Pena que a noite não tivesse terminado da mesma maneira. Quando Joly apareceu ao seu lado, já trocada, Dana os devolveu.

— Obrigada por emprestá-los. São realmente divinos. De quem são?

— De um conhecido. Herança materna. Ele raramente as empresta, mas tenho privilégios. — Joly tentou esboçar um sorriso. Sem sucesso, disse seriamente: — Acredito que no futuro você poderá usá-los mais uma vez.

Dana duvidava. Jamais teria coragem de usar jóias verdadeiras se essas fossem suas, imagine as de alguém que nem ao menos conhecia. Não cogitou expressar seus pensamentos em palavras, pois Joly não lhe deu a chance. Em silêncio, ela apenas lhe ajudou a guardar suas coisas. Quando tudo estava pronto, anunciou:

— Vou descer por um instante para acertar tudo na recepção. Não abra a porta para ninguém. Para ninguém, entendeu? — Joly perguntou, enfática.

Dana assentiu, assustada com o comportamento da francesa. Ainda assim sentia o desejo de obedecê-la então esperou sentada sobre a cama, despedindo-se da suíte luxuosa. Joly ficou fora por quinze minutos. Ao entrar, interrompendo suas mudas especulações, chamou já a recolher as bolsas e pequenas malas.

— Vamos!

Dana estranhou que e ela não tivesse voltado com algum funcionário para ajudá-las como na ocasião de sua chegada, mas nada disse. Apenas seguiu o exemplo até que, em silêncio, deixaram o quarto. Logo entendeu a falta do carregador. A portaria do hotel estava mergulhada em completo caos. Pessoas fantasiadas ainda saiam às pressas. Hóspedes os olhavam intrigados. Muitos deles falavam em seus celulares e outros gesticulavam entre si. As duas mulheres passaram pela multidão com certa dificuldade, porém logo ganharam a rua.

O Austin Martin de Joly estava à espera. A capota erguida deixava seu interior lúgubre como o ar a sua volta. Ainda sem nada dizer, a amiga saiu para o trânsito, tão logo acomodaram a mínima bagagem no porta-malas. Em minutos, o som vindo do celular da francesa quebrou o silêncio opressor, e as acompanhou até que chegassem a East Village, pois Joly nunca o atendeu. Muito séria, deixou Dana em seu apartamento, fez a velha recomendação para que não atendesse a estranhos e seguiu para o seu próprio apartamento, deixando-a confusa, sozinha.

Dana remoia perguntas sem respostas. A primeira era como Ethan pôde carregá-la sem esforço algum e andar naquela velocidade anormal por entre tantas pessoas. Segundo, gostaria de saber o que aconteceu para que alguém gritasse histericamente, provocando a correria geral. Também gostaria de saber como perto de Ethan e Joly perdia sua vontade e se deixava levar de um lado ao outro.

Tinha perdido algo grande para uma matéria, no entanto, premente era saber por que Joly começou a agir de modo estranho depois que a levou embora. E a mais inquietante entre todas as questões: como era possível que depois de toda aquela confusão, ela se sentisse frustrada por não ter dançado com Ethan McCain?

Quando "Erik" a tomou pela mão e a levou para junto de seu corpo, sentiu o choque correr por seu corpo e expulsar de sua mente a sábia recomendação de se manter afastada. Somente por se lembrar, sentia as pernas bambas e o coração disparado. Durante o breve mover de corpos seu rosto ficou a altura da base do pescoço másculo.

Se ela erguesse os olhos teria visto o queixo bem marcado e se ousasse um pouco mais teria ficado frente a frente com a boca bem desenhada que, dias antes, se negou em beijar de forma correta.

Sim, seu corpo ardia com a lembrança. A cada dia que passava Ethan se tornava uma incógnita ainda maior. Como se não bastasse ser inumanamente lindo e ter aquele jeito quase luxuriante de envolvê-la, agora o descobria inexplicavelmente ágil.

Talvez fosse aquela aura de mistério que o tornava único e fazia com que o universo parasse quando estava perto. A sensação era tão forte que a assustava.

Ainda rolava inquieta e insone pela cama, com Black indiferente aos seus pés, quando seu telefone de cabeceira tocou. Dana conferiu o mostrador do despertador: 5h45. A ligação não a despertou, ainda assim ela se perguntou o que teria acontecido para que Paul a procurasse tão cedo. Fosse como fosse, agradeceu intimamente por trazê-la de volta das divagações proibidas. Com o peito apertado de remorso por dividir um espaço que deveria ser somente dele, ela atendeu.

— Bom dia, meu amor. Estava pensando em você — mentiu.

— *Que coincidência interessante, Danielle. Eu também estava pensando em você!*

Caso não estivesse deitada, Dana teria caído. Não mentiu afinal. Segurando o fone com força procurou por sua voz para indagar:

— Como tem meu número?

— *Além de amiga, Joly é minha secretária, esqueceu?* — Ethan soou divertido.

— Não esqueci — ela respondeu, desejando que o chão se abrisse e a engolisse por mais uma vez sentir ciúme. — Desculpe pela forma que atendi. Eu pensei que fosse...

— *Sei o que pensou* — ele a cortou, subitamente sério —, *porém de minha parte não teve engano. Eu estava mesmo pensando em você* — confirmou com voz mais branda, que acariciava o ouvido de Dana.

— Por quê? — ela indagou num murmúrio. Estava perdida.

— *Queria saber como está. Se não se feriu durante a confusão.*

— Eu estou bem... — Ao lembrar o improvável, acrescentou: — Graças a você que me tirou do meio da multidão. Como fez aquilo?

— *Você é leve, eu sou forte. Faças as contas.*

— Não creio que uma simples conta responda minhas dúvidas.

— *E você tem muitas dúvidas?* — A voz parecia uma carícia.

— Algumas — respondeu, ineditamente sem receio. — Mais do que deveria, na verdade.

— *Pois eu terei enorme prazer em saná-las todas* — respondeu Ethan, ainda sério.

Seu coração acelerou de forma preocupante.

O que estava fazendo? Não deveria encorajar o flerte de Ethan McCain. A imagem de Paul surgiu em sua mente, fazendo-a se sentir uma traidora. Tentando contornar a situação, assegurou:

— Não se preocupe, eu posso conviver com elas até esquecê-las.

— *Ainda prefiro do meu jeito. Quando tivermos a oportunidade de concluir o que ficou inacabado na noite passada, prometo tirar suas dúvidas sobre o que quer que seja. Eu mesmo tenho algumas que gostaria muito de esclarecer* — reduzindo o tom a um sussurro, acrescentou: — *E a principal delas é saber qual o gosto de sua boca quando retribuir ao meu beijo.*

— Ethan, eu...

— *Danielle* — ele a interrompeu gentilmente —, *eu lhe procurei apenas para saber se estava bem. Perdoe-me se a acordei ou... interrompi seus pensamentos. Tenha um bom dia!*

Antes que ela se lembrasse de como se articulava palavras simples, Ethan desligou. De repente o fone queimou em sua mão. Dana o recolocou no lugar somente para descobrir que quem queimava era ela inteira. Sem prestar atenção ao que fazia, jogou as cobertas de lado e correu para o banheiro.

Despiu-se rapidamente e logo estava sob o jato de água fria, mordendo os lábios para reprimir os gemidos de agonia pelo choque térmico. Não se ensaboou. Temia agravar sua excitação caso se tocasse. Imóvel, deixou a água correr por seu corpo até que a sensação de ardor e doloroso vazio cessasse.

Quando voltou para o quarto, vestida em seu roupão e com os cabelos enrolados em uma toalha, seu queixo tremia. Estava com frio e ainda excitada. Consolou-se imaginando que se pegasse um resfriado este baixaria sua libido e que ela arderia em febre não de desejo.

Era o que merecia, sentenciou já de volta a sua cama. Deitou-se como estava e se cobriu. Black não estava mais aos seus pés. Provavelmente fora procurar um local menos agitado no qual pudesse dormir em paz.

Dana não o recriminava, ela mesma precisava de, no mínimo, duas horas de sono se desejasse estar apresentável para seu encontro com Charles Howden. Felizmente o banho frio pareceu relaxá-la, trazendo-lhe o sono desejado. Estava entregue ao torpor, prestes a adormecer quando o telefone voltou a tocar. Desta vez, despertando-a. Temendo ser Ethan, atendeu com cautela:

— Alô?

— *Bom dia, anjo. Eu a acordei?* — Por fim era Paul.

— Não... Já estava acordada. Pensando em você!

— *Eu também estou pensando em você. Gostaria de saber como está depois do que aconteceu na festa. Fiquei sabendo somente agora. Por que você não me telefonou? Eu poderia ter ido até aí.*

— Não achei necessário — disse arrependida por não fazê-lo. Perdeu a chance de estar com quem deveria. — Além do mais, você tem uma audiência importante daqui a pouco.

— *Sim, eu tenho... Mas um assassinato é algo grave. Você surtou com um único tiro no Central Park, imagino como não deve ter ficado esta noite.*

Dana deixou de ouvir depois da palavra assassinato. Quem teria morrido? Por que Joly não lhe contou?

— *Dana, você está bem?* — Paul indagou após seu silêncio.

— Estou, Paul... — respondeu ao se recuperar do susto. — Eu não sabia que tinha sido tão grave. Pensei que fosse apenas uma briga ou algo assim. Quem morreu?

— *O editor-chefe do Today. Charles Howden era o nome dele.*

— Paul, você tem certeza? — Dana inquiriu, sentando-se, alarmada.

— *Sim, tenho. Estou com o jornal aqui em minhas mãos.*

Ela não sabia o que pensar. Quem faria uma coisa dessas em uma festa beneficente? Dana procurou por mais detalhes através de Paul. Ele leu a matéria, nada esclarecedora. Algumas pessoas se feriram na confusão. O único fato relevante era a forma de assassinato. Ao que tudo indicava, teria sido o mesmo psicopata que matara no Central Park e as jovens encontradas em seus respectivos apartamentos.

Enquanto ouvia, estarrecida, Dana se compadeceu pela esposa da vítima. Que cena horrível ela deve ter presenciado. Dana apenas poderia imaginar o quanto seria doloroso ver quem amava ferido.

Sem que pudesse prever, a imagem de Ethan surgiu diante de seus olhos. Fechando-os fortemente ela pensou em Paul. Não suportaria ver "Paul" ferido. Era ele quem ela amava, ele quem importava. Ante ao ato falho de sua mente, a pouca tranquilidade adquirida no banho se perdeu. Sentindo-se a pior das namoradas, ela o prendeu ao telefone por mais alguns minutos, então desligou.

Não sentia por sua chance perdida, somente pela vida ceifada no baile. Abraçando as próprias pernas, Dana se deixou cair de lado e em posição fetal, chorou de confusão e pesar até adormecer.

Ethan andava impaciente de um lado ou outro da pequena sala. No momento, o casal amigo dormia no quarto ao lado. Ele não tinha o privilégio de seguir o exemplo. Desde que foi liberado pela polícia e chegou a East Village, horas atrás, ocupava-se de ouvir cada mínimo ruído que vinha do apartamento de Danielle.

O vampiro nem se atrevia a imaginar o que teria acontecido caso o alvo do ataque fosse ela. Não sabia o que moveu Joly a afastá-la dele durante a recepção, mas a presença constante pode ter sido fundamental para a segurança da humana.

Ainda não tivera a chance de conversar com a amiga, contudo sua irritação arrefecera. Em especial após descobrir o assassinato de Howden. Na verdade, era-lhe agradecido. Desculpava até mesmo ter sido ignorado nas primeiras vezes que ligou e por ter lhe desobedecido, levando Danielle de volta ao apartamento. Na ocasião, ele teve ganas assassinas por não ter sido consultado, porém logo entendeu que ela estaria muito mais segura onde o intruso não poderia entrar.

Era obrigado a reconhecer que, como sempre, sua eficiente secretária pensava em tudo. Quisera ele ainda possuir tamanha percepção em meio a balbúrdia. Danielle o dispersava, deixando-o angustiado e temeroso. Jamais se perdoaria se algo tivesse acontecido a ela.

Se pelo menos soubesse contra quem deveria lutar. Ficaria mais fácil de elaborar uma defesa ou um possível ataque. Todavia, da forma que o intruso agia, ficava difícil tomar qualquer decisão. A única certeza relevante era a necessidade urgente de conquistar a humana para levá-la em definitivo para a sua cobertura, onde poderia protegê-la daquele visitante insano. Fora imbuído no desejo de acelerar os acontecimentos que ligou àquela hora. Sabia que Danielle não dormia.

Não pôde vê-la quando acessou sua sacada, pois para seu infortúnio a porta envidraçada e a cortina se encontravam fechadas, porém as barreiras não lhe impediram de ouvir seu rolar constante sobre o colchão.

Desejou poder lhe adivinhar os pensamentos para descobrir o que a incomodava. Se ela dispensava um pouco de sua inquietação para ele ou se era toda direcionada ao rábula. Ethan sabia que o casal não se encontrava há duas semanas. Em parte por sua culpa que providenciara para que o advogado estivesse sempre ocupado. A outra parcela de culpa era da própria Danielle que trabalhava até tarde da noite.

Daquele detalhe Ethan não gostava, pois, apesar de toda a vigilância, sempre haveria a possibilidade de o intruso ser extremamente temerário e atacar sem se importar em morrer logo em seguida. A simples ideia o enregelava, pois não estava pronto para perdê-la.

Assim como cada vez mais não suportava dividi-la. Ouvir a mesma voz rouca que o chamou de *meu amor*, ser dirigida ao rábula, enfurecia-o. Ethan sentiu o sangue ferver de genuíno ciúme enquanto acompanhava a nova ligação, apurando os ouvidos junto à janela. Logo estava claro que o rábula revelou o que acontecera a Charles.

Danielle se entristeceu e ele nem poderia consolá-la, mais uma chance perdida. Talvez pudesse ter se oferecido em ir ao apartamento dela. Ela o convidaria a entrar daquela vez, tolo! Era de fato um tolo quando o assunto era Danielle. Tentando não reincidir nos erros, prestou atenção na conversa que se seguiu:

— Eu não sei o que faria se algum mal acontecesse a você — ela comentou, tristemente.

Remoendo sua possessão, Ethan teve a confirmação de que nunca poderia ferir o rábula. Danielle jamais o perdoaria.

— Posso esperá-lo hoje à noite? — ela indagara, mais calma.

Não poderia acontecer, Ethan pensou enraivado. Danielle continuou falando. Afirmou sentir a falta do namorado. Naquele momento Ethan se aproximou da janela, furioso. Ela citou alguns filmes que veriam durante o encontro. A risada que se seguiu pareceu forçada ao vampiro. O som se juntou ao seu próprio riso de escárnio por imaginar que se tivesse a oportunidade de estar com a humana, ver filmes seria a última coisa que faria.

— Eu te amo...

A declaração final antes que ela desligasse o telefone, eliminou qualquer traço de humor ferino que pudesse acalentar o ressentido vampiro. Mil adagas afiadas não poderiam feri-lo mais do que aquelas três palavras.

O som que se seguiu, chamou a atenção de Ethan, inquietando-o. Sem se conter ou temer que alguém lhe visse, saiu para o corredor e parou à porta de Danielle. Ali, mais próximo dela, teve certeza de que chorava. Instintivamente ele tocou a porta. O que não daria para poder estar do outro lado e acalentá-la. Qualquer coisa. Daria toda sua fortuna, mataria quem fosse preciso. Tomaria qualquer atitude, qualquer forma.

Terrificado com seu pensamento, Ethan se afastou da porta como se ela o repelisse. Enquanto mais uma vez analisava os veios da madeira, uma ideia insana se formou na mente perturbada. Havia um modo de entrar. O plano era perfeito e fácil. Poucas vezes o vampiro recorrera ao que estava prestes a fazer por considerar indigno, todavia, para ter Danielle não se furtaria em perder um pouco de dignidade.

    Há muito tempo não era um poço de virtudes. Tudo que precisava fazer era encontrar o rábula. Dispensar um pouco de seu tempo a ele. Acompanhar seus gestos, decorar a impostação da voz. E garantir que ficasse longe da humana, era fundamental. Sorrindo por se lembrar de algo tão simples e altamente eficaz, Ethan partiu para sua cobertura. Sabia que Danielle estaria segura, pois aquela era sua noite de folga. Noite na qual ele, por fim, a teria para si.

Capítulo 22

Ao ouvir a chave rolar na fechadura, Dana olhou ao seu redor para conferir se tudo estava no seu devido lugar. A sala se encontrava em ordem, a meia luz, aconchegante. Dois dos DVDs preferidos de Paul — A Civil Action e Judgment at Nuremberg — estavam sobre o aparelho.

Ela não entendia como um advogado relaxaria vendo filmes sobre julgamentos depois de passar toda a manhã e boa parte da tarde num tribunal, mas enfim... Gostos não são discutíveis e após a noite passada e do dia inquietante que teve, Dana queria que tudo fosse perfeito. Se, para o namorado, aquela era a ideia de perfeição, também o seria para ela.

Paul entrou e fechou a porta atrás de si. A noite estava fria, anunciando o inverno que viria em breve. O vento gelado do corredor invadiu a sala fazendo com que Dana estremecesse. Ela correu para verificar o aquecedor enquanto ele tirava o casaco de couro e pendurava no gancho atrás da porta. Dana não pôde deixar de reparar como ele estava bonito, sua pele morena contrastando com a camisa preta. Os dois primeiros botões abertos revelando seu pescoço másculo.

Naquele momento contabilizou quantos dias estava sem vê-lo. Tempo demais. Por isso estava confusa. Trabalhar no restaurante realmente consumia suas noites, enquanto que os vários processos jurídicos no novo escritório o ocupavam durante o dia. Facilitaria se ele dormisse em seu apartamento uma noite ou outra. Contudo, ao que parecia se Paul não podia tê-la ao seu lado definitivamente, não dormiria com ela como costumava fazer.

Ainda mais agora que arrumara o argumento recorrente de que precisava se concentrar no trabalho e que, por mais que sentisse sua falta, a presença dela o distrairia. Com um suspiro, Dana determinou que o importante fosse apenas aproveitar sua folga.

— Oi! — ela o cumprimentou, animada.

Quando estava ao seu lado, Paul a puxou pelo braço para junto de si. Cobriu-lhe a boca para um beijo terno, manso. Dana passou os braços em volta do seu pescoço, porém não teve tempo de intensificar o beijo.

— Boa noite, anjo! — ele cumprimentou, desprendendo-se dos braços dela para se dirigir ao sofá. Recostando-se nas almofadas, soltou um suspiro cansado e fechou os olhos. Rapidamente Dana estava ao seu lado, com as pernas dobradas sobre o estofado.

— Dia cheio? — Dana começou a acariciar sua testa vincada.

— Sim... Hummm, isso é bom! — elogiou o toque. Ainda de olhos fechados, prosseguiu: — Os clientes que o McCain me passa são difíceis de lidar... Quase sempre intratáveis.

— Está arrependido de ter aceitado trabalhar com ele?

Dana tentou ocultar a ansiedade, Ethan estava presente tempo demais. Se Paul desistisse de trabalhar para ele, ela teria uma chance real de afastamento. Talvez assim se desligasse do advogado errado, que a fascinava e amedrontava quase que na mesma medida.

— Lógico que não! — Paul respondeu ao encará-la. — O McCain pode ser um narcisista cretino cercado de clientes boçais, mas essa é uma oportunidade única.

Dana se surpreendeu por se aborrecer com as palavras grosseiras, mas nada disse. Entendia a posição do namorado, e era somente isso que deveria importar. Como não tinha nada a ser feito, por ela ou por Paul, colocou-se no colo dele e recomendou:

— Então se esqueça de todos eles... e aproveite a noite.

Ao se calar, Dana começou a depositar pequenos beijos no rosto moreno. Beijou a testa ainda vincada, suas bochechas e finalmente a boca. Insinuou a língua em seus lábios. Paul os abriu para retribuir o carinho. Dana se descobriu realmente saudosa. Após um gemido, procurou pelos botões de sua camisa, porém, foi detida antes que abrisse o terceiro.

— Eu pensei que fossemos assistir filmes.

— Eles estão logo ali... — Dana apontou com a cabeça antes de beijar o pescoço largo. — Podemos ver todos eles... Depois!

— Dana, espere um pouco — Paul pediu a afastando. — Desculpe, mas estou realmente cansado. Podemos seguir com o combinado e ter uma noite tranquila?... Apenas namorando um pouco e ter nossa programação de filme e pipoca?

— Desculpe... É que sinto sua falta — Dana esclareceu, envergonhada. Não se lembrava como era ruim ser rejeitada.

— Não fique assim... — ele a abraçou. — Eu também sinto sua falta... Só não estou num bom dia. Ainda tenho páginas e mais páginas de um processo enorme para conferir. Abri essa brecha para vê-la e relaxar. Se acabarmos em sua cama, não conseguirei ir embora. Você sabe que gosto de passar muito tempo com você e não sair correndo debaixo de seus lençóis.

A desculpa podia ser fraca, mas ela se deixou convencer. Sorriu para ele e assentiu:

— Boa garota! — Paul a beijou mais uma vez antes de pedir. — Agora me conte como estava a festa antes da confusão.

Dana sentiu o rosto arder. Gostaria de ser sincera ao dizer sentiu sua falta e que o Halloween estava uma droga sem ele ao seu lado, mas não poderia. Adorou a festa e, por mais que tentasse fugir da verdade, adorou a atenção que teve de certo Fantasma. Novamente se sentia uma traidora. Seu namorado ausente mergulhado em trabalho e ela se deixando levar pelo fascínio de Ethan.

O perturbador era que ela sentia falta de Paul. Com ele ao seu lado o desejava com urgência. Então por que quando estava longe, ela quase se esquecia dele? O pigarro discreto indicou que o namorado ainda esperava por sua resposta. Tentando parecer indiferente, respondeu:

— Foi uma festa como outra qualquer. Tirando o final que foi apavorante.

— Como você conseguiu sair? Alguns convidados se feriram...

— Eu estava perto da porta. — Dana lutou para não se perder em fantasias. — Quando vi a confusão se formando, achei melhor sair e esperar por Joly no nosso quarto.

— Fez muito bem. Ethan me disse que ficou até o final da madrugada acompanhando as primeiras investigações.

— Ah, ele disse? — Dana desejou ter expressado indiferença.

— Sim. Hoje almoçamos juntos. Ele disse que era em agradecimento por eu estar ajudando Thomas em suas causas, o cretino. Viaja, deixando seus assuntos para que os outros resolvam...

Ela não estava gostando de ouvi-lo falar daquela forma. Aquela era a segunda vez na noite. Por mais que Ethan a incomodasse não lhe parecia ser um cretino. Antes que ela o repreendesse, Paul prosseguiu:

— Bom... O importante é que você está bem. Só lamento pela vítima.

— Também lamento — ela entoou deixando o assunto anterior passar. — Eu iria me encontrar com ele hoje em seu jornal. O Sr. Howden queria conhecer meu o trabalho.

— Oh, meu amor... — Paul segurou-lhe o rosto. — É uma pena. Eu sinto muito.

— Tudo bem — ela baixou os olhos.

— Tem certeza? — Dana confirmou com um aceno de cabeça. — Então vamos esquecer esse assunto e iniciar nosso namoro.

— Vamos — ela lhe sorriu tristemente.

— Posso pegar uma manta?

— Claro que, sim — Quando ele se levantou para ir ao quarto, Dana pediu: — Verifique se a porta da sacada está fechada, por favor.

— Certo! E você prepare a pipoca que já coloco o filme.

— Pipoca saindo... — Mais uma vez Dana sorriu tristemente e seguiu para a cozinha.

Pipoca de microondas era sua especialidade e em menos de cinco minutos voltou para sala com duas tigelas cheias. Paul já havia tirado seus sapatos, estava recostado no sofá com os pés na mesa de centro. Ele se cobriu com a manta e segurou a ponta levantada para que ela se acomodasse ao seu lado. Dana lhe entregou uma das tigelas, deixou a outra sobre a mesa a sua frente e se sentou junto ao corpo de Paul, abraçando-o, enquanto ele dedicava sua atenção à pipoca.

Dana tentou ignorar aquele corpo quente e focou sua atenção no filme escolhido: *A Civil Action*. Ela costumava gostar daquele filme. Porém, depois de assisti-lo tantas vezes, começou a desejar que a história não tivesse sido real e que pelo menos uma vez acabasse de forma diferente, só para variar.

Meia hora depois ela só conseguia olhar para o pescoço de Paul, tão próximo a sua cabeça. Dana baixou os olhos para a camisa, agora três botões abertos que lhe permitiam ver parte do peito forte. A respiração tranquila do namorado fazendo-o subir e descer, subir e descer...

Paul riu de alguma coisa engraçada. O que era engraçado? Ela olhou em volta e se viu sentada num tribunal. Era uma dos jurados e Jan Schlichtmann estava com a palavra, defendendo fervorosamente sua causa embora ela não ouvisse som algum. Dana uniu as sobrancelhas. O que ela estava fazendo dentro de um filme mudo? "Anjo", finalmente ela ouviu a voz dele. Ou não...? A voz familiar chamou-lhe novamente. "Anjo, acorde".

O tribunal desapareceu. Com o susto, ela se sentou abruptamente. Piscou algumas vezes e olhou em volta. Estava em sua sala sentada ao lado de Paul que a olhava com a expressão divertida.

— Você dormiu. — Ele riu, acusador. — Agora acredito que está cansada de ver esse filme.

— Desculpe. Não estou cansada do filme e que... hoje eu precisava me manter ocupada, então aproveitei para limpar tudo por aqui. — Passando as mãos pelo cabelo, ela voltou a se acomodar no corpo de Paul e olhou para a televisão. — Em qual parte estamos?

Paul não respondeu de imediato. Desprendeu-se do seu abraço, sentou na beirada do sofá e se virou para ela.

— Eu deveria ter imaginado que também precisaria de descanso — disse enquanto acariciava seus cabelos. — Teria sido melhor que tivéssemos marcado em outro dia.

— Não temos outros dias — Dana não acreditou em si mesma. Esperou tanto pelo momento de estar com ele e dormiu em seus braços perdendo um tempo precioso.

— Amanhã teremos um dia cheio. É melhor você ir para a cama e dormir.

— Não! Eu estou bem... Vamos pelo menos acabar de ver o filme.

— Melhor não... — Paul rejeitou a oferta já calçando os sapatos. — Eu também preciso de descanso.

— Tão cedo? — Ela choramingou forçando um beicinho. — Não íamos namorar? Eu me lembro que você incluiu esse bônus ao combo filme e pipoca. Fique mais um pouco, por favor!... Prometo me manter acordada.

— Não é cedo, Dana. Acredite... Eu adoraria ficar com você e poder passar a noite aqui, mas preciso rever aquele processo que lhe falei para a audiência de amanhã. Desculpe, amor... Prometo que compenso depois — ele falou, levantando e a puxando pelos ombros.

— Está bem... — anuiu. — Sem problema!

Dana deixou que a abraçasse, em silêncio. Não poderia argumentar contra o trabalho de um namorado que parecia funcionar em tempo integral, quando se encontrava às vésperas de uma defesa importante. Deveria reconhecer que estava cansada, que a noite perfeita fora um fiasco.

Dana olhou para sua tigela de pipoca intocada e suspirou. Depois assistiu calada enquanto Paul vestia seu casaco, olhando-a, pesaroso.

— Sinto muito, anjo.

— Já disse que não tem problema.

Pelo visto ela deveria se acostumar a ser a segunda em sua vida. Nunca seria uma rival a altura da justiça.

— Você sabe que eu te amo, não sabe?

Ao abraçá-la, depois da pergunta, Paul começou a depositar pequenos beijos na boca rosada. Ao se render e se preparar para retribuir o abraço na esperança de aprofundar o beijo, ele se afastou.

— Tenho mesmo de ir.

— Está bem! — Dana escondeu mais uma vez sua frustração.

Recordando-se de semanas atrás, ela percebeu que ultimamente nem mesmo as despedidas eram entusiasmadas. Nada tinha mudado, recitou mentalmente. Ainda se amavam, apenas assumiram novas responsabilidades. Quando acertassem o ritmo, seriam como antes.

— Nos vemos amanhã? — Dana perguntou sem muitas esperanças.

— Não posso prometer... Não sei à que horas o julgamento terminará. Eu a procuro.

Paul beijou sua testa e partiu. Depois de ouvir o namorado trancar a porta, Dana exalou um suspiro resignado e foi recolher as vasilhas de pipoca da mesinha. Desligou a televisão desanimada. Olhou para o relógio: 11h47.

Bem... O namorado tinha razão, não era cedo. Ao entrar no quarto, por um instante Dana esqueceu a estranha separação ao se surpreender em ver a porta da sacada aberta. Paul deve ter se esquecido de fechá-la como pediu. Estranho também notar que o vento frio não tenha baixado a temperatura do apartamento. Era como se alguém a tivesse aberto há poucos minutos. Logo Dana riu de sua dedução improvável e, ignorando a cisma idiota, foi fechá-la. Antes, porém, saiu para a sacada, esfregando os braços na tentativa de aquecê-los.

Recostada ao parapeito, Dana olhou para baixo. Era alto, ninguém subiria até ali. Sorriu mais uma vez de suas maluquices e olhou para o céu, deixando que o vento frio agitasse seus cabelos. Abraçada ao próprio corpo, Dana suspirou, voltando a lamentar o fracasso do encontro. Poderia tentar se enganar, mas estava claro que cada vez mais ela e Paul se perdiam. Talvez eles devessem... Dana interrompeu o pensamento, cansada demais até para analisar os aspectos do relacionamento.

Com um novo suspiro, voltou ao quarto. Dana tentou fechar a porta, apenas para descobrir o trinco quebrado. Não atinava como poderia ter acontecido, nem se esforçou em desvendar o mistério. Na manhã seguinte providenciaria o conserto. Deixando a porta apenas encostada, começou a se despir. De súbito, ao desabotoar a calça, teve o conhecido calafrio, a sensação de observação. Maneando a cabeça, rindo de si mesma, decidiu ser melhor tomar seu banho morno e dormir.

Sob o jato do chuveiro, Dana deixou que a água corresse por seu corpo até que sentisse seus músculos relaxados, a cabeça vazia de pensamentos, de Paul, de Ethan. Terminado o banho, ela secou o corpo e o cabelo, rapidamente, para não despertar do bom torpor. Uma vez vestida em sua camisola preferida, Dana rumou para o quarto. Seguia aos tropeços até sua cama, quando ouviu as batidas impacientes à porta. Aturdida pelo sono, foi verificar quem seria o visitante inoportuno. Acendeu apenas seu abajur e perguntou:

— Quem é?

— Paul.

Paul?! Dana estranhou. As brumas do sono toldavam seu raciocínio, talvez por isso não encontrasse um motivo para a volta do namorado ou o porquê de ele não usar a própria chave.

Maneando a cabeça para dissipar um pouco do torpor, ela abriu a porta. E Paul estava lá. Mantinha uma das mãos apoiada no batente e a encava quase como se fosse capaz de... devorá-la. Apreensiva, Dana franziu a testa e se afastou para que ele entrasse. Paul não se moveu.

— Não vai entrar?

O namorado nem ao menos respondeu, somente a encarava, escrutinando-lhe o rosto. Ela então ergueu uma sobrancelha, inquiridora.

— Se não pretende entrar, por que voltou?

— Não me convida a entrar? — Paul perguntou mansamente, com voz rouca; anormal.

— Paul, você está bem? — Dana se impacientava com a brincadeira.

— Na verdade, não... — ele sussurrou. — Não vai mesmo me convidar?

Dana o encarou por um instante. Era esquisita a forma com que ele a olhava. Não fosse a declaração de que não se sentia bem, ela o mandaria embora. Contudo sua preocupação sempre prevaleceria. Tapando um bocejo que não conseguiu reprimir, Dana o convidou:

— Entre!

Lentamente Paul endireitou sua postura e a exibir um sorriso enigmático, entrou. Ao cruzar o batente, passando a centímetros de Dana, provocou-lhe um calafrio. — Como acontecia com a vidraça. Definitivamente tinha problemas, ela sentenciou, ridicularizando suas crendices. Apesar de parecer diferente, Paul sempre seria apenas Paul.

Capítulo 23

Dana fechou a porta e ao se voltar estremeceu com um novo calafrio. Paul, apesar de ser o mesmo, enchia a sala com sua presença. Mantinha-se de costas enquanto a namorada o analisava de braços cruzados, esperando alguma explicação já que não encontrava uma por si só. Passados cinco minutos, Dana estava ao ponto de explodir, tamanha era sua ansiedade. Sentia sono, deveria estar feliz com o retorno, no entanto, somente desejava dormir.

— Paul... Você disse que tinha muito a fazer. Saiu, voltou... E agora não diz nada?

— Estou pensando — ele disse por fim, com voz baixa, sem se mover.

— Pensando em quê?

— Se fiz bem em vir... *em voltar* aqui. — As palavras saiam intimistas, como se Paul falasse consigo mesmo. — Talvez devesse ir embora, mas... Finalmente você está tão perto... E esse seu cheiro...

— Finalmente?!... Meu cheiro?!... Paul, eu não estou entendendo nada do que diz.

— Agradeceria se parasse de repetir... meu nome. — Ele a olhou de esguelha por sobre o ombro.

— O quê?!... Paul...

— Não! — ele grunhiu. Em um movimento rápido demais, virou-se e tapou a boca da namorada.

O toque durou um instante antes que ele lhe prendesse a cabeça entre as mãos, unindo as testas. Dana arfou com a impetuosidade, cogitou protestar pelo arroubo, pela incoerência, contudo a angustia que percebeu nos olhos negros, calou qualquer argumento. Era como se Paul travasse uma batalha interna.

Dana quis consolá-lo, mas não encontrou palavras. Os dedos gelados, provavelmente pelo frio da rua, contraditoriamente a aqueciam. Com o ardor a se espalhar por seu corpo, ela fixou os olhos aos dele. Em sua avaliação, pôde ver quando a angustia deu lugar à dor. Dana se comoveu com tamanho sofrimento. Queria tocar o rosto moreno, acalmá-lo do que quer que fosse, mas não conseguia. Estava presa.

Ainda com expressão sofrida, lentamente, Paul afastou o rosto e desceu o olhar para a boca entreaberta. A despeito de toda tormenta interna, ele a mirava enlevado, como se a visse pela primeira vez. Dana o imitou e flagrou o momento exato em que ele passou a língua pelos lábios, lentamente.

O gesto contraditório e extremamente sensual dificultou sua respiração. Ela passou a sorver o ar pela boca. Seu peito pulsava, denunciando o descompasso de seu coração.

Dana se desconhecia, afinal, ele era o seu Paul. Ainda assim seu corpo experimentava todas as reações do novo. Até mesmo o cheiro que desprendia dele era diferente e ainda assim tão conhecido. Involuntariamente Dana umedeceu os lábios e fechou os olhos, esperando pelo beijo que viria, esquecida de qualquer mudança inexplicável. Logo o hálito de Paul se misturou ao dela. As bocas estavam separadas por milímetros, porém ele não fazia o movimento ansiado. Caso ela provasse mais daquela inércia, sucumbiria.

— Me beije, por favor! — implorou.

Ao falar, os lábios de ambos roçaram e o breve contato foi capaz de produzir fagulhas.

Como regra daquele retorno inusitado, o beijo começou diferente. Surpreendendo Dana, com a língua levemente fria, Paul lambeu sua boca verticalmente, por toda extensão dos lábios. Uma, duas, três vezes antes de prender o lábio inferior entre os seus e chupá-lo com força, saboreando-o com gemidos contidos que a enlouqueciam tanto quanto o gesto incomum e altamente lascivo.

Sua boca estaria inchada pela manhã, e Dana pouco se importava. Aquilo nem era um beijo e ela já se encontrava completamente acesa.

Uma vez liberada do transe, Dana enlaçou o namorado pelo pescoço. Como se o gesto de aceitação representasse uma última barreira a ser rompida, Paul gemeu alto e, depois de afastar seus lábios com a língua, capturou a dela em um rolar devotado, para por fim, beijá-la. O contato excitante era novo. Aquele não parecia ser o mesmo Paul que beijou há poucos minutos.

Não parecia ser o Paul que beijou nos últimos três anos, Dana pensou, abandonando toda languidez para correspondê-lo. A boca masculina se tornou urgente, a língua torturou a dela sem piedade. Liberando outro lamento, ainda com os lábios presos aos dela, Paul rapidamente se livrou do casaco.

O movimento chamou Dana à razão. Colocando as mãos espalmadas contra o peito largo, ela tentou afastá-lo. Seus dedos formigaram ao sentir os músculos firmes sob o tecido fino da camisa. Dana lutou para não se distrair com a sensação boa da adrenalina em suas veias. Arfando, ainda com os lábios próximos, perguntou:

— O que está acontecendo aqui?

— Eu precisava estar com você — ele respondeu simplesmente.

— Mas você esteve... e disse que precisava ir embora... Acabou de sair daqui, Pa...

A boca masculina a calou, impedindo-a de completar o nome. Inacreditavelmente o novo beijo foi mais urgente. Paul a prendeu pela nuca. Os dedos, ainda frios, queimavam-na. Com o braço livre, ele a segurou pela cintura. O abraço era apertado, diferente. Dana considerava muito bom aquele acesso de paixão repentina. Em seu torpor, imaginou que talvez o sofrimento fosse por ele ter tanto a fazer e não querer deixá-la. Ao acreditar que pela primeira vez fora escolhida, ela se rendeu a tamanha fome.

Com a nova aceitação de sua parte, aquela versão impetuosa de Paul urrou guturalmente e, erguendo-a no abraço, levou-a até o sofá. Ao se sentar a acomodou no colo. Dana passou os braços em volta de seu pescoço, movendo o corpo sobre a evidente rigidez. Ele novamente urrou, tornando o beijo mais invasivo. As línguas travavam uma luta sem vencedores. De repente, Dana sentiu algo vibrar insistentemente em sua coxa. Um celular.

Estranho. Paul nunca deixava o aparelho mudo. Teria questionado, contudo foi preciso se concentrar em quebrar o beijo. Sem sucesso, indagou diretamente na boca afoita:

— Não vai atender?

— Não deve ser importante.

Retirando o aparelho do bolso, Paul o jogou ao chão. Dana gostou daquilo. Parecia que sim, pela primeira vez ela era a prioridade. O gesto despertou uma necessidade por ele nunca sentida. Com dedos ansiosos, Dana passou a desabotoar a camisa enquanto depositava breves beijos no pescoço frio. Ela então estranhou os músculos acentuados e se questionou como não notara a diferença quando estiveram abraçados horas antes, mas não deu maior atenção. Livrando-o da camisa preta, sentou corretamente sobre as coxas de Paul para tirar máximo proveito da mudança.

Ele gemeu e, sem demora, suspendeu a camisola para retirá-la. Ato contínuo jogou-a na direção do celular que ainda brilhava, anunciando as sucessivas chamadas. Parecia ser urgente. Dana pensou em deter os carinhos e mandá-lo atender, contudo, quando sentiu as mãos frias em seu rosto, virando-o para encará-lo, esqueceu-se o que pretendia dizer.

Havia tanto desejo nos olhos negros enquanto estes baixavam para admirar seus seios nus, como se nunca os tivesse visto. Delicadamente, experimentando a textura da pele, Paul deixou as mãos escorregarem pelo pescoço de Dana, ao longo do colo até contornar os seios cheios. Acompanhando cada movimento com o olhar atento, ele exalou roucamente:

— Esplêndidos!

Dana juraria ter visto um lampejo colorido transpassar os olhos negros que a distraiu do elogio inusitado. A carícia cálida apesar da frieza dos dedos contribuía para sua confusão. Amolecida, ela abanou levemente a cabeça na tentativa de despertar, porém seu gesto foi contido. Paul a prendeu pelos cabelos da nuca e os puxou para trás. Logo os lábios frios se fecharam em seu pescoço, chupando-o com força. Deixaria uma marca, mas, àquela altura, ela pouco se importava.

A mão poderosa e livre abandonou toda delicadeza para esmagar um seio, eriçando mais seu mamilo entre os dedos. Apertando-se contra Paul, adorando o amasso inesperado em seu sofá, Dana sentiu a boca do namorado deslizar de seu pescoço e cobrir o mamilo que preparou para agora provar languidamente, chupando-o sem pressa. Então a excitação sentida se converteu em gozo inesperado.

Trêmula, Dana o segurou fortemente pelos cabelos sem atinar se estaria doendo ou não. Paul não protestou, apertando-a contra o peito. Ao finalmente ser liberada, dos carinhos e dos tremores, Dana se afastou. Ansiosa por ir além, deixou o colo por tempo suficiente para desafivelar o cinto do namorado. Sempre sob o olhar faminto e muito atento a cada movimento seu, Dana o livrou dos sapatos e das meias, da calça e finalmente da boxer, deixando-o nu.

Decididamente algo não combinava naquele corpo definido e maravilhosamente potente, mas Dana não se prenderia a detalhes. Aquele homem voltou por ela e não o deixaria esperando. Era premente que consumassem o ato que os libertaria da fome.

— Não aqui — Paul a deteve, quando tentou voltar para seu colo. Após se levantar, tomou-a nos braços e a carregou até a cama onde a depositou gentilmente antes de se deitar ao seu lado. Dana estendeu a mão para acender o abajur, porém mais uma vez ele conteve seu gesto. — Deixe como está.

— Quero vê-lo — ela choramingou.

— Não é preciso que me veja... Basta sentir-me.

Toda argumentação morreu no vazio, quando Paul pousou a boca em seu pescoço. Não para um beijo, sim, para um novo chupar sensual na pele sobre a jugular. Dana sentia os dentes roçarem sua carne, como se Paul fosse mordê-la a qualquer instante. Ela não pôde deixar de associar a carícia estranha às tantas cenas de filmes de vampiros. Todas elas eram extremamente sensuais, com a mocinha indefesa sendo bebida pelo vilão imortal.

Para alguém como ela, foi impossível não estremecer à ideia.

"Basta sentir-me", as palavras ecoavam em sua cabeça enquanto seu corpo as confirmava. Sim, ela sentia e realmente bastava.

— Pa...

Antes que pronunciasse o nome uma das mãos vigorosas se materializou sobre sua boca, tapando-a. Paul então abandonou a carícia no pescoço para dizer diretamente ao seu ouvido:

— Não quero que diga o nome, entendeu? — Ao se calar, escorregou a mão livre pelo ventre plano da namorada e a insinuou além do elástico da calcinha. — Se insistir em usar nomes, eu irei embora.

— Sem nomes então... — ela se ouviu murmurar entre um gemido e outro.

Não entendia a súbita rejeição ao próprio nome, mas definitivamente não queria que ele fosse embora. Dana pôde sentir o hálito de Paul em sua orelha, quando ele sorriu satisfeito. Como um pequeno agradecimento, ele desceu a mão um pouco mais para estimular seu ponto mais sensível, num massagear torturante e insistente até que em pouquíssimos minutos ela novamente fosse lançada às alturas, trêmula em sua satisfação.

Com olhos turvos, Dana flagrou o contentamento no rosto moreno, quando Paul percebeu o que era capaz de fazer com ela.

Ainda respirando com dificuldade, Dana fez com que ele se deitasse de costas e passou a lhe beijar o peito, mordiscando-lhe a pele, imitando-o. Igualmente tocou seu corpo sem receio, explorando-o, redescobrindo-o. Quando a boca alcançou a curva do pescoço, ele gemeu e ordenou de modo gutural:

— Morda-me!

— Como?! — Dana nunca soube que Paul gostasse de ser mordido.

— Morda-me! — ele repetiu a ordem.

Entendê-lo há muito não era opção, então ela fez como ordenado, apertando os dentes em sua pele com medo de machucá-lo. A investida somente o levou ao riso leve, como se lhe fizesse cócegas.

O som acintoso inflamou os brios femininos. Juntando toda sua força, Dana o mordeu fortemente. A carne fria cedeu minimamente e para seu deleite, Paul arfou com prazer genuíno, indicando que a brincadeira tinha chegado ao fim.

Com um urro estranho, Paul inverteu as posições para se colocar sobre Dana, demonstrando uma urgência renovada que não tardou em atender. Lentamente, quase reverente, ele deslizou para seu interior, por fim, unindo seus corpos febris para iniciar o mais primitivo dos movimentos. Curvando-se sobre ela, sem interromper o lento serpentear de seu quadril, Paul afundou o rosto na curva do pescoço e a beijou, ou chupou a pele, ela não sabia diferenciar, apenas sentia o intensificar do prazer.

Muito estimulados, presos num excitamento crescente, foram engolfados pelas névoas do prazer extremo. Os gritos dela se misturando aos urros anormais dele, aniquilando toda a saudade em perfeita comunhão. Dana sentia o corpo vibrar e sua cabeça zunir, após ser levada ao céu. O torpor retornou, porém, naquele momento, ela não queria dormir. Talvez, acalmados no desejo que os inflamou, conseguisse algumas respostas. Contudo, uma vez saciado, seu corpo traidor não a obedecia.

Paul a puxou para um abraço, enquanto ela mergulhava mais e mais na escuridão reconfortante. Antes que sucumbisse ouviu uma voz conhecida, porém não a do namorado, lhe sussurrar ao ouvido:

— Eu a amo, Danielle Hall.

— Também amo você, Paul Collins...

Ethan considerou merecido e tentou não se importar com a declaração inesperada que fazia doer seu coração. Naquele momento não deixaria que nada quebrasse a magia. Ainda que tivesse ido contra sua própria decisão e recorrido à ilusão, novamente teve um pouco do sangue doce de Danielle, enquanto a possuía, finalmente.

E depois daquela noite, não importando quem amasse, ela não seria de mais ninguém. Nem que também fosse preciso quebrar a própria palavra, pois no que dependesse dele, Paul nunca mais colocaria as mãos em sua mulher.

Decidido, Ethan a acomodou melhor, pousando-lhe a cabeça sobre o peito. Dormira com mais mulheres humanas do que era capaz de contar, porém não conseguia encontrar termos que descrevessem o que sentia por ter Danielle junto a si.

O vampiro de alma desgraçada acreditava estar próximo ao paraíso dos justos.

Danielle era intensa, entregou-se com paixão. Nunca outra lhe proporcionou tamanho prazer e arriscava o palpite de que ela tampouco o tivera com outro. Eram perfeitos juntos.

Alcançaram as estrelas.

Como Thomas dissera, se todas aquelas bobagens espirituais sobre almas que se dividem e se procuram fossem verdadeiras, ela era sua metade; sua alma gêmea.

Ethan sorriu. Realmente a amava. Somente os enamorados pensavam tais bobagens. Ainda sorrindo, ele olhou para o rosto pousado em seu peito e passou a acariciar a bochecha corada.

— Minha humana — sussurrou, satisfeito.

Com leveza ele contornou os cílios longos, desejando poder ver o âmbar dos olhos. Aventurando-se, levou seus dedos até a ponta do nariz empinado. Então desenhou a linha dos lábios, recordando o sabor. Fazendo leve pressão, separou-os e com o indicador tocou a língua. A sua própria formigou ao sentir a textura áspera, úmida e quente. Ao recordar a paixão confirmada nos beijos, excitou-se.

Ethan foi lançado do paraíso diretamente ao inferno. Queimava, necessitava dela. Que se danasse a lucidez por parte da humana. A entrega voluntária viria com o tempo, no momento Ethan precisava priorizar a urgência sentida. Porém, daquela vez seria diferente, pois não estava disposto a ouvir palavras que o feriam.

Danielle dormia e poderia muito bem sonhar.

— Danielle... — chamou diretamente ao ouvido dela, depois de deitá-la de costas sobre a cama. — Danielle...

— Hein?... — ela resmungou.

— Venha para mim... Sonhe comigo — ele sussurrou. Então capturou o lóbulo delicado para sugá-lo. Ela se moveu e resmungou mais uma vez, ainda inconsciente. — Sonhe comigo, meu amor.

Uma vez dito, Ethan se sentou sobre o quadril da humana. Danielle entreabriu os olhos e lhe sorriu languidamente.

— Olhos verdes... — ela sussurrou.

O vampiro não sabia ao certo o que a menção aos seus olhos significava, mas gostou de ouvir. Na penumbra do quarto, Ethan não podia distinguir nitidamente a alvura do corpo macio, mas não se importou, teriam muito tempo. Naquela noite, o que disse a ela valia para si, bastava senti-la, então apenas lhe sorriu de volta, admirando o que podia ver.

Ali, nua sob seu corpo, com os cabelos espalhados pelo travesseiro, Danielle era o pecado encarnado. Baixando o olhar, ele mirou os seios esplendidos. Lenta e gentilmente Ethan tocou os montes erguidos, agravando a dureza dos picos enquanto recordava visitas distintas à sacada, quando ansiou entrar, sem poder, desejando fazer o que fazia naquele instante. Agora, não somente conhecia o corpo amado sem barreiras, como estava na cama com Danielle e faria amor com ela pela segunda vez.

Sem pressa, Ethan continuou a acariciar a pele macia, beliscando os mamilos já muito eriçados, enquanto Danielle gemia e arqueava o dorso. O vampiro sorriu ainda mais, satisfeito por saber que torturava a humana como ela fizera com ele todos aqueles dias.

Baixando sobre ela, ele a beijou mansamente. Depois, desceu a boca pelo pescoço, lambeu a artéria que agora pulsava frenética, porém a ignorou. Ansiava beber de um ponto melhor desde que a observou da sacada. Ainda a torturar um seio, Ethan provou o outro, sugando com força, marcando-a. Sua humana exalou um gemido mais alto, contorcendo-se em agonia, porém sem chances de liberação.

Ethan se enrijecia mais e mais ante as investidas de Danielle, mas ainda não a possuiria. Escorregando para baixo, ele passou a lhe beijar o ventre. De imediato ela separou as pernas. Ethan sorriu. *Ela* precisava *dele*.

Fechando os olhos, lambeu-lhe o umbigo e a tocou, terna e intimamente. Danielle arqueou o corpo, ansiosa. Ethan desceu um pouco mais, beijando a pele na lateral direita do quadril, seguindo para a coxa até alcançar o monte carnudo abaixo da virilha. Foi ali que lambeu e prontamente mordeu.

— Por favor! — Danielle choramingou.

Ethan a desejava na mesma medida, mas não a atendeu, provando-lhe o sangue um pouco mais, deleitando-se com o cheiro de cio. Contudo, temendo machucá-la uma vez que Danielle se movia freneticamente, Ethan lambeu o local da mordida antes de estar satisfeito. Melhor assim, pensou ao se ajoelhar entre as pernas dela, puxando-a pelos braços para que também se sentasse. Com ela diante de si, ordenou:

— Toque-me.

Obediente, ela tocou o rosto. Ethan fechou os olhos enquanto os dedos ainda incertos acariciavam seus cabelos na linha das têmporas, depois a nuca e a lateral de seu pescoço até seu peito forte. Substituindo as mãos pelos lábios, ela mordiscou um mamilo mínimo. Ethan praticamente rosnou ao sentir os dedos que desceram por seu abdômen e se fecharam em seu membro para provocá-lo até que não pudesse mais se conter.

Ainda de joelhos, ele a trouxe para si e a estocou mais uma vez. Danielle o enlaçou pelo pescoço e passou as pernas em volta do seu quadril, levando-o à mesma satisfação plena por apenas se saber dentro dela. Esquecido de todas as coisas, segurando-a pelo quadril para guiá-la em um ir e vir lento e perfeito que maximizaria o prazer, Ethan quis apenas ouvi-la.

— Quem está em seu sonho, Danielle? — inquiriu expectante e rouco.

— Ethan.

— Repita! — grunhiu. — Ethan McCain.

— Ethan McCain.

Não foi preciso ordenar pela segunda vez. Danielle permaneceu a repetir o nome enquanto ele urrava excitado, envaidecido, a cada chamado seguido de uma nova investida.

Logo ambos gritaram ao serem libertos da agonia pelo orgasmo arrebatador. Ainda unidos, Ethan a apertou em seus braços e afundou o rosto na curva do pescoço macio, reprimindo o desejo de mordê-la pela terceira vez.

O vampiro lutou também com um desejo novo e perturbador de dar seu próprio sangue a ela. Não poderia transformá-la. Tal mudança aconteceria somente quando ele a conquistasse de fato. Porém, com Danielle trêmula em seu abraço, Ethan não conseguia imaginar como teria forças de se afastar, como seria estar próximo, sem que ela se lembrasse do que partilharam aquela noite.

Aquele seria o preço por não ter mantido sua decisão.

Resignado, percebeu que Danielle se rendera ao sono mais uma vez. Gentilmente a deitou sobre a cama, colocando-se ao seu lado. Não a trouxe para junto de si. Apenas apoiou a cabeça em uma das mãos e ficou a observá-la, perguntando-se o que faria para abreviar a conquista. Precisava achar um modo eficaz de manter o rival afastado, caso contrário morreria. Ou pior, mataria.

Horas depois, Ethan se obrigou a sair da cama. Logo amanheceria e Danielle não podia vê-lo. Depois de lhe lançar um olhar pesaroso, ele seguiu para a sala, onde vestiu as roupas que, enlevado, assistira Danielle tirar de seu corpo. Achou seu celular sob a camisola dela. Cheirou-a, e por não precisar de nada que lembrasse a humana, abandonou-a, pegou seu celular e conferiu as várias chamadas perdidas; todas de Joly.

Ethan podia imaginar o motivo das ligações, mas pouco se importava que ela não aprovasse seu método. Desde que fosse eficaz, ele queria que a amiga fosse às favas. Sorrindo, colocou o celular no bolso frontal de sua calça. Indo às favas ou não, Joly o infernizaria aquela manhã. Ethan riu ainda mais, exibindo todos os dentes. Ele realmente pouco se importava. Estava feliz. Não orgulhoso, porém indescritivelmente feliz.

Já vestido, Ethan retornou ao quarto para um último beijo. Ele se abaixou ao lado de Danielle e tocou os lábios suavemente com os seus. Depois lhe sussurrou ao ouvido:

— Tenha um lindo dia, doce Danielle. Até a noite, meu amor.

Então, se foi.

Capítulo 24

Incapaz de dormir, Ethan chegou ao seu escritório antes de todos os outros. Pronto para o novo dia, depois de acomodar seu computador sobre a mesa, ainda sem processos ou os habituais jornais, ele retirou o paletó e foi até a janela. Ao recordar suas ações da noite, a manhã lhe pareceu mais bonita, sentia-se leve, mas não se iludia. Ainda teria uma bela disputa pela frente até ter Danielle sem sobressaltos. E entre as batalhas, havia as que ele travaria com sua amiga. A mesma que ele ouviu entrar e bater a porta.

— Por que não me atendeu? — Joly indagou muito séria, sem um único cumprimento.

— Bom dia, Joly! — ele cumprimentou sem responder. Antes, sentou-se em sua cadeira, exibindo um sorriso desafiador. — Estive ocupado.

— Sei de sua ocupação.

— Então... Por que pergunta?

— Pensei que você quisesse conquistá-la primeiro. — Joly se sentou na cadeira em frente à mesa.

— Joly, eu realmente aprecio o cuidado que você tem com Danielle, mas sinceramente... — ele expirou exasperado. — Já está passando dos limites.

— Só preciso ter certeza de que Dana está em segurança. Eu...

— É a segunda vez, Joelle! — Ethan a cortou. — Essa é a segunda vez que insinua que Danielle não está segura comigo. Não acredita que eu a ame?

— Acredito, mas...

— Então o que é? — ele a interrompeu. — Depois do ocorrido naquela maldita festa eu terminei por ser-lhe grato. Talvez seu zelo excessivo tenha garantido a segurança dela, então o relevei. Ontem fui tolerante e não dei importância às suas evasivas. Deixei que fugisse do assunto o quanto quisesse, contudo agora você dificulta qualquer entendimento de minha parte. Exijo saber o que a preocupa.

Joly permaneceu em silêncio, encarando-o com os grandes olhos pretos impassíveis, exasperando-o mais.

— Se o ataque não tivesse ocorrido — ele prosseguiu —, eu estaria furioso com você. O que tinha em mente para manter Danielle afastada de mim durante toda recepção? O que pretendia ligando para mim quando finalmente consegui entrar em seu apartamento?

— Eu já disse... — ela falou por fim. — Quero ter certeza de que Dana sempre esteja segura.

— E eu já garanti que sim, então... Você sabe de alguma coisa que eu não sei.

— Eu não sei de nada... — Joly murmurou. — Você me garante que Dana está bem?

— Sei que ouviu... — debochou. — Parecia que ela não estava bem?

— Você é um pervertido, Ethan McCain! — Ela acusou com as sobrancelhas unidas. — Tudo se resume a sexo. Quando cito a segurança da humana me refiro também quanto à emocional. — Joly se mexeu na cadeira. — Hoje pela manhã eu me certifiquei que ela estava inteira e presumo que bem... Porém, ela tem um namorado... O que você fez? Apagou-lhe a memória mais uma vez? Novamente se serviu do sangue dela?

— Como sabe sobre isso? — ele indagou incrédulo, abandonando a zombaria.

— Como não saber? Ao conversarmos Dana se atrapalhava na data em que se conheceram, então, quando vi a marca de uma mordida, quando ela experimentava o vestido para a festa, eu matei a charada. Só não sei quando você teve a oportunidade.

— E nem saberá, pois não é de sua conta — ele retorquiu muito sério.

— É da minha conta desde o momento que você me colocou na história. Não vou deixar que faça com ela o mesmo que fez à Laureen.

— Não há comparação! — Ethan vociferou.

— Ah... — ela exclamou, simulando surpresa. — Então não ficará se servindo da garota para depois apagar a memória?... *Très intéressant!* O que fez? Em poucos minutos você a convenceu a ser sua amante? Ou... Vai dividi-la com Paul?

— Cale a boca! — Ethan bradou, fechando o punho sobre a mesa. — Jamais dividiria Danielle com ninguém! Ela é minha! Minha!

— Desculpe-me lembrá-lo — ela falou sem se intimidar —, mas Dana ama o namorado. Você apenas lhe confunde a mente.

— Eu já disse que não é da sua conta — ciciou.

— Vai enlouquecê-la, isso sim — a francesa acusou-o, por fim.

— Saia daqui, Joelle! — Ethan ordenou, levantando-se ameaçadoramente. — Saia daqui! Desmarque meus compromissos e desapareça. Tire o dia de folga. Não quero vê-la, não quero ouvi-la...

— Faça como quiser — Joly também se pôs de pé, inabalável. — Expulse-me... Perca a razão... Mas ainda estará se enganando e brincando com os sentimentos de *sua, sua* Danielle.

Antes que Ethan pudesse retrucar, Joly partiu.

Bufando exasperado, trêmulo em seu ódio corrosivo, sentou-se pesadamente. Queria poder segui-la e fazê-la engolir o que disse, porém a amiga viperina tinha razão. Não agira dignamente e tinha consciência que confundiria a cabeça de Danielle, quando ela comentasse o ocorrido com Paul real. Pior... Sabia que correria o risco dela se encantar ainda mais, tornando a separação em algo traumático. Porém, ele igualmente sabia que se pudesse retornar no tempo, não mudaria um único ato.

As considerações de Joly poderiam ser válidas, mas não deixaria que sabotasse seus planos. Ela nem ninguém. Reprimindo um urro furioso em sua garganta, Ethan fechou os olhos e tentou voltar ao estado anterior, valendo-se das boas lembranças. Não ouviu a saída de Joly da antessala, nem o ir e vir dos funcionários que chegavam. Seu amor por Danielle surtia o efeito desejado, afinal. Com o coração apaziguado, o vampiro desejou que sua humana tivesse um bom despertar e, mesmo que inconscientemente, se preparasse para o que viria.

∞

Satisfeita, Dana rolou sobre a cama. Sorriu e apertou o travesseiro ao se lembrar do que viveu com Paul. Lamentava não ter se despedido, mas entendia a eterno cuidado, visto que não precisaria acordar cedo. Na noite passada o namorado se revelou ser mais do que atencioso, sendo um amante surpreendente.

E pensar que estava prestes a mandá-lo embora! Teria sido uma tola e jamais confirmaria que o afastamento se dava somente por excesso de responsabilidade. Paul não era afeito a distrações e segundo ele, Ethan o sobrecarregava. Ao pensamento o sorriso de Dana arrefeceu. Como não poderia deixar de ser, teve de dividir sua noite de amor com o patrão abusivo, sonhando com ele. Cenas, no mínimo, perturbadoras.

Sorte que há muito tempo perdera o hábito de falar em seu sono. Dana estremeceu ao imaginar o constrangimento que causaria caso tivesse pronunciado o nome de outro advogado. A situação teria sido ainda pior se repetisse o nome continuamente como acontecera no sonho enquanto eles...

Não! Imperou em pensamento, sentindo o rosto em chamas. Nunca poderia repassar tais imagens se desejava manter sua sanidade intacta.

Finalmente tinha voltado às boas com o namorado e não poderia deixar que uma... Uma o quê? O que ela sentia por Ethan? Paixonite? Sim, talvez fosse o caso. O sentimento inofensivo justificaria seu constante divagar e provavelmente, por esse mesmo motivo, o sonho que tivera com ele a satisfez tanto quanto o sexo com o namorado. Uma vez que reafirmou seu amor por Paul, precisava se curar daquele afeto adolescente que inconscientemente nutria por Ethan McCain.

Ainda analisando sua situação, culpou a vizinha por pedir que se afastasse. Frutos proibidos eram muito mais desejáveis. Tanto que prestou mais atenção ao famoso criminalista. Simples assim. Sim, a culpa sempre seria de Joly. Se ela mantinha um caso com o patrão, não devia tentar afastar outras mulheres com propaganda contrária. Nunca daria certo.

Abraçada ao travesseiro, Dana novamente sorriu. Pela primeira vez desde que cogitou a hipótese de um possível *affair*, não sentiu ciúmes. A indiferença era prova de que estava voltando ao normal. Logo terminaria seu período de ajuda a Terry, arrumaria um emprego em algum jornal e em pouco tempo poderia aceitar o convite do namorado para morarem juntos.

O arranjo era bom, decretou sufocando uma leve opressão em seu peito por reprimir um novo sentimento; ainda frágil a requerer cuidados. Aquele incômodo intermitente era o preço de sua tranquilidade e o pagaria de bom grado. Sempre fora feliz com Paul e pretendia continuar a ser. Em pouco tempo expulsaria Ethan McCain do pensamento.

Encontrava-se tão absorta em seus devaneios que se sobressaltou ao ouvir a campainha do telefone.

— Alô!

— *Dana, eu preciso falar com você.*

— Bom dia, meu amor — ela cumprimentou, languidamente. — Pode falar...

— *Não por telefone. Você poderia me encontrar no escritório daqui a duas horas. Podemos almoçar juntos.*

— Eu adoraria. — Dana não entendeu o tom tenso. — Paul, o que há?... Aconteceu alguma coisa? Por isso saiu cedo sem me acordar?

— *Como assim?* — Ele pareceu confuso. — *Eu a acordei... Se você voltou a dormir no sofá e não se lembra, eu...*

— Não me refiro durante o filme — ela retrucou alerta. — E, sim, hoje pela manhã.

— *Dana, eu não estou entendendo... Não saí pela manhã.*

— Você quer dizer de madrugada, então?

Ao perguntar ela se sentou com o lençol cobrindo a frente do corpo nu. Sentia-se cada vez mais confusa, mas se ele a tivesse deixado no meio da noite, explicaria a confusão.

— *Como de madrugada? Ainda não era meia-noite quando saí de seu apartamento.* — De repente ele pareceu preocupado. — *Dana do que está falando? Eu, realmente, não estou entendendo.*

Ela tampouco! Como era possível que ele não se lembrasse do que fizeram? Seria a vez de seu namorado ser acometido pela mesma amnésia estranha que ela a confundira dias atrás? O que estava acontecendo aos dois? Confusa, decidiu adiar o assunto para quando estivessem juntos.

— Paul, esqueça... Ando tão cansada que devo ter sonhado que você voltou. Não ligue para as bobagens que digo.

— *Está bem... acredito que tenha sonhado.* — Mudando de assunto, perguntou: — *Você irá se encontrar comigo no escritório?*

— Sim...

— *Então estarei esperando. Venha à uma hora.*

— Combinado...

— *Até mais tarde, anjo...* — Sem mais nada dizer, Paul desligou.

Dana permaneceu algum tempo olhando o fone como se o aparelho tivesse suas respostas. Não poderia ter sonhado, poderia? Depois de recolocar o fone no gancho, tocou a própria boca. Como era de se esperar, o lábio inferior estava inchado. Sentia-se satisfeita depois de uma noite de sexo intenso.

Inconformada, Dana jogou o lençol de lado e correu para o espelho. Procurou pelas marcas em seu pescoço e elas estavam lá. Arroxeadas, uma próxima à outra. Então olhou para o bico de seu seio. Aquele que Paul sugara com maior força também estava marcado. O que aconteceu fora real, não sonho. Como ele poderia não se lembrar?

Provavelmente descobriria durante o almoço. Suspirando conformada dedicou-se ao banho. Depois vestiu seu roupão e seguiu para a cozinha. Estremeceu ao passar pela sala onde seu sofá guardava as lembranças que seu namorado esquecera. Era inadmissível, uma vez que ele se superara, dando-lhe a melhor noite que tiveram em três anos de relacionamento.

Precisava daquela nova versão dele para salvá-la da queda livre que a levava vertiginosamente para Ethan. Mesmo que não fosse comprometida, ou ele não tivesse nenhum relacionamento amoroso com Joly, não poderia se deixar levar pelas palavras doces e sussurradas. Era primordial saber e recordar que Ethan era um conquistador inveterado.

Situações como a do elevador ou do baile jamais poderiam se repetir. Dana disse a si mesma que aquela tarde seria a última que iria ao NY Offices. E com certeza ela usaria o elevador coletivo. Nunca mais correria o risco de ficar num ambiente mínimo e fechado com Ethan McCain. Estava decidida, mas não confiava em si mesma.

∞

A audiência na qual Paul atuaria fora adiada. Os advogados seguiam lado a lado rumo à saída do tribunal, silenciosos e empertigados carregando suas pastas, quando Paul, por educação reflexa, pediu licença a Ethan para telefonar à namorada. Este lhe ruminou que ficasse à vontade em tom falsamente casual.

Por sua iniciativa, ofereceu-se para acompanhar seu contratado durante a audiência. Em seu momento de calmaria, decidiu estar perto quando o casal mantivesse o primeiro contato. Complicado era perceber que estar próximo a Paul demandava certo grau de tolerância que o vampiro jamais soube possuir. O pedido veio para lhe mostrar que o sentimento estava à borda.

Tanto que Ethan foi afetado até mesmo com a conversa indireta que se seguiu. Incomodado, o vampiro atentou a tudo que foi dito, até mesmo por uma Danielle languida. O ciúme o corroeu, ainda assim Ethan achou certa graça na expressão consternada do humano ao comentarem sobre a noite. Paul não se lembraria do que não fez, muito menos que fora embora, sem estar corretamente com a namorada, atendendo a uma determinação sua.

O advogadozinho o obedeceu, e voltaria a fazê-lo, pois não deixaria que levasse adiante aquele encontro marcado bem diante de seus olhos.

— Como vai, Danielle? — perguntou ao deixarem o prédio, mascarando seu interesse. — Espero que ela não tenha ficado abalada depois do que aconteceu durante a festa.

— Não ficou... Dana está bem, obrigado! — Paul respondeu, deixando transparecer seu nervosismo.

— Muito bem... — Ethan continuou, curioso. — E vocês vão almoçar juntos...

— Vamos... Vou esperá-la lá no escritório, depois seguimos para algum restaurante. Por que a pergunta? — o homem moreno o encarou com o cenho franzido. — Vai precisar de mim?

— Não! Em absoluto — Ethan negou, conduzindo-o até onde os carros foram deixados. Ao chegarem a eles, o vampiro se aproveitou do pouco movimento da rua e, num gesto rápido, segurou Paul pelos ombros. A confusão cruzou os olhos negros por breves segundos.

— Acalme-se e me responda — Ethan ordenou. Quando Paul parou de lutar, ele o soltou e prosseguiu: — O que tem de importante a tratar com Danielle?

— Vou pedi-la em casamento durante o almoço.

— Como?! — Ethan ciciou. — Por quê?

— Estamos juntos há muito tempo — Paul respondeu, sem atinar a tormenta violenta que se formava no íntimo do vampiro. — Ela sempre se mostra resistente à minha proposta de moramos junto. Cheguei à conclusão de que talvez seja porque ela espere mais de mim, então ontem pela manhã eu lhe comprei isto... — Ele retirou uma caixinha preta do bolso do paletó. — Eu iria entregar ontem à noite. Não sei por que não o fiz...

Depois de olhar rapidamente para os lados, Ethan tomou a caixa da mão estendida. Com um movimento abriu a tampa para ver o anel escolhido pelo rábula, feito em ouro branco, com um brilhante solitário suspenso em base delicada. Bonito, porém nunca tocaria o dedo de Danielle. Ao fechar a caixa, tomando o devido cuidado para não quebrá-la, Ethan a devolveu. Paul a pegou e recolocou no bolso.

— É um bonito anel — Ethan elogiou, desnecessariamente —, mas você terá de guardá-lo para a verdadeira senhora Collins.

— Já encontrei. É minha Dana — Paul retrucou, debilmente.

— Não! — Ethan sufocava em seu ciúme. — Você não quer mais estar com Dana. Hoje, tão logo ela chegue ao seu escritório, você dirá isso a ela.

— Eu não a quero mais — Paul repetiu.

— Isso mesmo. E se ela perguntar o motivo... — Ethan considerou algumas possibilidades somente para resolver que não seria solidário, depois a consolaria. — Não dê nenhum. Apenas a dispense. Você não a ama mais, então o melhor que tem a fazer é terminar o relacionamento.

— Terminarei.

— Perfeito! Pode ir agora.

Regozijando-se pela boa ideia, Ethan assistiu Paul entrar no Lexus e partir. Altivo, considerando que no final das contas, as horas passadas com ele valeram à pena, seguiu até seu BMW. Já acomodado ao volante, mal reprimia um sorriso vitorioso. Finalmente resolvera seu maior problema. Naquela mesma tarde Danielle estaria livre, definitivamente.

Bastaria esperar o momento oportuno para se infiltrar em sua vida e nunca mais deixá-la. E se certificar que Joly não estivesse em seu caminho, arrematou, sério. Manobrando seu carro para entrar no trânsito nova-iorquino, acrescentou ao pensamento que deveria também cuidar para não enlouquecer Danielle enquanto a fizesse esquecer o que sentia pelo namorado.

Lamentável que não pudesse usar sua influência para *deletá-lo*. Anos de namoro não se excluíam facilmente. Havia as fotos, os cartões, os amigos em comum. Sim, Danielle sofreria, mas estaria presente para consolá-la. Se tudo corresse como o esperado, em menos de duas horas Danielle estaria em seus braços.

∞

Dana chegou apressada ao NY Offices e ainda mais atrasada ao andar dos escritórios. Como sempre a fila para os elevadores estava imensa e ela somente conseguiu entrar em um deles, já lotado, na segunda vez que este chegou ao térreo. Esperava que Paul lhe desculpasse a falta de pontualidade, pois agravaria seu atraso em alguns minutos mais. Desejava falar com Joly. Não via a amiga desde a noite da festa. Era como se ela a estivesse evitando, ainda que não tivesse certeza. Intrigada, Dana resolveu que correria o risco de se encontrar com Ethan, mas iria até a antessala onde a amiga trabalhava. Infelizmente, ao descer em seu andar, descobriu a mesa da francesa, vazia.

Provavelmente estivesse em horário de almoço, Dana deduziu a ajeitar o lenço que trazia ao pescoço para esconder suas marcas e seguiu pelo corredor que a levaria até Paul. Encontrou-o à sua mesa, conferindo alguns papéis. O colega de sala não lhe fazia companhia. A sua entrada, Paul ergueu os olhos negros e, sem retribuir o sorriso que recebia, levantou-se para recebê-la. Ainda lhe sorrindo, sem entender a expressão taciturna, Dana se adiantou para abraçá-lo. Antes que o enlaçasse, Paul a segurou pelos ombros, interrompendo o gesto.

— Paul, o que foi? — indagou, confusa.

— Dana, eu disse que precisava conversar com você — disse Paul, ao se afastar.

— Eu sei — Dana retrucou, unindo as sobrancelhas. — Você quer falar agora ou durante nosso almoço?

— Acho melhor que seja agora. — O tom era sério. — Prefiro resolver isso de uma vez.

— Pois então diga... Qual é o problema? — perguntou, sentindo sua garganta seca. Pressentindo que algo muito grave viria, seu coração pareceu diminuir no peito.

— Dana... Eu... — Paul se interrompeu como se o que tinha a dizer lhe custasse muito esforço. Parecendo não ter saída, anunciou de uma só vez.

— Eu não quero mais ver você.

— Como?! — Ela acreditou não ter ouvido direito.

— Você entendeu. Eu não quero mais ver você — ele repetiu friamente apesar do olhar triste.

— Mas, por quê? — Dana insistiu, embargada.

Lutando contra as lágrimas, lembrou-se de todas as situações nas quais se sentiu uma traidora. Todas elas seriam motivos suficientes para o namorado dispensá-la, porém Dana duvidava que qualquer uma delas fosse o motivo. Paul não tinha como saber de seus deslizes ou de como estava dividida. Segura quanto ao sigilo de seus sentimentos mais secretos, perguntou num fio de voz:

— O que eu fiz de errado?

— Você não fez nada errado — ele tranquilizou-a. — Apenas acho que não tem mais nada a ver ficarmos juntos. Acredito que seja hora de cada um seguir com sua vida.

— Paul, por favor... — Ela tentou aproximar-se, porém ele a deteve com uma das mãos erguida em sua direção.

— Por favor, Dana. Não torne mais difícil do que está. Apenas vá embora, está bem? Não vou mais procurá-la e espero que faça o mesmo.

O que estava acontecendo? Indagou-se ao não conseguir externar as palavras. A noite passada tinha sido o quê? Uma mórbida despedida? Dana se sentiu usada e enjoada com tamanha crueldade. Com as lágrimas rolando livremente, nem ao menos cogitou argumentar. Aquele não se parecia com seu Paul, não aquele sempre zeloso; o parceiro de tantos anos. Ele a olhava com certa indiferença, mesmo que ela captasse a inquietação em seus movimentos.

Após alguns segundos do mais absoluto silêncio, Paul passou a andar de um lado ao outro, como se a presença dela o incomodasse. Dana abriu a boca para fechá-la logo em seguida. Dirigindo um último olhar para Paul, viu o homem estranho, que fora seu namorado, se dirigir até a grande janela e lhe dar as costas.

Sentindo que sufocaria a qualquer momento, Dana deixou a sala quase a correr. Cruzou com uma ou duas pessoas pelo caminho, mas não parou. Nem mesmo quando uma voz doce e feminina a chamou pelo nome, oferecendo ajuda. Apenas precisava sair dali, precisava de ar.

Seguia às cegas, os olhos marejados e turvos, quando esbarrou contra um corpo forte. Teria caído de costas se a pessoa não tivesse estendido as mãos para segurá-la. Após recuperar o equilíbrio, Dana tentou se afastar, porém braços poderosos se fecharam ao seu redor. Ela então sentiu seus pés saírem do chão. Estava tão fortemente segura naquele abraço, que sua cabeça ficara presa entre o queixo e o ombro de seu captor, impedindo-a de erguê-la para ver quem a carregava.

Em um instante, o cheiro e o abraço firme lhe contaram de quem se tratava. Ao finalmente ser colocada no chão, Dana sentiu as pernas falharem. Estava no elevador particular do homem que a encarava fixamente: Ethan McCain.

— Poderia dizer-me o que aconteceu? — ele pediu com voz suave, tentando tocar a face molhada.

— Nada que... seja... da sua... conta... — ela replicou ao se esquivar e lhe dar às costas.

Perdida em meio a tantos acontecimentos inexplicáveis, Dana resolveu creditar toda culpa ao notável advogado. Se nunca tivesse cruzado seu caminho e oferecido aquele emprego ao namorado, nada daquilo estaria acontecendo. Se não fosse proibido, lindo e desejável, se não povoasse seus sonhos, talvez ela tivesse encontrado voz para lutar por seu relacionamento estável.

— Por favor, Danielle. Conte-me — ele insistiu.

A voz suave, que também tinha o poder de abalá-la, inflamou seu espírito. Decidida a despejar sobre ele toda sua revolta, ela o encarou. Contudo, ao encontrar o olhar preocupado, toda raiva se dissipou e teve outra crise de choro que turvou sua visão.

Envergonhando-se das coisas que pensou sobre ele e por sua histeria, Dana cobriu o rosto e novamente lhe voltou às costas. Logo Ethan a pegou pelos ombros e a virou. Sem cerimônias a abraçou, segurando sua cabeça de encontro ao peito. Sem forças para represar o choro, ela deixou que viesse livremente.

— Shhh... Não fique assim — começou a embalá-la, carinhosamente.

Para o bom funcionamento de seu plano era de extrema importância que fosse ele a consolá-la. Este quase ruiu, quando Samantha deixou a sala de Andrew e abordou sua humana no corredor. Ethan agradeceu a pressa de Danielle. Ansioso, teve apenas que esperá-la vir, às cegas, para seus braços.

Agora, ao vê-la desesperada em seus braços, Ethan quase sentia remorso pelo que fizera. Estava confuso com o tratamento hostil. Seria possível ter se enganado, tornando sua conquista mais difícil? Os soluços convulsivos da humana, misturados às suas dúvidas, fizeram seu coração sangrar. Jamais imaginou que assistir ao sofrimento dela o afetasse daquela maneira. Respirando fundo, Ethan tentou manter o foco. Estavam em guerra e ele usaria as armas que dispunha.

Ao chegarem à garagem, Ethan a conduziu em direção ao seu carro. Danielle estacou ao perceber para onde era levada. Gentilmente ele tentou fazê-la andar.

— Venha, posso levar você até seu apartamento.
— Eu... — Ela passou a mão pelo rosto molhado. — Acho que posso ir sozinha, obrigada.
— Não creio. — Ethan parou à sua frente e estendeu-lhe um lenço. — Olhe para você... está tremendo. Se insistir em dirigir assim vai acabar causando um acidente.

Dana aceitou o lenço estendido, secou o rosto e, ignorando o cheiro bom que vinha do tecido macio, teve de admitir que talvez ele estivesse com a razão. Além de trêmula, sentia-se enjoada e tonta. Erguendo os olhos timidamente, ela apenas assentiu.

Ethan lhe sorriu, então a conduziu até seu BMW. Rezando aos céus para que não adoecesse no veículo, ela se acomodou no assento do carona. Contorcendo o lenço nervosamente entre os dedos, Dana o viu contornar a frente do carro e ocupar seu lugar ao volante. Como sempre, ele lotava os espaços.

Ethan dirigiu em silêncio, deixando que ela chorasse. Quando chegaram ao prédio no qual ela morava, Ethan estacionou e a acompanhou até seu apartamento, tomando o devido cuidado para não tocá-la mais que o necessário. Já à sua porta, Danielle, o convidou a entrar.

— Obrigada pela carona — disse ao se sentar. — Não queria ser um incômodo.
— Não foi incômodo algum — garantiu, sentando-se em uma poltrona.

Instintivamente seus olhos correram para o quarto. De onde estava tinha uma visão perfeita da cama. Foi impossível não se lembrar dos momentos que passou com Danielle entre aqueles lençóis. Cautelosamente, voltou a olhar para ela. Estava linda! Os olhos marejados, o rosto molhado, seu lenço de linho apertado e esquecido entre os dedos da mão direita. Se pudesse secaria cada uma de suas lágrimas com um beijo. Talvez elas fossem o alívio para a dor de vê-la despedaçada por outro homem.

— Pode me dizer agora o que aconteceu? Sei que tem algo a ver com...
— Paul desmanchou comigo — ela disse num fio de voz, cortando-o.
— Eu sinto muito! Eu não o conheço muito bem, mas se tiver algo que eu possa...
— Não se preocupe — ela o interrompeu. — Ninguém pode fazer nada.
— Mais uma vez enxugando as lágrimas com seu lenço, ela continuou: — Na verdade... Acho que estou exagerando. Logo tudo volta a ser como era antes... Ele deve estar apenas cansado.
— Provavelmente — Ethan fez coro, ressentido. Não teria volta.

Dana esboçou um sorriso. A presença de Ethan começava a incomodá-la. Ele era *demais*. Em sua sala mínima não havia espaço para ele, deixava-a sem ar. Reconhecendo que seu coração não suportaria muitas provações, falou, receosa:

— Sei que só quer ser gentil... E eu agradeço! Mas não quero prendê-lo...

— Entendo que queria ficar sozinha — Ethan se pôs de pé.

— Gostaria, sim, por favor... — Dana não tinha coragem de encará-lo. De repente, lembrou-se de algo e exclamou lamuriosa, sem encará-lo: — Deixei meu carro no estacionamento próximo ao seu edifício.

— Não se preocupe — disse, solicito, tentando ignorar o fato de ela evitar olhá-lo. — Providenciarei para que seu carro esteja de volta ainda hoje.

— Eu agradeceria muito. — Dana abraçou uma almofada e começou a correr os dedos sobre a trama do tecido.

Ele permaneceu a observá-la por um instante. Danielle o evitava deliberadamente, ferindo-o com sua indiferença.

— Tente ficar em paz, Danielle — rogou. Seu próprio coração sem paz alguma.

— Ficarei — ela o olhou brevemente.

Quando Ethan partiu, Dana se deixou cair sobre o sofá. Curiosamente não derramou novas lágrimas. Seu coração sangrava e sua cabeça doía, porém não conseguiu chorar. Ela tentou ordenar os acontecimentos em uma sequência lógica para que resultassem em separação. Não conseguiu definir um padrão satisfatório. Os muitos dias de afastamento não poderiam ser o motivo. Sua confusão mental tampouco, visto que jamais a deixou transparecer. Seu trabalho temporário não poderia estar afetando Paul ao ponto de acabar com um relacionamento de anos e...

— Terry! — Dana exclamou, levantando-se de um pulo.

Esquecera-se por completo de seu compromisso e se arrependeu por ter aceitado a carona de Ethan. Agora teria que utilizar o transporte público para chegar à Little Italy. Desanimada, seguiu para o banheiro. Uma vez sob o jato d'água, tentou não pensar em Paul.

Falhou completamente. Impossível não recordar os momentos que haviam passado ali mesmo, no boxe. Então, mais uma vez seu pranto veio. Dana se deixou cair sentada. Abraçou as pernas, colocando o queixo sobre os joelhos. O que faria sem Paul? Ele era seu porto seguro, sua referência. Ainda mais depois do que viveram juntos na noite passada.

De súbito um pensamento lhe ocorreu. Seria possível que ela tivesse dito o nome de Ethan durante o sono? Tal lapso explicaria a saída sem despedidas e o rompimento frio. Se fosse o caso, mais do que nunca não poderia aceitar o fim. Imaginando ter descoberto o motivo da separação, Dana se animou. Daria um ou dois dias ao namorado, depois o procuraria e tentaria explicar o inexplicável. Não o perderia por um engano. Se alguma coisa tinha de terminar, agora que sua confusão fora exposta, seria sua paixonite por Ethan.

Capítulo 25

Parado próximo ao caixa, recostado à parede sem permitir que o vissem, o vampiro tinha uma ampla visão do salão, porém mantinha os olhos postos na humana. Nunca o agradaria que ela exercesse uma função tão distante de sua formação, mas a considerou linda vestida no uniforme impessoal. Se sua opinião fosse válida, somente pediria que ela retirasse a maquiagem excessiva.

Não, corrigiu-se, ele mesmo trataria de livrá-la do batom carmim que ocultava a cor natural, altamente desejável. Outra hora talvez pudesse repetir a ação de quando a bebeu pela primeira vez. A recordação agravou a excitação nascida enquanto dirigia o Accord, sem pressa alguma, até a rua de Danielle. Momento muito bem aproveitado para inebriar-se com o potente cheiro que a proprietária deixou no interior do velho carro.

Na ocasião, sua lascívia mitigou ao descobrir o apartamento vazio. No momento, esta não ganhava força por ele estar mais impressionado com a vermelhidão dos olhos de Danielle do que com odores aliciantes ou com a beleza descrita. Até mesmo os sorrisos que ela dirigia aos clientes enquanto anotava os pedidos eram inexpressivos, condizentes com a reação dela no último encontro.

Caso Danielle tivesse ido até o rábula, como ele acreditou ao não encontrá-la onde deixou, a ação seria justificada. Para o bem de seu juízo, Ethan foi bem-sucedido ao seguir sua intuição e procurá-la no Florença. Mesmo sofrida a humana era dedicada e responsável.

Mais do que admitiria até para si mesmo, Ethan sentia o remorso incomodá-lo como uma chaga por indiretamente machucá-la. Entretanto, não se recriminaria, fez o que era preciso.

Sim, Danielle lamentava um rompimento ainda recente, mas provavelmente não chorasse no dia seguinte e no próximo sorrisse com entusiasmo. Ela não teria sequer a chance de se sentir sozinha, pois ele lhe faria companhia todas as noites.

Contente com seu arranjo, Ethan sorriu. Desejou um gole de uísque depois que erguesse um brinde a si mesmo, mas não denunciaria sua presença. Decididamente não deixaria que o vissem, reiterou sua decisão quando Danielle se aproximou para entregar a caderneta preta com o pagamento do último cliente que atendera.

Com as mãos a formigarem, o vampiro lamentou o fato de mais uma vez ter a humana tão perto sem que pudesse tocá-la. Bastaria erguer o braço para sentir a maciez do rosto ou trazer uma mecha do cabelo castanho ao seu nariz. E Ethan o fez, levando sua mão até a bochecha rosada, tão próxima que pôde sentir as emanações de calor.

De repente Danielle se voltou, obrigando-o a recolher a mão estendida. E olhou diretamente para ele, movendo os olhos como se o esquadrinhasse. A prova de que ela nada via era que a inspeção jamais chegou ao seu rosto.

Sim, seria impossível ser visto, contudo Ethan conteve a respiração e ansiou ter o poder de se fundir à parede. Não por temer ser descoberto, sim, por não querer assustar a jovem caso ela o imitasse e o tocasse ao erguer a mão. Danielle não o fez. Apenas permaneceu a olhar em sua direção, presenteando-o com a proximidade, envaidecendo-o com aquela incrível capacidade de senti-lo.

E então aconteceu.

Algo no modo como Danielle estremeceu e uniu as sobrancelhas em estranheza, inclinando a cabeça enquanto contorcia os lábios excessivamente vermelhos, remeteu-o ao passado.

— Dana, o que foi? — indagou a dona da cantina.

— Nada — ela disse, ainda a olhar para a parede ao lado, enquanto calafrios corriam seu corpo. Não havia ninguém ali! Não havia. Havia? — Terry, já teve a impressão de estar diante de alguém que não consegue ver?

Terry estremeceu. Maneando a cabeça, ela dedicou sua atenção ao dinheiro que retirou da caderneta e disse:

— Não tive e nem quero ter, credo! Daqui a pouco você vai me dizer... *Eu vejo gente morta.*

A tosca imitação do menino do filme cuja fala foi tirada, divertiu Dana, distraindo-a da impressão. Por mais que tentasse esquecer, o vulto que viu no alto do prédio vizinho e o estranho episódio com sua sacada sempre a abalariam, contudo ela achou por bem manter o inesperado bom humor e troçou com a verdade.

— Posso fazer isso quando você menos esperar... E sem mentir.

— Pois quando resolver me matar de medo, não faça — pediu Terry antes de devolver a caderneta com o troço.

Danielle apenas sorriu, mas foi o bastante para que Ethan saísse de seu torpor. Enquanto assistia a humana se afastar, o vampiro tentou entender como sua mente fora associá-la à outra garçonete. Analisando Danielle com maior atenção, ele reparou em outros traços que a assemelhava à Maria.

— Agora serei eu a ver gente morta? — indagou intimista.

Ethan soube que tinha sido ouvido quando Terry teve um sobressalto e olhou em sua direção, movendo os olhos em todas as direções, procurando por quem não poderia ver. Em outra ocasião o vampiro teria se divertido. Não naquele momento, quando cismava.

Por fim, Ethan descartou a impressão. Bastou que Danielle se aproximasse mais vezes e ele passasse a apreciar mais suas tentativas inúteis de enxergá-lo. Logo não mais pensava em Maria, somente na iminência de estar com a jovem em seus braços, com ela livre daquele infame batom vermelho, com a exaustão substituindo a tristeza.

Cansaço. Aquele foi o detalhe que fez com que Ethan decidisse agir. A responsabilidade sem dúvida ajudou sua humana a se distrair dos acontecimentos do dia, contudo ele via que o trabalho a levou ao limite. Ou ele teria atingido o seu e não mais suportasse aquele esconde-esconde desigual.

Fosse como fosse já era hora de partirem, determinou o vampiro ao flagrar Danielle reprimindo um bocejo. Quando teve a chance, ele se mostrou para Terry que imediatamente empalideceu.

— De onde...?

— Não importa. — Ele interrompeu a questão óbvia, prendendo-a pelo olhar. — Quando os clientes atendidos por Danielle partirem, você vai dispensá-la por hoje.

Ele não aprovava aquele trabalho, não a queria na rua, porém entendia que a ocupação seria benéfica. Por essa razão sequer cogitou ditar que a dispensa fosse definitiva.

— Sim — Terry anuiu.

Ethan sorriu e acrescentou o detalhe mais importante:

— Peça ao seu marido que a leve, pois ela está sem seu carro e não é seguro que ande sozinha tão tarde da noite.

— Claro — disse a mulher, obediente.

— Não admita recusas. Esqueça-me e obedeça.

Terry assentiu e, depois de piscar algumas vezes, chamou seu marido para fazer como ordenado.

Satisfeito, Ethan foi até a mesa que Danielle atendia e, depois de se mostrar ao casal, ditou que eles não tardassem a voltar para casa. Com tudo acertado, ele deixou a cantina e esperou pelo momento de escoltar Danielle de volta à 8th Street no Accord que na pressa de encontrá-la, tomou a liberdade de pegar emprestado.

∞

A noite no restaurante foi movimentada, e Dana agradeceu aos céus pela agitação. Com a atividade intensa não sobrou muito tempo para remoer os problemas. Como uma boa amiga, Terry teve a sensibilidade de não crivá-la de perguntas após descobrir a razão de seus olhos inchados. Agradecida pela atenção, sentiu-se incomodada apenas pela recorrente sensação de observação.

Há dias não acontecia, pelo menos não com a mesma intensidade. Naquela noite o sentimento era quase palpável. Por várias vezes, a então garçonete, olhou em volta na tentativa de descobrir de onde vinha o olhar, sempre sem encontrar alguém que lhe dispensasse atenção especial. A influência invasiva cessou apenas minutos antes de sua saída, quando Terry se aproximou para dispensá-la enquanto retirava os últimos copos da mesa que acabara de desocupar.

— Dana, depois que organizar essa mesa, pode ir embora.
— Mas ainda tenho...
— Não tem que fazer mais nada hoje. — A amiga a cortou gentilmente.
— Sei que está sem carro. Roberto vai levá-la.
— Terry, não precisa... — Não lhe agradava atrapalhar a rotina do casal.
— Precisa, sim, e não discuta — retrucou a amiga simulando um olhar sério. — Não é seguro andar sozinha pelas ruas à uma hora dessas.

A Dana restou aceitar e agradecer. Aliviada por ter se livrado do sentimento incômodo, terminou de arrumar a mesa, trocou-se rapidamente e se colocou à disposição para partir. Seguiu com o marido da amiga em silêncio até que ele contornasse a esquina de sua rua. Sorrindo-lhe timidamente, murmurou:

— Desculpe o transtorno.
— Não se preocupe. Não é trabalho algum... E você sabe que Terry nunca a deixaria esperar o ônibus, sendo tão tarde. — Roberto estacionou a porta do prédio e acrescentou: — Não com essas mortes estranhas que andam acontecendo.
— É verdade — Dana se lembrou das duas moças assassinadas —, mas eu tento não me preocupar com isso. Acredito que quanto mais temermos uma coisa, mais ela se aproxima...
— Também penso assim, mas não custa tomar cuidado. — De súbito, sem jeito, comentou: — Terry me contou sobre você e seu namorado. Eu sinto muito.
— É temporário — ela tentou acreditar nas próprias palavras.

— Espero que sim. Desculpe, mas... Terry também comentou que seu namorado não era a favor que trabalhasse fora de sua área. Espero que a culpa não tenha sido nossa. Se você...

— Não — ela o interrompeu rapidamente —, não teve nada a ver. A culpa do que aconteceu é minha. Estive perdida por um tempo, mas logo tudo se resolverá. E se essa é a preocupação de Terry, pode tranquilizá-la. Nada mudará nesse sentido.

— Se diz que é assim... Vou acreditar em você. Boa noite, Dana!

— Boa noite, Roberto. Obrigada pela carona — agradeceu ao sair do carro.

Dana esperou que ele partisse para seguir até seu prédio. Antes que se movesse, olhou distraidamente para o outro lado da calçada. Seu carro estava lá, como Ethan havia prometido. Teria de agradecer, ela pensou com um aperto no peito. Não fosse sua fixação por ele, talvez pudessem ser amigos.

Não, amizades estavam fora de cogitação. Deveria se contentar com sua amiga francesa. Chegando ao seu andar, lamentou pelo adiantado da hora que não lhe permitia bater à porta de Joly. Tinha certeza de que se animaria com o jeito maluco de a amiga encarar as situações.

Suspirando, Dana entrou no próprio apartamento. Talvez visse Joly na manhã seguinte. Cansada, ela fechou a porta atrás de si e deixou as chaves sobre o móvel ao seu lado. Black, estendido sobre o sofá, abriu os olhos preguiçosos a entrada de sua dona.

— Como sempre está em sua vida mansa, não é? — Dana sentou ao seu lado, após deixar a bolsa sobre a poltrona. — Algum telefonema? Paul deixou recado para mim? Não? — Dana exalou um respirar profundo acariciando a cabeça do animal. — Hoje nem ao menos posso telefonar.

Refreando uma lágrima, desanimada até mesmo para seguir até sua cama, estendeu a mão e alcançou o controle remoto. Após ligar sua TV, zapeou por todos os canais apenas para desligar o aparelho logo em seguida. Depois de jogar o controle sobre o sofá, voltou a acarinhar seu gato que recebia os afagos de bom grado.

De súbito, Black levantou com as orelhas erguidas. O coração de Dana falhou uma batida. Paul estaria no prédio? Expectante, aguardou até que a porta fosse aberta, porém os minutos passaram e nada aconteceu. O felino se mexeu inquieto no sofá, chamando sua atenção. Dana estranhou quando o gato olhou em direção ao quarto. Ele manteve o olhar fixo num ponto ermo e o acompanhou como se algo se aproximasse. Com suas pupilas dilatadas, vagou seu olhar pela sala até pará-lo exatamente à frente de sua dona.

Nesse momento um calafrio agourento percorreu toda extensão da coluna de Dana. Era como se Black realmente visse alguém. Ela novamente se lembrou do vulto que correu veloz pelo telhado do prédio vizinho. Naquela noite não poderia se refugiar no apartamento de Paul; estava por conta própria.

Paralisada, viu o gato se colocar em seu colo numa postura estranha e, com os pelos eriçados, rosnar para o nada.

— Black, você está me assustando... — ela arriscou uma olhada pela sala iluminada apenas pelo abajur. — Não tem ninguém aqui... Pare com isso!

Quando tocou na cabeça negra, o gato rosnou ainda mais alto e saiu de seu colo, abruptamente, disparando para a cozinha. Saindo do torpor, Dana o seguiu. Chegou a tempo de ver o felino escapulindo pela janela, como sempre fazia quando algum estranho estava presente. Respirando fundo para se recuperar do susto, Dana voltou à sala vazia.

Olhou em todas as direções, corajosamente, porém nada viu. Ainda assim, talvez influenciada pela reação do gato e por suas próprias impressões, sentia os calafrios correm seu corpo. Sugestionando-se que não havia nada a temer, apagou a luz do abajur e seguiu para seu quarto. Aquele tinha sido um dia ruim, considerou. Estava cansada. Tomaria um banho quente e cairia em sua cama.

Antes ela se aproximou da porta da sacada. Estava encostada como deixou, precisava consertar o trinco. As cortinas fechadas indicavam que era impossível alguém ter entrado por ali. Então, por que aquela velha sensação incômoda de observação?

Evitando olhar para a sala escura, ela se refugiou no banheiro. Deliberadamente ignorou o lenço de Ethan deixado sobre a pia. Prendeu os cabelos no alto da cabeça e tomou uma ducha rápida. Logo terminou o banho, secou-se e vestiu apenas sua camisola. Procurou na gaveta seu analgésico usual. Tomou dois. Apesar do banho, sentia-se moída. Precisava dormir e esquecer as tristezas do dia pelo menos até a manhã seguinte.

Ainda evitando olhar para a sala — não cederia ao medo ou fecharia a porta — foi dignamente até a cama e enfiou-se sob as cobertas após apagar a luz do abajur. Envolta pela escuridão, recordou do rompimento sem que pudesse evitar. Lutando para reter as lágrimas, ela fechou os olhos com força e buscou em suas memórias, momentos felizes que lhe trouxessem alguma paz.

Lembrou-se da época antes que fosse para a universidade. Dos passeios com velhas amigas. Até que finalmente recordou das tardes preguiçosas na varanda de sua casa. Muitas vezes ficava sozinha, quando seu pai se ocupava na congregação e sua mãe fazia algum trabalho voluntário. Nessas ocasiões, era independente, pois poderia fazer o que quisesse... Ou simplesmente não fazer nada.

Adorava permanecer horas na saudosa varanda, ouvindo os ruídos mansos do lugar, sentindo o vento envolver seu corpo... *Era bom poder estar mais uma vez aconchegada no balanço fixado ao teto de madeira branca. Não se lembrava de quando exatamente viajara até Albany ou onde estavam seus pais, mas estava satisfeita por estar de volta ao lar. Contente, Dana fechou os olhos para apreciar o silêncio. Logo sentiu a brisa amena tocar seu rosto. Esse mesmo sopro gelado pareceu ditar palavras mansas ao seu ouvido. De imediato, seu corpo relaxou e, deitando a cabeça no espaldar do balanço, deixou que a brisa corresse por suas bochechas, suas pálpebras, sua boca. Tranquila, ela pensou que poderia dormir um pouco até que seus pais chegassem, porém quando a mesma brisa branda se insinuou pelo decote de seu vestido parando na altura do coração, ela abriu os olhos e esperou.*

De repente, aquela movimentação densa estava por todos os lugares. Em seu rosto era uma boca a beijar sua bochecha e então uma língua a lambê-la. A brisa fria que lhe invadiu o decote era como uma mão sólida a lhe apertar o seio. Dana arfou com a leveza e sensualidade do gesto. Dedos efêmeros a acariciavam delicadamente, excitando-a. A brisa em seu rosto sussurrou ao ouvido: "beije-me". Então o sopro frio estava em seus lábios. Movia-se terno ainda que explorasse sua boca na forma de uma língua sedenta. Dana correspondeu e arqueou o corpo, sentindo-o sensível aos improváveis carinhos. Seus lábios foram liberados, a boca invisível vagou por seu pescoço. Pelo vale entre seus seios até se deter num deles, experimentando-o. Dana liberou um gemido baixo ao se sentir invadida por um membro hirto. Aturdida, olhou o próprio corpo. Continuava vestida, sozinha, ainda assim era visitada por todas as sensações torturantes e prazerosas que castigavam aqueles que se amam.

De repente a boca estava novamente na sua; mãos brincavam em seus cabelos. E estranhamente, Dana ainda agonizava sentindo que logo cederia aos avanços de alguém que não via.

"Vem comigo", a voz mansa lhe ordenou ao ouvido. Era premente obedecê-la, então se moveu sobre o balanço até que em segundos o prazer correu por suas veias. Teria gritado não fosse o impedimento daquela boca espectral na sua. Arfando; com o coração aos saltos, ela olhou em volta mais uma vez.

As árvores ao redor da casa se agitaram com o vento lascivo. Ao acompanhar a movimentação dos galhos, Dana se deixou levar pelos vários matizes da vegetação. Verdes intensos, luzes verdes. Olhos verdes a observavam por entre as árvores. Ethan! Envergonhada, encolheu-se, rogando que ele não tivesse assistido seu deleite ilusório. Então não mais o via, o vento frio a envolveu. Mas não a instigou com carinhos obscenos, apenas a manteve cativa, protegendo. A agitação cessou, a brisa se foi. A casa dos pais desapareceu deixando a escuridão. Contudo ela não temeu, pois não estava sozinha.

∞

Estendido sobre sua amada, recuperando-se da intensidade compartilhada, o vampiro sorriu enquanto acariciava os cabelos castanhos. Gostaria de saber o que se passava pelo subconsciente de Danielle quando era induzida a sonhar com ele. Nas duas vezes ela se referiu à cor de seus olhos.

O que teria de extraordinário naquele par de olhos velhos? Pensou o vampiro com o peito expandido, mal contendo o júbilo que o contentava.

Antes de se afastar ele depositou um delicado beijo em cada pálpebra fechada. Então cobriu seus corpos com o acolchoado e a estreitou em seus braços. Sem o rábula entre eles, estava próximo o tempo em que Danielle tornaria dia sua eterna noite sombria.

Com a cabeça dela apoiada em seu ombro, Ethan passou a escovar o longo cabelo com os dedos, apenas lamentando ir contra sua primeira decisão e recorrer à ilusão. Consolava-se com a alternativa de invadir seus sonhos, sem ser preciso apagar-lhe a memória depois do sexo. Assim estaria sempre presente.

Com o pensamento, o vampiro sorriu pelo inusitado de sua situação. Amava-a alguém que pouco conhecia. Danielle era uma incógnita. Nunca agia da forma esperada, forçando-o a reações impensadas. Naquela segunda noite era seu desejo somente aninhá-la para que dormisse em paz, pois a lembrança do rosto sofrido, do pranto compulsivo, o perseguiu durante toda a tarde incutindo nele a intenção real de reconfortá-la.

A ideia foi reforçada ao ouvi-la chorar até que dormisse. A despeito de todo o ciúme que pudesse sentir, Ethan acalentou o nobre desejo enquanto despia a camisa, sapatos e meias para se juntar a Danielle sob as cobertas. Não era sua intenção copular com ela, então apenas assegurou sua presença, sussurrando-lhe ao ouvido, enquanto pousava a mão sobre seu coração. Ao sentir o cheiro de sal das lágrimas recentes, não refreou sua língua ansiosa e lambeu a face.

Aquele foi o início do fim.

Danielle gemeu e se aproximou, aceitando-o. Então a inédita compaixão derreteu como gelo no deserto. Sua mão clamou por tocá-la mais. Do coração ao seio bastou um movimento. Ela reagia a cada toque e o enlouquecia com o cheiro de cio que exalava, pedindo por satisfação sem pronunciar uma única palavra.

Lastimável que para ela tudo não passasse de sonho, que não pudesse lhe beber o sangue ou dar o seu a ela. Porém não era hora. Até que acontecesse, tomaria o devido cuidado para não enfraquecê-la. Não a queria doente, nem mesmo amedrontada como há uma hora, quando entrou pela porta da sacada e foi visto pelo gato. Após o incidente, incomodou-o ver Danielle passar temerosa pela sala.

Antes de saber, sua humana deveria *sentir* que jamais lhe faria algum mal. Pelo contrário, ela estaria segura enquanto ele estivesse por perto. Mortal ou imortal algum nunca teria a chance de tocá-la. E que os deuses o defendessem, pois seria capaz de até mesmo comer os pedaços daquele intruso covarde se um dia ele sequer a olhasse.

Danielle poderia não saber, mas já era sua mulher e zelaria por ela como tal. Mesmo que ainda sofresse por outro. Aquele detalhe espinhoso era o único capaz de arrefecer o contentamento do vampiro. Ter a certeza de que não possuía o amor da humana o feria, assim como ela seria ainda mais ferida se insistisse em uma reconciliação.

— Você é minha, Danielle — Ethan murmurou contra os cabelos macios. — Quanto antes aceitar o fato, melhor será.

A jovem se mexeu em seu sono. Os lábios mornos tocaram-no o peito. O vampiro fechou os olhos e se concentrou naquele contato inocente. Se ela o beijasse, possuí-la-ia, mesmo que sua garganta queimasse como fogo, exigindo o sangue que se habituou a receber durante o sexo. Porém Danielle não o fez. Permaneceu imóvel, exalando o ar quente em sua pele fria. Estático, Ethan se questionou como deixaria Danielle em paz e dormiria quando lhe parecia perda de tempo. Quando a deixasse, teria que enfrentar um dia longo e entediante até poder estar novamente com ela.

Ou talvez a visse antes, repetindo a visita ao Florença. Caso ousasse, poderia ocupar o mesmo canto do bar de onde a observou sem reservas. Ethan se inquietou com a expectativa de repetir sua ação e também com a lembrança da similitude que notou existir entre Danielle e Maria ao ver o rosto maquiado em excesso, os lábios vermelhos. Talvez, da próxima vez, pudesse associá-la melhor àquela imagem antiga da garçonete morta. Pensar a respeito não o ajudou a decifrar de onde vinha a semelhança. Seria somente coincidência?

Incomodado, o vampiro cismou com os pontos em comum por alguns minutos até que resolveu esquecer o fato, exatamente como fizera no restaurante. O provável era que estivesse procurando por evidências que não existiam. Apesar da proximidade da cidade onde uma morreu e a outra nasceu nada existia para ligá-las. O fato era que Maria estava morta e Danielle, viva.

Instintivamente, Ethan apertou-a mais. Ela agitou-se; os lábios roçaram seu peito, excitando-o. Confirmando o quanto ela se encontrava viva e o fazia reviver. Estimulado, porém ciente da necessidade de controlar seu desejo, contentou-se com a proximidade e fechou os olhos.

Despertou duas horas depois.

Pela primeira vez dormira com Danielle em seu abraço, contudo não teve tempo hábil para se alegrar. Algo estava errado. Apesar do silêncio, Ethan podia sentir a movimentação. Gentilmente a afastou e escorregou para fora da cama.

Vestido apenas em sua calça, descalço, saiu para a sacada. Sem se importar em ser visto o vampiro se colocou de pé sobre o parapeito e farejou o ar. O vento frio daquela madrugada não incomodava seu dorso nu, apenas tornava o clima lúgubre. Ethan não percebia nenhum desses detalhes. Apenas alimentava uma inquietação ruidosa.

O intruso se atreveu e esteve ali, assim como Thomas.

Com a raiva a correr por suas veias, Ethan saltou para o chão, três andares abaixo, e correu para a rua. Na calçada reconheceu também o cheiro de Joly. Impaciente, ele andou de um lado ao outro diante da construção sem saber que direção tomar, pois o odor dos amigos se dividia. Seu peito rugiu. Não gostava daquela impotência limitante.

E o pior. Não gostava de se descobrir inútil, vulnerável. E definitivamente odiava joguinhos. Se alguém tinha algo contra ele que viesse enfrentá-lo.

O vampiro ainda circulava pela calçada, exasperado, quando Thomas apareceu na esquina. Vestia-se como Ethan, com o acréscimo da camisa desabotoada. Em uma fração de segundo seu líder se juntou a ele.

— Eu o perdi — Thomas informou com pesar.

— Mas você o viu? — Ethan o pegou pelo ombro. — Como ele é?

— Sinto muito. — O amigo maneou a cabeça. — Apenas senti o cheiro. Estava dormindo... Foi Joly quem me acordou.

— Droga! — Ethan o largou e lhe deu as costas. — O que esse desgraçado quer de mim?

— Não saberia dizer — Thomas o tocou no ombro. — Sinto muito!

Sem nada dizer, Ethan ergueu a cabeça em tempo de ver Joly se aproximando pela extremidade oposta. Sua expressão demonstrava a frustração que sentia. Ela se dirigiu ao companheiro:

— Nosso cerco não deu em nada — olhando para Ethan, acrescentou:
— Lamento!

— É melhor entrarmos — Thomas falou aos dois.

— Irei ter com vocês daqui a alguns minutos.

Sem despedidas, Ethan retornou ao prédio. Contornando-o, saltou para a sacada e, ao invés de entrar, fechou a porta para olhar através do vidro. Confirmar que a cortina garantia sua privacidade não o acalmou. Não eram vistos, mas poderiam ser ouvidos.

Imaginar uma possível plateia para seus momentos de intimidade com a humana enfurecia o vampiro. Teria de redobrar sua atenção para não se perder no cheiro viciante de Danielle e ser ele a sentir a proximidade de um estranho caso ocorresse a terceira visita. Tentando acalmar os sons em seu peito, Ethan finalmente entrou.

Era de suma importância se concentrar em seu visitante oculto. Em como faria para descobri-lo uma vez que nunca enfrentara nada parecido. O desconhecido era uma ameaça real. Um vampiro covarde e ardiloso que conhecia a importância da humana em sua vida, aproximando-se mais a cada dia. Ethan sentia-se irrequieto. Talvez Danielle o acalmasse, mas não voltou para junto dela. Também não partiu de pronto. Sentou-se no chão e apoiou o queixo sobre a beirada da cama.

Velou sua amada que repousava tranquilamente, alheia ao perigo que a rondava, até que ouvisse o chamado distante de Thomas. Queria ignorá-lo e continuar em sua vigília, admirando a serenidade de Danielle e valendo-se dela para pacificar-se, porém logo amanheceria. Tinha de partir.

Deixando seu posto, levantou e se vestiu por completo. Devidamente arrumado, olhou em volta para se certificar que nada fora esquecido, então voltou até Danielle. Tão leve quanto uma pluma, ele a beijou. Apesar de toda raiva que ainda sentia, a suavidade dos lábios inertes de Danielle acalmou-lhe o coração. Procurando por uma força que no momento não possuía, o vampiro cerrou os punhos, deu-lhe mais um beijo leve e saiu.

— Pensei que fosse preciso ir buscá-lo — disse Joly, quando ele entrou no apartamento vizinho.

— Dê-me um tempo — pediu ao se sentar.

— Novamente? — Ela pareceu incrédula. — Já descobri o resultado do tempo que lhe dei ontem. Se eu soubesse de suas intenções em causar sofrimento a Dana eu não teria saído.

— Por favor, podemos manter o foco? — Thomas pediu aos dois. Ethan não o ouviu, olhava para Joly com o cenho franzido.

— Acha mesmo que eu teria feito algo diferente se estivesse lá?

— Acredito que não! Você só faz o que bem entende.

— Conhece-me bem — Ethan debochou.

— Mesmo que esteja agindo errado — Joly prosseguiu. — Acha que assim vai trazer a garota para o seu lado?

— Ela já está ao meu lado — ele respondeu secamente.

— E Dana sabe disso? — Joly ergueu uma sobrancelha.

— Escute aqui... — Ethan começou, levantando-se para enfrentá-la. A imortal ergueu o queixo, beligerante, porém Thomas se pôs entre os dois.

— Parem, agora! — ordenou num tom acima do normal. Encarando Ethan, disse: — Não me interessa saber o que estava fazendo no apartamento de Danielle, muito menos suas taras. E você... — ele se voltou para a companheira. — Se os métodos do Don Juan aqui a incomodam, volte para nosso apartamento e deixe que ele cuide da humana, sozinho.

— Não! — disseram em uníssono, porém foi Ethan quem prosseguiu: — Preciso de Joly!

— E seja lá o que Ethan tenha feito para atrair a atenção desse vampiro, Dana não tem culpa. Jamais a deixaria sozinha. Ela é minha amiga. Gosto da garota.

Ethan a olhou agradecido após a declaração.

— Então acabem com a discussão. Temos coisas mais importantes para resolver.

— Está certo — concordou Ethan. — Mas estamos na mesma situação de sempre. Não sabemos quem é ou o quê esse desgraçado deseja.

— O único ponto concreto é que nosso visitante tem algum assunto mal resolvido com você — Joly indicou Ethan. — E seja o que for, parece que agora ele quer envolver Danielle.

— Isso nunca! — Ethan vociferou.

— Prometo fazer o que puder, mas não tenho como monitorar os passos da garota vinte e quatro horas ao dia — Joly se lamentou. — Desde a primeira vez que ele esteve no prédio eu recomendo a Dana que nunca convide estranhos a entrar, mas isso não é o suficiente.

— Terá que bastar por agora — Thomas determinou. — Com esta já são duas as vezes que ele veio até aqui... Talvez estivesse somente atrás de você — disse indicando o amigo.

— Não sei... Da primeira eu nem ao menos estava no país — Ethan salientou.

— Curiosidade, talvez... — Thomas deu de ombros. — Não sabemos de nada.

— Talvez se você a deixasse em paz, ele desistisse de vir aqui — Joly sugeriu encarando-o. O vampiro apenas sorriu, entre divertido e incrédulo com a sugestão absurda. Incisiva, ela prosseguiu: — Estou falando sério. Se você a ama de verdade, deveria deixá-la seguir a vida em paz... Com Paul. Só assim ela estaria em segurança.

— Eu não acredito no que eu estou ouvindo! — Ethan se sentou livre de qualquer humor.

— Perdoe-me, Ethan, mas concordo com ela — disse Thomas. — Se você descartar a garota, talvez ela possa ficar em segurança.

Seu líder apenas passou as mãos pelos cabelos, impacientemente. Nem mesmo precisava de ar, ainda assim sufocou. Como abrir mão de Danielle? Ele procurou em sua memória por situações onde ela não estivesse. Não encontrou nenhuma. Era como se tivesse começado a viver no dia em que cruzou com ela no parque. Naquele momento, todas as décadas passadas, por encanto, desapareceram.

— Eu não conseguiria me manter longe — sussurrou, intimista.

— Acredito que essa seja a única solução — o amigo replicou ao sentar ao seu lado. — Pelo menos até que consigamos pegar esse vampiro. Depois você pode voltar a procurá-la.

— Não! — Ethan se pôs de pé, fugindo da proximidade consoladora. — Vocês não entendem? Esse vampiro doente está fazendo de tudo para provocar-me e rindo da minha inércia. Deve ter ido aos céus por me fazer de idiota. Comprazendo-se com todas as manchetes que conseguiu até agora... Principalmente com o ataque, na festa. Vocês acreditam que, sabendo o quanto Danielle é importante, ele vá deixá-la livre somente por meu afastamento?

— Esse é o ponto, Ethan. Se ele vem acompanhando sua vida, não tem como saber se essa humana é especial ou igual a todas as outras... Descarte-a que ela ficará bem. Então...

— Não! — Ethan vociferou. — Como ela pode ficar bem? Esqueceram-se de Laureen? Não aceito nenhuma ideia que envolva desistir de Danielle mesmo que temporariamente.

— Desisto! — Thomas lançou as mãos ao ar. — Faça como achar melhor.

— Sou grato pelo cuidado que tiveram com ela até agora... — Ethan falou, parcialmente recuperado. — E se quiserem parar, eu entenderei.

— Desculpe-me, Thomas — disse Joly —, mas eu fico aqui... Vou continuar ao lado dela. Talvez Ethan tenha razão. Se ele conseguir conquistá-la de uma vez por todas tudo seja mais fácil. — Ethan a olhou enviesado, ainda sentido. Joly se aproximou e tocou em seu braço. — Sei que tenho agido de forma estranha nos últimos dias, mas... Eu realmente preciso de sua palavra. Prometa-me que a humana estará sempre segura com você e eu... eu paro de afastá-la.

— Eu já repeti umas mil vezes — ele ciciou, pausadamente — que jamais faria mal a Danielle.

— Ainda assim preciso de sua palavra de honra! — Joly levantou os olhos suplicantes.

Ethan desejou saber o que se passava no íntimo da amiga. Por que de uma hora para outra resolvera que ele seria capaz de machucar a jovem? Ele sabia que não adiantaria perguntar, pois como das outras vezes, ela não o responderia.

— Você tem minha palavra de honra, Joelle Miller — falou solene, futuramente descobriria. — Eu jamais, em tempo algum, farei mal à mulher que amo!

— Eu sabia! — ela exclamou satisfeita antes de dizer aos dois: — Bom... Já está amanhecendo e é óbvio que não podemos fazer nada com relação ao nosso visitante, então, acho melhor saírem. Se precisarmos conversar alguma coisa, podemos fazer no escritório. Além do mais, vocês dois têm compromissos agora pela manhã.

Sem esperar por qualquer comentário, Ethan assentiu, despediu-se e saiu. Porém partiu inquieto. Não gostava de deixar Danielle à própria sorte. Se fosse possível a transformaria naquela mesma noite para eliminar sua fragilidade. Saindo para a calçada, apesar da inquietação que sentia, o vampiro conseguiu achar graça em seu pensamento. Dias atrás acreditou que a usaria como todas as outras, no entanto, não somente descobriu sua paixão como queria a *bruxa maldita* como sua companheira eterna.

Capítulo 26

A presença reconfortante se foi. Dana estava sozinha e era perturbada por sons insistentes que não atinava de onde vinham. Ante a persistência finalmente acordou e se descobriu de fato sozinha em sua cama. Identificou o som ao focar o teto branco; batidas impacientes em sua porta. Enquanto esfregava os olhos, situando-se, ouviu a campainha seguida de mais batidas nervosas. Com os olhos semicerrados, Dana tentou ver as horas no relógio em sua cabeceira: 6h45. Somente uma pessoa estaria com tanta pressa àquela hora da manhã.

— Já vou! — Dana gritou ainda deitada.

Seus olhos ardiam. Por sua vontade voltaria a dormir, porém não deixaria de atender à amiga. Já de pé, ela arrumou a camisola e inevitavelmente corou ao se lembrar do sonho que teve com Ethan. Descalça, com o corpo quente e moído, arrastou-se até a porta. Antes que chegasse até ela, a campainha foi tocada mais uma vez.

— Credo, Joly! — exclamou Dana ao abrir a porta. — Onde é o incêndio?

— Saberia se fosse mais rápida — a amiga retrucou ao entrar, medindo-a de alto a baixo, avaliativa. — Estou tocando há horas...

A investigação minuciosa causou estranheza, assim como o tom sério que claramente encobria certa ansiedade, porém Dana nada comentou. Sentindo-se nua diante da amiga eternamente bem-arrumada, ela fugiu da avaliação. Ao se sentar no sofá, abraçou uma almofada. Na tentativa de atenuar sua vergonha, troçou, esboçando um sorriso.

— Tinha me esquecido desse seu lado dramático.

Joly ainda a investigava, enigmática como na última vez que se viram. Perscrutando a face pálida e irretocável da amiga, Dana domou seu desconforto e indagou:

— O que aconteceu esses dias?

— Estive ocupada, mas estou aqui agora — Joly respondeu, indicando não serem necessários mais detalhes para lhe ajudar a entender a pergunta incompleta. Ao se sentar ao seu lado, prosseguiu com cautela: —- Dana... Soube o que aconteceu. Como você está?

Devia saber que mesmo ocupada a amiga viria procurá-la após o rompimento. Dana queria ter algo a dizer, mas de súbito descobriu que não saberia como se sentia. Seu coração lamentava por Paul, seu corpo clamava por outro.

Incomodada, Dana passou as mãos pelos cabelos em desalinho. Divergindo do que falou a Roberto, reconhecia naquela manhã que não era a única culpada do relacionamento ter chegado àquele ponto. Talvez se Paul não fosse tão centrado em seu trabalho, ela não tivesse tempo livre para pensar em Ethan. Analisar a situação, concedendo a si mesma alguma indulgência, não apagou o desejo de procurá-lo, afinal o amava, não amava?

Dana acreditava que sim, mas então... Por que sonhar com Ethan? Como formular respostas sinceras, quando se encontrava tão confusa? Ao erguer os olhos encontrou Joly a encará-la atentamente. Percebeu pelo olhar inquiridor que ultrapassara o tempo de dar uma resposta. Após um pigarro cênico, falou:

— Acho que estou bem... Acredito que Paul esteja somente confuso com a mudança de escritório... Estressado com a quantidade de processos sob sua responsabilidade. — Dana baixou os olhos antes de prosseguir: — Não acho que ele tenha feito uma boa escolha indo trabalhar para o McCain.

— *O McCain*?!... — Joly estranhou. — Que tom é esse, Dana? Pela forma amigável que conversaram na festa, pensei que a má impressão tivesse desaparecido.

— Não conversamos — ela negou rápido demais.

— Ah, não?... Então só dançaram?

— Também não dançamos — Dana corrigiu, encobrindo sua decepção. — A confusão começou logo no início da música.

— Entendo... — Joly exalou. — Então você acha que é passageiro?... Com Paul?

— Acho que, sim... Vou dar algum tempo, então vou procurá-lo — disse decidida.

— Claro — a amiga murmurou. — Afinal você o ama.

— Amo — Dana confirmou sem convicção alguma, fitando o chão.

— E quanto a Ethan? — a francesa disparou a pergunta sem deixar de encarar a amiga.

— O que tem ele?! — Dana apertou inconscientemente a almofada, seu rosto corou.

— Da última vez que conversamos você me disse que estava confusa. Será que não é esse o real problema?

Não era confortável falar sobre Ethan com Joly. Talvez a francesa estivesse ali justamente para sondá-la agora que estava sozinha. Dana controlou o riso nervoso. Em qual universo paralelo o famoso advogado iria desejar uma Danielle Hall quando teria uma Joelle Miller? Tal universo não existia. Livre do humor depreciativo, ela tentou tranquilizar a amiga, contudo se atrapalhou com as palavras:

— Não precisa se preocupar, Ethan não quer nada comigo.

— Por que eu me preocuparia? — Joly perguntou de pronto, unindo as sobrancelhas bem delineadas, levando Dana a desejar morder a língua.

— Desculpe-me — ela pediu, sentindo o rosto arder mais. — Não é da minha conta, eu...

— O que não é da sua conta? — a amiga inquiriu, encarando-a. — Conte-me o que se passa nessa sua cabeça?

Estranhamente, ainda que achasse constrangedor comentar, Dana foi compelida a obedecer:

— Eu acho que você se preocupa porque mantêm um caso com Ethan, mas como disse... Isso não é da minha conta.

Joly permaneceu a olhá-la, agora incrédula. Dana a viu piscar algumas vezes, mantendo os lábios presos em uma linha fina. Acreditou ter passados dos limites e esperou pela resposta malcriada da francesa, porém, contrariando suas expectativas, Joly irrompeu em uma gargalhada sonora, deixando-a confusa.

— O que é engraçado? — Dana perguntou com mau humor.

— Perdoe-me! — Joly pediu tentando se conter. — Mas... Ethan e eu?... Foi demais para mim!

— Por quê? — Dana insistiu. — Os dois são lindos, jovens, trabalham juntos...

— Ah, claro! — Joly exclamou já livre do tom trocista. — E isso é o suficiente para iniciar um caso? Por favor, Dana. Considero você uma mulher esclarecida então não me decepcione sendo tão antiquada. Agradeço o elogio e, sim... Ethan é lindo, mas eu amo Thomas.

— Mas, então... — Dana não entendia.

— Se vai perguntar o motivo de minha separação, adianto-lhe que não é minha intenção comentar, mas nada tem a ver com não querer estar ao lado dele. Como disse quando nos conhecemos, Thomas e eu estamos *meio* separados, mas nos encontramos às vezes. Ele vem até meu apartamento... Eu vou ao nosso. Tem sido um bom arranjo — Joly lhe piscou.

— Se é o que diz... — Dana retrucou dando de ombros, dizendo a si mesma que ainda não era da sua conta, recriminando por ficar satisfeita pela descoberta.

— As coisas são como são — Joly reafirmou. — Thomas e Ethan são amigos de infância. Frequentaram os mesmos colégios, montaram o escritório. Sempre estiveram juntos e quando me casei Ethan se tornou uma espécie de cunhado. Tenho vontade de matá-lo às vezes, mas eu o amo também como a um irmão. Nunca, em tempo algum foi mais do que isso.

A declaração inquestionável fora esclarecedora. Justificava a atenção de Ethan para com a amiga, seu carinho natural durante a festa, a cumplicidade. Dana se sentiu envergonhada pelo julgamento precipitado, porém nada tinha mudado. Ele não fazia parte de sua vida mesmo que estivesse presente nos sonhos mais tórridos ou em seus pensamentos lúcidos.

— Joly, desculpe-me por ter sido leviana em minhas conclusões.

— Sem problemas, Dana. Você não é a única a suspeitar da amizade entre um homem e uma mulher.

— Mas como eu disse antes. Ainda que estivesse certa, não é da minha conta. Tenho de me preocupar com Paul. Vou esperar alguns dias depois o procuro.

— Você tem certeza de que é isso mesmo o que deseja?

— Não entendo sua pergunta — Dana a encarou.

— É que você está confusa — a amiga começou. — Disse-me isso dias atrás. Até se deixou beijar por Ethan e...

— Foi um erro! — Dana a cortou, alarmada. Não se lembrava de ter dito os detalhes.

— Será? — Joly ergueu uma sobrancelha. — Não pensa nele?

— Eu não te entendo. — Dana se remexeu no sofá. — O que aconteceu com *Ethan é o problema*? Você me alertou sobre o quanto ele é mulherengo e que eu deveria me manter afastada.

— Lembro-me bem do que disse — Joly sustentou seu olhar —, mas isso não evitou que tivesse problemas. Não evitou que você se apaixonasse por ele.

Dana não soube o que responder, não tinha como negar.

— Eu não devia lhe dizer isso, mas... — Joly prosseguiu. — O extraordinário da situação é que ele está interessado em você, de verdade. Como nunca se interessou por outra mulher.

O interesse era evidente. Joly apenas confirmava o que Ethan insinuava há dias. Por mais que também considerasse *extraordinário*, reconhecia os olhares, o intuito do toque delicado em seu rosto no confinamento do elevador ou a voz mansa que usava ao se dirigir a ela. E não se esqueça da maneira possessiva que a tomou nos braços no dia da festa ou o tom confortador ao telefone na manhã seguinte. Impossível não se abalar, porém tinha consciência de que aquelas eram atitudes de qualquer conquistador em ação. Sim, ter a confirmação de que seria mais do que um simples flerte por uma terceira pessoa abalou sua convicção, porém Dana se forçou a manter o foco.

— Não me interessa saber. Preciso me concentrar em Paul. É ele que eu amo. É com ele que pretendo ficar.

— Por quê?! — Joly parecia não acreditar no que ouvia.

Dana tentou reprimir lágrimas inoportunas. Não foi bem-sucedida.

— Paul me ama. Ontem eu pude perceber que ele estava sofrendo ao romper comigo. Sei que ele está confuso, assim como eu. Temos planos... Acho que minha constante recusa em ir morar com ele agravou a situação, mas estou disposta a reconsiderar...

Dana sentia as lágrimas rolarem por seu rosto. Como se dissesse as palavras para que ela própria as assimilasse, prosseguiu exacerbada:

— Vou contornar essa crise. Preciso trazê-lo de volta, pois é correto ficar com ele. É seguro. É...

— Previsível... Monótono... — Joly a cortou, imitando-a, exasperada. — Chato... Argh!

— Não deboche, Joly — Dana pediu muito séria. — Estou tentando fazer o certo.

— E quem sabe o que é certo ou errado?... Você fala de Paul como se ele fosse o homem perfeito. Como se fosse sua única saída... Sua única opção.

— E ele é... Sempre se preocupou comigo. Sempre esteve presente quando mais precisei. Não posso lhe virar as costas agora.

— Ele dispensou você. — A francesa lembrou friamente.

— Ele está confuso — Dana o defendeu sem se abalar. — Já disse que pude sentir a indecisão... Além do mais, ninguém termina um relacionamento de anos sem um bom motivo.

— Ele não te deu uma justificativa?! — Joly admirou-se, então sussurrou quase que para si: — Agora entendo... Se ao menos ele tivesse...

— Como? — Dana indagou ao perder as últimas palavras.

— Ah... Nada, Dana! — exclamou, impaciente. — Faça como achar melhor. Mas lembre-se de que ninguém é perfeito. Nem mesmo seu precioso Paul. E, caso não tenha reparado em tudo que você mesma disse, apenas descreve um amigo, não o par ideal.

— Entendi que Ethan é seu amigo — retrucou, enxugando as lágrimas — e talvez você acredite no interesse dele por mim e esteja querendo ajudar, mas eu sou comprometida. Seja lá qual maluquice esteja acontecendo, vai ter de acabar.

— Está bem! Eu respeito sua opinião, mas cuidado... Endeusar pessoas comuns nunca acaba bem. Espero que não se decepcione.

— Não acontecerá... — Para mudar de assunto, Dana falou: — Senti sua falta.

— Também senti a sua, mas como falei, estive ocupada.

— Acredito que, sim... — Dando o assunto por encerrado, aproveitou a proximidade para aplacar a curiosidade nascida desde que Ethan a tirou de forma inexplicável do meio da confusão. — Não nos vemos desde a noite da festa. Foi um Halloween estranho... O que aconteceu, Joly?

— Sei tanto quanto você — disse, evasiva.

— Sim, mas... Eu gostaria de saber por que você e Ethan ficaram estranhos... Não tivemos a oportunidade de conversar depois de tudo que aconteceu.

— Não há nada a se conversar sobre o ocorrido. Um homem foi morto em nossa festa, como não ficaríamos nervosos?

— Sim — Dana insistiu —, mas por que a pressa? Parecia que nós duas estávamos fugindo de alguma coisa.

— Você preferia ter ficado e respondido ao interrogatório? — Joly indagou, impaciente.

— Não.

— Então não pense mais sobre aquela noite. Ethan apenas se preocupou com você e eu a tirei de lá antes que começassem as investigações, nada mais. Agora, se me der licença... — Joly se pôs de pé. — Preciso correr para o escritório. Teremos um dia cheio.

— Tem toda... Não se atrase por minha causa.

— Precisava apenas saber se estava bem — Joly lhe sorriu, indicando que o súbito mau humor se esvaíra. — Fique bem, Dana. E tome cuidado com as suas decisões.

— Tomarei — ela assegurou.

Joly lhe lançou um último sorriso e saiu. Dana permaneceu sentada por alguns minutos. A conversa estranha agravou sua confusão, deixando-a ansiosa por falar com Paul. Não lhe daria tempo algum, decidiu. Sem se importar com a hora, pegou o telefone e ligou para o apartamento do namorado. Quatro toques depois, quando pensava em desistir, ele atendeu com voz sonolenta.

— Paul... Bom dia! — cumprimentou incerta. — Sou eu... Dana!
— *Eu sei. O que você deseja?* — Ele parecia confuso.
— Acho que precisamos conversar...
— *Sobre o quê?*
— Como assim?! — Ela lutou para não se impacientar. — Sobre nós... Sobre ontem. Ou ainda sobre a noite retrasada... O que significou aquilo afinal?
— *Definitivamente não sei do que você está falando. E não vejo o que tem ainda para ser dito.*
— Tudo precisa ser dito! — Dana quase gritou. — Eu não entendo porque está fazendo isso, mas acho que podemos resolver se conversarmos.
— *Dana, por favor, entenda* — ele falava pausadamente. — *Não temos nada para conversar. Acabou!... Como eu disse ontem... Siga com sua vida e não me procure. Isso não tem que ficar pior do que já está. Tenha um bom dia.*

Dana permaneceu com o fone na mão por alguns minutos, olhando-o incrédula, lutando com novas lágrimas. Não reconhecia tamanha crueldade ao lhe proporcionar a melhor noite de amor que tiveram para em seguida terminar uma relação de três anos sem maiores explicações.

Recolocando o fone no gancho, Dana voltou para a cama e deitou em posição fetal. Sem forças para resistir, chorou; por Paul, por ela e por Ethan. De uma hora para outra sua vida certinha estava de cabeça para baixo.

Como foi se apaixonar por um estranho? Sim, o que sabia sobre Ethan Smith McCain além do fato de ser incrivelmente bem-sucedido e extremamente sedutor? Nada. E, ainda que Joly afirmasse que ele estivesse interessado, não poderia abrir mão de um relacionamento pacato e estável por algo passageiro.

Fechando os olhos marejados, Dana tentou expulsar a imagem de Ethan ao entrar no quarto do Plaza. Com todas as suas forças, tentou ignorar a voz baixa ao lhe falar ao telefone. Sentiu-se culpada por não conseguir sufocar todas as impressões deixadas pelo advogado e pela pronta reação de seu corpo traidor. Gemendo em agonia, ela rolou na cama até afundar o rosto em um de seus travesseiros.

De súbito Dana se sentou, levando o travesseiro junto ao rosto. Ela o cheirou em toda sua extensão. Conhecia aquele odor. Era o perfume que exalava de Ethan ao dançarem! Mas... O que ele estava fazendo ali?!... A única resposta lógica era que estava, finalmente, ficando louca.

Impaciente, atirou o travesseiro de volta ao colchão e se atirou de costas sobre ele, secando as lágrimas com as costas das mãos. Talvez existisse algum conforto na insanidade, considerou. Ela poderia se esquecer das atitudes estranhas do namorado e se deixar embriagar sem culpas por aquele cheiro másculo e instigante. E o melhor... Os mentalmente perturbados não precisavam se preocupar com o futuro ou com renúncias dolorosas.

Horas depois, Dana despertou com o peso de Black sobre seu dorso. Adormeceu na mesma posição, jogada sobre o travesseiro. E como era de se esperar, estava sonhando com Ethan. Dessa vez não tentou afastar as imagens, deixou que elas brincassem em sua cabeça. Aquela seria uma boa distração. Com um suspiro, sorriu para o gato. Este se aproximou e passou a lamber-lhe o rosto.

— Black, pare com isso! — Dana ordenou ao se sentar. — O que deu em você?

O gato sequer lhe deu atenção. Soltando um alto miado começou a farejar a cama. Quando alcançou os travesseiros, cheirou primeiro o que Dana normalmente usava e depois o que ela usou instantes atrás. Ela pode ouvir o ronco se formando no peito do felino até que ele rosnasse para o travesseiro. Ela não conseguia entender a reação do gato. Ele também conseguia sentir o novo odor?

— Black... o que há?

Como resposta, o gato virou de costas e, sem dar chance de sua dona tirá-lo do colchão, urinou no travesseiro. Dana tentou pegá-lo, mas o felino seguiu para a sala.

— Black, eu vou matar você!

Ela o seguiu apenas para vê-lo urinar também na poltrona antes de correr para a cozinha. Dana não conseguiu alcançá-lo. Nem se deu ao trabalho de conferir se ele tinha escapado pela janela. Sabia a resposta. O que não sabia era o que estava acontecendo com ele. Por que o gato se comportava de maneira estranha? Na noite passada agira como se alguém estivesse no apartamento, agora marcava território?

Desanimada, cada vez entendendo menos, Dana foi até a cozinha para pegar os produtos necessários. De volta à sala, limpou a poltrona. Quando achou que o cheiro forte fora eliminado, seguiu para o quarto com um saco de lixo. Sem respirar, pegou o travesseiro e o embalou para jogá-lo fora. Depois trocou os lençóis antes que o cheiro forte de urina tomasse conta de todo o apartamento.

Enquanto trocava as roupas de cama Dana maldisse a gracinha de Black. Imaginário ou não, Dana lamentava ter perdido o odor de Ethan. Perdera a desculpa para ser insana e teria de voltar ao mundo onde era mais seguro negá-lo, no qual nada fazia sentido.

Capítulo 27

Oculto pela escuridão da sala, sentado na poltrona que dava vista para a cama, muito à vontade, descalço e sem camisa, Ethan esperava que Danielle adormecesse para se juntar a ela sob os lençóis. Aquilo era tudo o que queria, como nas noites passadas. Advogava durante o dia, cumprindo as obrigações que tomou para si junto aos humanos com a mente focada naquele encontro, quando estaria com a única entre eles que lhe interessava. Então, ouvi-la retirar o telefone do gancho e ligar para o rábula, enfureceu-o.

Ethan confirmou, por intermédio de Joly, que Danielle estava decidida a retomar o namoro. Teve a prova na noite de quarta, ao ouvir o primeiro telefonema, quando ainda esperava na sacada. Considerou que seria a única tentativa, pois não houve novas ligações, para naquela madrugada de sexta-feira, ela voltar a fazê-lo

Inferno! Por que a humana não se conformava? Já havia se passado três dias. Três malditos dias!

Ele não contava as horas, ansiando aquele momento para vê-lo arruinado por ela que, sem se importar com o adiantado da hora, procurava por outro. Ethan odiava a humilhação, o pedido de explicações que jamais viriam.

— Por favor, Paul — a jovem rogou. — Não estou pedindo para nos encontrarmos ou nada parecido. Entendo que acabou, mas... preciso saber o que aconteceu.

A voz lamuriosa exasperou o vampiro, o ciúme corroeu seu peito.

— Por favor, apenas diga o que aconteceu?

A questão elevou a irritação de Ethan a um nível insustentável, anulando toda a cautela. Enfurecido, o vampiro se materializou aos pés da cama. Não se importava de ser visto, não se importava com nada. Naquele momento odiava-a intensamente. Com o coração oprimido, Ethan permaneceu a olhar o corpo estendido de bruços, enquanto Danielle mantinha o fone grudado ao ouvido.

— Sabe que ainda te amo... Sinto sua falta.

Ethan prendeu a respiração e cerrou os punhos. Seu peito vibrou de forma violenta com a declaração que considerou traição. Acaso não esteve ao lado dela nas últimas noites, confortando-a, satisfazendo-a? Talvez entendesse que ela ainda amasse, mas não era possível que seu corpo sentisse a falta de outro.

Naquele instante, Ethan até mesmo se ressentia por não ter sua presença notada. A luz fraca do abajur iluminava o quarto e nem assim a humana o via. Ela apenas encerrou a ligação e, sem se virar, deixou o aparelho cair ao chão. Ainda que exasperado, no auge de uma crise possessiva, Ethan não pôde ignorar a beleza do corpo esguio, dos cabelos espalhados pelo colchão enquanto Danielle chorava com o rosto escondido no travesseiro.

Era mesmo uma bruxa! Sua atitude o enfurecia, seu corpo o excitava.

Dominado pela fúria dirigida a ambos, Ethan resolveu que provaria aos dois o quanto ela era sua e que ele, para sempre, bastaria. Sem deixar de analisar a humana, o vampiro desafivelou o cinto, despiu a calça, a boxer e as deixou no chão.

Nu, movido pelo ciúme virulento, Ethan se ajoelhou na beirada da cama. Somente quando o colchão cedeu ao peso extra Danielle tentou se virar, porém rapidamente foi contida sob o corpo forte, presa pelos pulsos para que não se debatesse. A breve luta pareceu rejeição e, mesmo que o excitasse, Ethan se irritou mais.

— Socor...

— Shhh... — o vampiro lhe soprou ao ouvido, calando o grito. — Fique quieta!

— Ethan?! — surpreendeu-se Danielle, ainda tentando se libertar. — Como você...?

— Não lute! —ordenou, encantando-a. — Ou será pior para você.

O vampiro a manteve de bruços. Não suportaria ver os olhos vermelhos ou a expressão torturada. Imediatamente a humana se aquietou e relaxou, ainda que soluçasse. Comprimindo seu membro contra a maciez do corpo jovem, Ethan estimulou a rigidez. Sem motivos para prendê-la, ele liberou os pulsos. Desceu as mãos lentamente ao longo dos braços e procurou pelos seios apertados contra o colchão. Com um gemido contido, Danielle ergueu o dorso para que ele os acomodasse em suas palmas e apertasse os mamilos. Quando Danielle gemeu outra vez e ergueu o quadril, Ethan soube que era hora de fazê-la sua como desejou o dia inteiro.

Alucinado em seu desejo quase esquecia o que motivou seu acesso de fúria, contudo, bastou afundar o rosto nos cabelos macios, úmidos pelo pranto recente, para recordar as lágrimas vertidas pelo namorado perdido.

O vampiro rugiu.

Aquela humana traidora saberia que não deveria sentir a falta de outro. Com uma das mãos ele a segurou pelos cabelos da nuca, mantendo o pescoço erguido, em posição para a sua mordida. Com a outra, acariciou o corpo quente até encontrar a barra rendada da camisola. Ele a levantou mais, rasgou a lateral da calcinha mínima e se acomodou entre as pernas nuas.

Danielle não estava totalmente pronta, mas em sua loucura, Ethan não esperou e afundou-se na morna maciez com uma investida precisa, segurando-a pelo quadril, mantendo-o erguido.

Danielle abafou um grito de dor contra o travesseiro. Tocado pelo prazer da união, Ethan permaneceu imóvel. Partiu dela a iniciativa de se mover, incentivando-o a prosseguir. Logo o corpo de Danielle respondia ao dele. Os lamentos agonizantes se transformaram em gemidos de aceitação. Rendido, ele urrou e a mordeu.

A pulsação acelerada fazia o sangue verter rápido para a boca do vampiro. Quando acreditou ter o suficiente, lambeu-lhe a nuca. Ethan se regozijou ao ouvir seu nome misturado aos gemidos abafados enquanto o corpo de sua humana estremecia em vários espasmos convulsivos.

Consciente de que lhe deu prazer tanto quanto o recebeu, ele se deixou tombar sobre ela e, sem conseguir resistir, mordeu-a uma vez mais. Danielle era deliciosa de toda maneira. Sentiria falta da doçura de seu sangue quando a transformasse. Saciado, Ethan cicatrizou a ferida e beijou o ombro adorado. Seus corpos funcionavam bem quando estavam juntos. Estendido sobre ela, sentindo o corpo frágil voltar ao ritmo normal, ele quase se arrependia de ter perdido o controle.

Por que Danielle não se fazia disponível e lhe facilitava a entrada definitiva em sua vida? Ser dono da matéria não bastava. O vampiro precisava ser dono da alma... Do coração.

Satisfeito, cansado de procurar por respostas, Ethan estendeu o braço e apagou o abajur antes de puxar Danielle para seu peito e os cobrir. Como sempre, a humana caiu num sono profundo. Com ela estendida sobre seu dorso, Ethan entendeu ter sido um erro dar-lhe tempo para que se recuperasse da perda. Não poderia culpá-la por insistir com o rábula, quando sequer expôs suas verdadeiras intenções. Com o entendimento, Ethan decidiu contar como se sentia tão logo tivesse a chance. Entraria definitivamente em jogo, para ganhar.

Feliz com a resolução e embalado pela mansa respiração humana, Ethan dormiu com ela presa em seus braços. Horas depois despertou alarmado, dormira demais. Os primeiros raios de sol entravam pela porta da sacada. Seus olhos doeram com a claridade inesperada, porém não tinha tempo de se acostumar. Com as pálpebras semicerradas, olhou para Danielle adormecida e se enterneceu. Todo o ciúme pareceu infundado diante de tal fragilidade.

Gostaria de ficar, contudo ainda não poderia. E como não era sua intenção lhe apagar a memória, melhor partir o quanto antes. Delicadamente retirou o braço de seu peito e saiu da cama, cobrindo as costas da jovem logo em seguida. Ethan acreditou que a frieza sentida fosse por Danielle permanecer mal coberta durante boa parte da noite. O vampiro não reparou na palidez do rosto ao depositar um beijo.

Apressado, juntou suas roupas caídas ao chão e escapou para a penumbra da sala. Depois de vestido saiu do apartamento, deixando boa parte de seu coração. Ao chegar à sua cobertura, Ethan se despiu ainda na sala e seguiu para a piscina. Atirou-se em diagonal na superfície plácida e nadou alguns minutos. Recostando-se em uma das bordas, deixou que seu pensamento regressasse para Danielle. Ainda que o sexo tenha sido maravilhoso como em todas às vezes, ele por fim, arrependeu-se.

Por mais que doesse, precisava entender que ainda não tinha direitos sobre a humana. Ela era livre para pensar em quem bem entendesse. A ele cabia a conquista efetiva, não apenas frequentar sua cama e possuí-la durante o sono. Ethan decidiu então que naquela mesma manhã, antes de sair para tratar de seus compromissos, convidá-la-ia para almoçar. Sua Danielle estava apenas confusa. Logo viria até ele.

Com um suspiro resignado, Ethan deixou a piscina. Aquele seria um dia cheio.

Duas horas depois, quando chegou à antessala de seu escritório, estranhou a ausência da secretária. Joly era sempre a primeira a chegar. Quando entrou em sua sala, Ethan seguiu para a janela, sacou seu celular do bolso da calça e ligou para a amiga.

Um, dois, três... dez toques e caixa de mensagem. Estranho. Tentou mais uma vez e nada. Quando começou a discar o número de Thomas, o amigo entrou em sua sala. Depois de depositar o aparelho sobre a mesa, Ethan perguntou antes de qualquer cumprimento:

— O que houve com Joly?

— Ela pediu para avisá-lo que não virá hoje — disse Thomas, sentando-se, sem encará-lo ou cumprimentá-lo. — Como vamos passar o dia no tribunal e não temos outros compromissos ela resolveu tirar o dia de folga.

— Assim? — Ethan o olhou desconfiado. — Sem razão?

— Você ainda não conhece Joly? — Ele começou finalmente encarando o amigo. Esboçando um sorriso, acrescentou: — Ela só faz o que quer...

— Em sua vida pessoal, porém nunca a vi fazer o mesmo aqui no escritório — Ethan perscrutou o rosto do amigo com os olhos semicerrados. — O que há? O que me esconde?

— Não há nada — Thomas sorriu sem jeito. — Por que eu esconderia alguma coisa? Você sabe como são as mulheres... Parece que tinha algum compromisso com Danielle.

— Com Danielle? — Ethan estranhou mais ainda. — Que tipo de compromisso?

— Compras — o sócio respondeu. — Joly acha que um passeio pode animar a garota. Acredito que ficarão juntas até que Danielle tenha de ir trabalhar. Precisava dela com urgência?

— Não — Ethan respondeu a franzir o cenho.

— Então, não se preocupe com elas... — Mudando completamente de assunto, Thomas perguntou: — Está preparado para mais uma etapa do caso Mazzili?

— Sempre estou preparado — respondeu com súbito mau humor. Mais uma vez a intromissão da amiga francesa estragava seus planos. — Não será a primeira vez que livro um assassino da prisão.

— Certo... — o amigo deu de ombro, ignorando o tom. — Mas você não vai fazer o mesmo que fez com King, não é mesmo?

— Por qual outro motivo eu me daria o trabalho de defendê-lo? — Ethan sorriu, sombrio. — O que você acha?

— Nunca vai parar com isso, não é mesmo? — Thomas lamentou. — Nem quando temos um vampiro desconhecido na cidade, louco para se aproveitar de seus deslizes.

— Não tenho cometido mais nenhum deslize. Os assassinatos que estampam as manchetes dos jornais não trazem nada de novo. Se esse infeliz aparecer, estarei preparado, então não vejo motivos para parar o que quer que seja. — Ethan deu de ombros antes de se sentar. — Eu estou fazendo um favor à sociedade... E além do mais, sangue ruim é o meu predileto.

Ethan estalou a língua nos dentes, consciente que mentira. Seu sangue predileto era o de Danielle: doce e quente. O pensamento lhe trouxe a recordação de que o provou duas vezes em uma mesma noite. Foi imprudente como da primeira vez que ficaram juntos. Precisava ser cauteloso. A humana era frágil, ele poderia debilitá-la ainda que sem a intenção.

A voz de Thomas o tirou do devaneio.

— Mais uma vez... Faça como quiser. — Dando de ombros o amigo prosseguiu: — Espero que não se importe, mas Paul Collins irá conosco.

— Por quê?! — Ethan indagou, fuzilando-o com o olhar.

— Ao que parece ele não tem compromissos para hoje e me pediu permissão para participar da audiência. — Thomas suspirou. — Acredite ou não, ele gosta do seu trabalho.

— Eu sei disso — Ethan respondeu contrafeito. — Ele deixou claro na noite em que o conheci.

De repente a lembrança melhorou seu humor. A imagem de Danielle, dançando sozinha na pista. Danielle estendendo-lhe a mão pela primeira vez...

— Então não tem problema se ele for? — O amigo novamente o despertou da divagação.

— Não! Ele não é mais problema. — Um sorriso zombeteiro surgiu, antes de completar: — E fará bem ao rábula ver como os grandes atuam!

∞

O dia passou arrastado. Faltavam dez minutos para as dezessete horas. Os jurados mal disfarçavam os primeiros sinais de cansaço, assim como os demais, presentes na audiência. Os únicos humanos incansáveis eram o juiz, o promotor e o réu: Pablo Mazzili, que se mostrava tenso desde o início da sessão. Aos outros, Ethan não dava maior importância, deixando-se influenciar apenas pelo nervosismo de seu cliente. Ainda considerava pouco, quase nada se comparado ao que passaria quando ele o caçasse assim que o livrasse da prisão por assassinar a esposa.

Se o ato tivesse sido motivado por passionalidade, depois do que ele, Ethan, fez na noite passada, seria capaz de entendê-lo e até abster-se de bebê-lo. Conceder-lhe-ia o perdão, como que para redimir a si mesmo por ter sido cruel ao violentar Danielle ainda acordada, movido apenas pelo ciúme. Depois do ato impensado entendia a força do sentimento e perdoava a falha alheia. Contudo os motivos do réu eram superficiais e mesquinhos. Mazzili envenenara a esposa pouco a pouco, durante anos, até matá-la, visando se beneficiar com um seguro milionário. Imperdoável.

Davidson, o promotor, interrogava sua última testemunha do dia. Uma senhora de meia idade, responsável pelos cuidados da falecida.

— Senhora Knight, há quanto tempo trabalhava para os Mazzili?

— Há nove anos, desde que se casaram.

Ethan sabia que em breve Davidson faria perguntas cujas respostas treinadas desabonariam seu cliente. O representante do Ministério Público jamais saberia, mas ele nutria uma profunda admiração pela paixão e dedicação que demonstrava ao defender suas causas. Na maioria das vezes, o vencia com certo pesar, que era atenuado apenas por saber que ele próprio livraria a sociedade da escoria que defendia. Se todos os criminosos fossem condenados apenas lotariam as instituições carcerárias. Muito melhor colaborar com o promotor alimentando seu hobby, pensou divertido.

Olhando para o rosto compenetrado do juiz que presidia a sessão, Ethan tentava imitar-lhe e prestar atenção ao que a senhora dizia. Não se esforçava muito, pois sabia que acabaria com a pobre alma quando chegasse sua vez de interrogá-la. Contudo como vinha acontecendo ultimamente, não estava totalmente presente no julgamento.

Passada as considerações sarcásticas sobre seu futuro assassinato, seus pensamentos vagavam para Danielle, e também, para o compromisso repentino com Joelle. Nunca dera importância para todas as bobagens sobre intuições e pressentimentos, mas algo lhe dizia que o súbito desejo por um dia de folga estava relacionado diretamente a algum problema sério com a humana. Apenas não atinava o que poderia ser.

Com discrição, Ethan olhou para Thomas. O amigo estava sentado ao seu lado, impassível. Costumavam trabalhar juntos. Ele gostava da opinião de um colega competente, porém, naquela tarde, Ethan tinha a sensação que o amigo se mantinha ao seu lado por algum motivo oculto. Ele estreitou os olhos e perscrutou a feição do sócio à procura de algum sinal que o denunciasse; nada encontrou.

— Sem mais perguntas, meritíssimo. — A voz do promotor soou ao longe.

Ethan sabia que o juiz logo daria sua deixa para que fosse interrogar a testemunha. Preparava-se para o show, quando ouviu o toque baixo de um celular. O som quase inaudível para os humanos incomodava seus ouvidos.

Ethan olhou em volta para descobrir quem era o infeliz que não respeitava o recinto e seus olhos recaíram em Paul. Esquecera-se por completo do rábula sentado às suas costas. Evidente que o som só poderia vir de um celular daquele ser despreparado. Com indisfarçado desdém, Ethan viu Paul sacar o aparelho e o atender aos sussurros. Estava prestes a repreendê-lo, quando as palavras chamaram sua atenção.

— Como, doente?

Danielle! Instintivamente Ethan soube que se tratava dela. A humana estava doente e ligava para avisar ao rábula. Seu peito rugiu. Raivoso, ele ouviu vozes à sua frente e sentiu a mão de Thomas em seu braço, mas não deu maior importância. Precisava ouvir.

— Quem é você? — Paul perguntou e esperou antes de prosseguir, alarmado: — Dana está tão mal assim?

Não era a própria Danielle ao telefone? Ethan igualmente se alarmou. Simultaneamente ouviu a voz de Thomas a chamá-lo:

— Ethan é com você agora...

E a de Paul a exclamar:

— Como assim, *quase* morreu?!

— Não se preocupe com Danielle — disse Thomas tentando chamá-lo à realidade. — Ela está bem!

— Preciso vê-la — Paul disse ao mesmo tempo, levantando-se.

O vampiro o imitou, olhando para Thomas enfurecido. Com voz rouca, acusou:

— Você sabia!

— Senhor McCain, algum problema? — O juiz perguntou, solícito.

Ethan o ignorou, dirigindo-se ao amigo num ciciar:

— Por que não me contou?

— Agora não é hora nem o lugar. — Thomas se manteve calmo. — É sua vez com a testemunha. Depois...

— Que se dane! — Ethan esbravejou a plenos pulmões.

Seu cliente, saindo do torpor, ergueu-se, chamando-o de todos os nomes ofensivos que conseguia se lembrar. Ethan permanecia alheio ao réu ou ao burburinho da multidão. Sem se reportar ao juiz que pedia ordem, batendo seu martelo irritante, Ethan se dirigiu ao sócio:

— Junte minhas coisas.

Sem mais palavras, Ethan seguiu Paul que saía da sala. Sua vontade era avançar rapidamente para a saída, porém teve de se contentar em andar a passos largos até deixar a sala, então o prédio, seguindo Paul que agora corria.

Como era de se esperar, a entrada do tribunal estava repleta de jornalistas que o cercaram no instante em que cruzou a porta. Sempre que possível Ethan os evitava, porém, daquela vez, sequer se lembrou da imprensa. Os *flashes* espocaram repentinamente, ferindo seus olhos. O vampiro maldisse seu arroubo que não lhe permitiu se lembrar dos óculos escuros em sua pasta, reservado para situações como aquela.

Enfurecido, ignorou todas as perguntas e empurrou quem se colocou em seu caminho. Se fosse possível, mataria a todos. Deixando para trás os jornalistas inconformados com sua pouca educação, ainda com os olhos doendo, Ethan seguiu quase às cegas para o estacionamento. Precisava alcançar o rábula que, inacreditavelmente, descumpria sua ordem de se manter afastado de Danielle.

Tão logo seus olhos conseguiram focalizar sem causar-lhe dor, Ethan o viu. Paul dava partida no Lexus, tinha o semblante transtornado. Tomado por um ciúme colérico, esquecendo-se de toda prudência, Ethan correu e se colocou à frente do carro. Reflexivo, Paul freou a centímetros de suas pernas, evitando uma colisão assombrosa uma vez que o único dano seria causado ao veículo.

Ethan encarava com fúria um Paul incrédulo.

— Aonde pensa que vai? — perguntou entre dentes.

— Ethan, está maluco?! — Como não obteve resposta Paul, prosseguiu: — Minha namorada está doente, precisando de mim. Tenho de vê-la.

A fúria de Ethan era palpável, apenas Paul permanecia alheio ao perigo que corria ao dizer tais palavras. Não tinha namorada alguma. Há dias aquela condição tinha mudado, pois ele ditou a ordem que encerrou o relacionamento. Cego, com o velho coração a ser atacado pelo ciúme mais violento que sentira, Ethan rosnou livremente. Sem se importar com o assombro que causaria em Paul.

— Danielle não é problema seu — ciciou entre os rosnados.

— Mas o quê...? — Paul o encarava incrédulo através do para brisa.

— Afaste-se dela, definitivamente — Ethan ordenou, cortando-o. E cansado da presença do rival em suas vidas, completou malignamente: — Volte para o escritório, junte suas coisas e vá para seu apartamento. Ao chegar, faça um favor a nós dois... Escreva uma carta de despedida e se atire pela janela.

Seu contratado, de súbito se acalmou e nada respondeu. Ethan lhe deu passagem para que obedecesse a sua nova ordem. Uma vez que perdia a mão em seus encantamentos o melhor que tinha a fazer era remover o rábula de seu caminho. Danielle se recuperaria e então superaria a perda irreparável, ao seu lado. Não sentiria remorso, pois não falhou em seu juramento. Uma vez que Joelle lhe traíra a confiança, afastando-o da humana, Ethan não tinha motivos para manter qualquer palavra.

O importante naquele momento era descobrir o que seus amigos escondiam. Que doença súbita era aquela que debilitou Danielle da noite para o dia, tão grave que não era capaz, ela mesma, de avisar ao ex-namorado. Livre do ciúme, sendo acometido de uma preocupação sufocante, Ethan correu até seu carro e arrancou, cantando pneus.

Soturno, cuidava para não partir o volante ao reconhecer que se a perdesse, não teria muito tempo para padecer pela falta, segui-la-ia aonde quer que fosse. Ao pensamento o vampiro urrou e acelerou, entendendo que o castigo máximo por todos os seus erros até ali se daria no momento da morte de Danielle, pois não poderia acompanhá-la como imaginou. Humanos ascendiam ao paraíso, criaturas obsessivas e irresponsáveis como ele, desciam diretamente ao inferno.

Capítulo 28

Acomodando-se melhor contra o travesseiro disposto às suas costas, Dana observou seu quarto com atenção. Em grosso modo, comparou sua vida à arrumação do cômodo e desejou que tudo estivesse em seu conhecido lugar. Dana quis ainda que a separação recente não passasse de um sonho ruim e fosse seu namorado a cuidar dela. Não era certo que Joly perdesse um dia de trabalho por sua culpa.

Seria providencial que a atração quase doentia por Ethan fosse tão passageira quanto o mal-estar que a mantinha presa à cama. Infelizmente sabia não ser o caso para nenhuma de suas vontades, então suspirou resignada, quando a amiga entrou no quarto, trazendo um prato de sopa.

Ao novamente se mover Dana percebeu como ainda estava fraca, a cabeça zonza. Seu coração disparou com o movimento, seu estômago deu uma volta inteira. Ela teve certeza de que empalideceu, pois Joly depositou o prato sobre a cômoda e se voltou para ampará-la, alarmada.

— Dana?... Sente-se mal?

— Estou bem, obrigada — disse estendendo a mão para que a francesa não se aproximasse. — Não vou desmaiar de novo, prometo.

Joly parou a centímetros da amiga, pronta para ampará-la caso ela não cumprisse a promessa. Dana lhe sorriu agradecida, sem entender o que acontecia. Despertou naquela manhã com a vizinha ao seu lado. Nem ao menos sabia como a amiga conseguiu entrar e não se importava. O primeiro chamado de Joly veio de muito longe. Dana seguia por um caminho estranho, cercada de árvores. Fugia de alguém que não devia confiar, mas não conseguia se lembrar. Estava cansada, seu corpo doía, a cabeça pesada.

Quando ouviu a voz nítida ao seu lado soube que tinha sido liberada de um pesadelo, porém as dores não desapareceram com as imagens. Elas estavam fixadas em seu corpo, como as sensações boas das últimas manhãs. Não diria para Joly, mas estava alarmada; algo estava errado. Nas duas últimas manhãs, ao acordar, não estranhou a umidade íntima, afinal, mesmo sabendo se tratar de sonhos era fato que seus orgasmos noturnos eram reais. Contudo, daquela vez, além de úmida estava dolorida como se tivesse sido... violada.

Por alguma razão desconhecida, mesmo sem os cumprimentos habituais, Joly já se mostrava preocupada. Quando Dana tentou levantar para provar que estava bem, percebeu sua calcinha partida, as laterais de seu quadril doeram, sentiu-se leve e tudo escureceu. Ao voltar a si, estava deitada em sua cama com a vizinha a lhe tomar o pulso. Desde então se sentia tonta, fraca e enjoada. A amiga avisou que faltaria ao serviço e lhe encheu de perguntas além de lhe passar um sermão, dizendo que homem algum valia sua saúde.

Dana tentou lhe dizer que não estava presa em nenhuma espécie de depressão pós-rompimento. Não evitava comer, antes disso, acordava faminta como sempre acontecia depois de uma noite de sexo bem aproveitada. Alimentava-se bem, principalmente no restaurante de Terry.

Fosse o que fosse que estivesse lhe acontecendo nada tinha a ver com a inexplicável separação. Muito pelo contrário.

Ainda que insistisse com Paul, o rosto que povoava sua mente nos últimos dias era o de outro advogado. Recordando-se do sonho da noite passada, Dana sentiu o rosto corar. Incomodada, ela tentou se acomodar melhor contra o travesseiro. Imediatamente a parte inferior de seu corpo protestou de dor, porém uma leve excitação se fazia presente. Dana reprimiu um gemido, envergonhada e incrédula em perceber que Ethan a afetava mesmo não estando presente.

— Dana, o que foi? — Joly se sentou ao seu lado. — Está machucada?

— Estou bem, não se preocupe — respondeu, olhando-a de esguelha antes de baixar os olhos.

Sabia que seu rosto estava corado. Gostaria de contar a Joly como se sentia, afinal a considerava sua melhor amiga. A francesa esteve mais presente em sua vida nos últimos dias do que Melissa nos últimos meses, porém não se sentia à vontade para se expor.

De toda forma, não via como revelar seus sonhos eróticos com Ethan ou como explicar que conseguia sentir o cheiro dele, milagrosamente de volta ao seu travesseiro. Com certeza a secretária legal a consideraria insana.

Ao se atrever a levantar o olhar, descobriu Joly a encará-la com as sobrancelhas unidas. Pelo tanto que a conhecia, sabia que não teria escapatória caso ela lhe perguntasse. Era fato que a francesa conseguia arrancar suas informações sem o mínimo esforço, mesmo a contragosto.

— Se não está machucada qual é o problema? — ela perguntou, por fim.

— Não saberia responder... — Dana tinha consciência de que estava perdida.

— O que tem acontecido com você nos últimos dias? — Joly a prendeu pelo olhar e ordenou: — Responda-me.

E lá estava ela mais uma vez, sabendo que deveria se calar e sem força alguma para fazê-lo. Antes que pudesse lutar, viu-se a obedecer:

— Tenho sonhado com Ethan.

Ao pronunciar o nome seu coração falhou. Talvez aquela resposta fosse suficiente. Contudo havia mais e ela não conseguia ocultar. Era como se não tivesse vontade própria.

— Mas não são sonhos comuns — prosseguiu. — Do tipo que quando se acorda, tudo volta ao normal... Esses sonhos são...

Cale a boca agora, ela imperou mentalmente, mas não se obedeceu.

— São sonhos reais. É como se ele estivesse aqui comigo. Eu sinto o cheiro dele, sinto o corpo dele ao meu lado. Eu... — Em desespero Dana mordeu o lábio inferior para se calar.

— Fale, Danielle! — Joly ordenou.

— O sinto... dentro de mim... Você sabe! — exclamou sentindo o rosto queimar. — Quando estamos fazendo... Quando um homem e uma mulher estão juntos... Sempre que acordo, eu sinto como se tivesse sido tocada. — A leve excitação se agravou com as lembranças. Ao fechar os olhos Dana disse num murmúrio: — E essa noite...

— Olhe para mim, Danielle. — Quando Dana obedeceu, Joly insistiu: — O que aconteceu essa noite?

— Eu não tenho certeza... — recomeçou, incerta. — Eu não me lembro de estar dormindo. Era como se sonhasse acordada. Eu falava com Paul ao telefone, pedia uma explicação para o rompimento...

— Ainda isso?! — A amiga se mostrou incrédula.

— Acredite, Joly — Dana se justificou —, agora isso é tudo que preciso. Saber o que aconteceu, pois... Não quero uma reconciliação.

— Melhor assim — a francesa comentou enigmática antes de voltar ao tema anterior —, mas termine de contar o que houve.

— Bem... — obedeceu. — Paul não me deu qualquer explicação, então me senti frustrada e... culpada por não sentir tanto a falta dele. Desliguei o telefone comecei a chorar porque... Droga! — Dana exclamou irritada por não conseguir calar a boca. — Não posso esconder o que você já sabe... Estou apaixonada por Ethan, mas gosto de Paul. Eu me sinto dividida, perdida. Essa noite eu não chorei por ele. Chorei por não ter certeza de como agir... Por não saber o que Ethan espera de mim. E então... De repente... *Ele* estava aqui...

— Ethan?! — Joly maximizou os olhos escuros. — Você o viu?

— Sim e não me lembro de estar sonhando... — Mais uma vez Dana teve a lembrança nítida do corpo nu sobre o seu. Tentando manter a voz firme, falou: — Ele se deitou sobre mim. Eu tentei gritar, mas Ethan disse algo em meu ouvido. Era como se fosse certo, então parei de lutar... Não me lembro exatamente o que aconteceu em seguida. Acordei com você me chamando, péssima, fraca e dolorida. E o que é pior, com a sensação de estar presa em algum universo paralelo, onde sonho e realidade se confundem. Minha calcinha está partida, droga! — ela se exasperou por fim, por não entender, não se calar.

Ao colocar em palavras Dana percebeu o absurdo da situação, alarmada ela pegou as mãos de Joly para indagar, aflita:

— Não são sonhos, não é mesmo?

A amiga novamente arregalou os olhos negros e abriu a boca, aparentemente sem saber o que responder. Dana prosseguiu alheia a reação da francesa.

— São alucinações! Estou realmente ficando louca. Eu sabia! Primeiro me tornei uma paranoica com mania de perseguição. Depois veio a visão de um suposto fantasma no prédio ao lado... Agora é evidente que eu mesma tenha rasgado essa porcaria de calcinha para parecer que Ethan esteve em minha cama, fazendo sexo violento comigo.

Ao dizer as palavras seu corpo reagiu, excitando-se ainda mais. Dana sentiu as lágrimas correrem. Não havia salvação para ela. Joly as enxugou e a apertou em um abraço.

— Shhh... Não se assuste... Não é nada disso. Deve haver uma explicação lógica para tudo que descreveu.

— Claro que tem... eu já disse. Sou louca! — Dana fungou. — E pervertida...

— Pervertida?! — Joly a afastou para encará-la. — Por que diz isso?

— Porque eu gosto do que acontece nos sonhos — confessou. — Sinto falta da companhia de Paul. Como disse ainda gosto dele e acredito que talvez fosse certo ficarmos juntos, mas... Gostei do que aconteceu nessas últimas noites. Seja sonho ou alucinação — Dana chorou mais. — Sei que pareço patética, mas espero ansiosa pela hora de dormir para sonhar com Ethan. Eu sou uma pessoa horrível!

— Não, *ma chérie amie!* — Joly tentou acalmá-la. — Não fique nervosa... Não há nada de errado com você.

— Mas, Joly...

— Fique quieta. Não se canse. Você está fraca. Têm passado por situações ruins, todas ao mesmo tempo. Por mais que diga o contrário, tenho certeza de que não está se alimentando direito. Trabalha até tarde no restaurante de sua amiga...

— Terry não... — Dana tentou protestar, porém Joly a cortou.
— Já sei! Já sei! É temporário. Sei que está fazendo um favor, ainda assim é cansativo. Não é o que você queria. Está muito aquém da sua profissão. Para piorar, você e Paul desmancharam e como se não bastasse tudo isso ainda tem *Ethan*.

Dana estranhou a ênfase ao nome e o tom da amiga. Como se de todos os seus males, ele realmente fosse o pior. Antes que pudesse dizer qualquer coisa, Joly prosseguiu:

— Não é de hoje que você está confusa. Acredito que ame seu ex mesmo estando apaixonada por outro. Talvez por isso fantasie. Assim você se livra da dor da perda e ainda se aventura pelo desconhecido sem maiores consequências.

— Será somente isso?! — Dana perguntou, incrédula. Ponderando por um minuto enquanto secava as últimas lágrimas.

— Tenho certeza que sim — Joly assegurou convicta. — E digo mais... Agora que me contou como se sente, aposto que não vai mais sonhar com Ethan.

— Mas, eu...

— Sem, mas. — A amiga novamente a cortou. — Não acontecerá novamente. Seja lá o que se passa em sua cabeça durante a noite está lhe afetando fisicamente, e danificando suas peças íntimas. — Ela tentou fazer graça, mas logo voltou à seriedade. — Quer acabar doente? Veja como está agora. Mal consegue se levantar. Isso tem de parar, Dana!

Não tinha como tirar a razão da amiga. Estava fraca. Já telefonara para Terry avisando que não iria trabalhar, mais um dia que falharia com a amiga. Não tinha condições. Não fosse por Joly provavelmente estivesse ainda inconsciente sobre sua cama.

A francesa estava certa. Ela precisava parar de evocar Ethan em seus pensamentos. Talvez tenha feito alguma expressão de pesar, pois seu pensamento foi interrompido por Joly:

— Se gosta tanto do que tem em sonho, porque não vai atrás do original?

Dana olhou-a boquiaberta. Joly lhe piscou e insistiu:

— Tenho certeza de que Ethan adoraria transformar suas fantasias em realidade. — Sem deixar que respondesse, a amiga resgatou o prato. — Acho melhor esquentar isto... Depois que tomar a sopa eu vou entupi-la de líquidos. E mais tarde, quando estiver um pouco melhor... Vou apresentá-la para uma senhora muito simpática.

Calada, Dana seguiu a amiga com o olhar até que saísse do quarto. Pousando as mãos sobre o colo, pensou em tudo que ela lhe dissera. Joly estava certa. O rompimento estranho a enfraquecia, assim como aqueles delírios.

Com o corpo desperto por apenas ouvir ou pensar no nome, Dana correu a mão sobre os lençóis, considerando se a amiga estaria também certa quanto ao fim dos sonhos. Mesmo forçada não admitiria, mas esperava que não. Dana levou os dedos aos lábios e fechou os olhos. Lembrou os toques suaves que recebeu, a fala macia e a forma possessiva como Ethan lhe tomou nos braços para tirá-la do meio da multidão na noite do Halloween. Aqueles foram contatos reais, não frutos de uma imaginação fértil e tinham o poder de deixá-la quente tanto quanto seus sonhos.

"Porque não vai atrás do original?" As palavras de Joly ecoavam na cabeça de Dana como um mantra.

O problema era que ela nunca foi aventureira. Tampouco possuía muitas experiências amorosas. Com exceção a tolos flertes na adolescência e um breve romance com um amigo de infância, seu único relacionamento duradouro fora com Paul. Ela jamais teria coragem de procurar Ethan por livre e espontânea vontade.

O que diria? A simples ideia de uma aproximação iniciada por ela revirou seu estômago. Dana decidiu que o melhor a fazer no momento era esquecer, e se entregar aos cuidados de Joly. O que aconteceria depois somente o tempo poderia revelar.

Capítulo 29

Ethan McCain desviava dos carros que lotavam as vias de nova York em alta velocidade, pouco se importando com os perigos que oferecia aos outros. Saber que corria o risco de perder Danielle o enlouquecia, mais até do que saber que Paul conseguiu burlar suas ordens e ameaçou retomar o namoro desfeito. Nada nem ninguém a roubaria. Não havia chegado até aquele ponto para perdê-la; nem mesmo para a morte.

Com esse pensamento, acelerou mais. Transcorridos exatos quinze minutos, desde sua saída intempestiva do julgamento, após infringir algumas leis de trânsito, Ethan estacionou seu BMW diante do prédio de Danielle. Como era de se esperar, descobriu a porta principal trancada. O vampiro preferia saltar até a sacada para chegar até Danielle, porém àquela hora seria impossível, mesmo com o dia já escurecido.

Sem alternativas, discretamente empurrou a maçaneta e, sem esforço, partiu a fechadura. Uma vez no interior do prédio, começou a subir os degraus de dois em dois. Estava no segundo andar, preparando-se para alcançar o terceiro, quando reconheceu o cheiro de Danielle.

Recuando, farejou o ar à procura do lugar exato onde ela estaria. O cheiro se concentrava em um dos apartamentos dos fundos. Sem receio em procurá-la, mesmo sem uma desculpa plausível, Ethan tocou a campainha. Impaciente, ouviu o arrastar de chinelos no interior do apartamento. Quando acreditou que explodiria de ansiedade pela demora, ouviu a voz velha e feminina do outro lado da porta:

— Quem é?

— Ethan Smith McCain — falou o nome completo sem nem reparar. — Vim ver Danielle.

— Ela está dormindo — disse a idosa.

O vampiro inspirou e expirou profundamente, procurando acalmar-se.

— Preciso apenas vê-la. Não vou incomodar — prometeu, flexionando os punhos.

— Desculpe, não devo abrir a porta para estranhos.
— Então me diga ao menos se ela está bem — pediu.
— Não devo falar com estranhos tampouco. Vá embora!

Então ele a ouviu se afastar da porta. Joelle! Ethan pensou furioso. Somente ela daria aquelas ordens. Nem se deu ao trabalho de insistir, sabia ser inútil. A velha estava influenciada e ele não poderia lhe ordenar que o convidasse a entrar. Inconformado, Ethan olhou em toda extensão do corredor, bufando, exasperado. Nada tinha a fazer. Não poderia entrar à força e tirar Danielle do apartamento.

Certo, pensou decidido. Não poderia entrar naquele apartamento, mas tinha outro que seu acesso não era restrito. Voando escada a cima, o vampiro foi para o apartamento de Joly. Sem se importar que a porta estivesse trancada, mais uma vez forçou a fechadura e entrou. Alguma hora a traidora teria de voltar e quando acontecesse, teria muito a explicar.

Após vinte minutos de espera — horas para Ethan — Joly finalmente chegou, carregando algumas sacolas de compras. Olhou para a fechadura danificada e encarou seu líder. Ethan a esperava de pé, parado no centro da sala.

— Agora é arrombador? Com a minha porta, são duas. Quantos anos você pegaria por isso? — perguntou sem entonação especial.

Deixando as sacolas sobre o sofá, se voltou para Ethan que, ignorou o gracejo e a atitude defensiva. Lutava para não perder a paciência com ela.

— Por que escondeu de mim que Danielle estava doente? — A voz saiu mais pausada e rouca, mais do que pretendia.

— Não quis preocupá-lo desnecessariamente antes da audiência — Joly deu de ombros. — Thomas iria contar quando o julgamento terminasse.

— Pouco me importava a maldita audiência ou que seu marido fosse me contar *depois* — ele vociferou, perdendo o controle. — Danielle é mais importante que tudo!

— Não podemos perder o foco. A audiência era importante para nossa encenação e você sabia disso. Temos de manter as aparências — a amiga retrucou inabalável. Encarando, perguntou acusadoramente: — E se Dana é tão importante, por que você quase a matou?

— Eu o quê?! — Ethan indagou, alarmado.

— Quase a matou — ela repetiu. — Tenho certeza de que ouviu muito bem.

Então Ethan entendeu. Esteve tão cego pelo ciúme e por sua preocupação que não pensou sobre os motivos que deixaram Danielle doente. Evidente que fora ele que, em sua imprudência durante a visita da noite anterior, bebeu dela mais do que o devido. Contudo, considerou, fosse como fosse, Joly não tinha o direito de mantê-lo ignorante no assunto. Sustentando-lhe o olhar, começou:

— Não era minha intenção, eu...

— Isso — Joly o cortou. — Vamos falar de intenções... Quais são as suas, Ethan? O que afinal quer da garota?

— Não lhe devo explicações — ciciou.

— Ah, não?... Se não fosse por mim, talvez sua preciosa *Danielle* estivesse morta à uma hora dessas!

Ethan deixou que as palavras pairassem em seus ouvidos. A culpa que sentia intensificou-se. Por mais que estivesse com raiva de seus amigos, sabia que deveria ser grato pelo cuidado. Porém sua preocupação deixava-o a beira da irracionalidade. Tentando controlar-se, afinal não era sábio discutir com Joly, explicou:

— Jamais faria mal para Danielle... Apenas me excedi.

— Ah, claro!... Excedeu-se ao beber-lhe o sangue. Quase a matou por isso, mas eu estou cuidando para que se recupere. Ela precisa apenas de repouso e muito líquido. Logo estará recuperada.

— Obrigado! — disse de fato agradecido. — Tomarei mais cuidado.

— Não me agradeça... E tomar cuidado não é o bastante!

— Como?!... O que quer dizer com isso? — Ethan franziu o cenho.

— Não duvido que depois desse susto você tome maior cuidado, mas o que me diz no que se refere a ficar molestando Dana durante a noite?

Ethan sentiu seu sangue envelhecido ferver. Ele não a molestava. Cuidava dela, isso sim. Protegia Danielle durante seu sono e a... amava. Enfurecido pela banalização de suas ações o vampiro disse baixo, por entre dentes:

— Isso não é da sua conta!

— Diga-me, quando vai deixar de ser mimado? — Joly ignorou seu acesso de fúria. — Acha que porque tirou Paul de seu caminho já pode fazer o que bem entende com a garota? No momento ela não sabe o que sente por nenhum dos dois. Está atraída por você, mas ainda se prende ao namorado por comodismo ou apenas gratidão. Para nós pode não ser nada, mas para os humanos, três anos não são três dias.

— Ela vai esquecê-lo! — Ethan retorquiu, convicto.

— Claro que vai... Paul não é competição para você. Por que não percebe e joga limpo?

— Que inferno, Joelle! — exclamou nervoso. — Eu preciso dela! Pode entender isso?

— Eu entendo. Em nós, todos os sentidos são potencializados, assim como os sentimentos. Amamos mais, desejamos mais e nos excitamos facilmente diante daqueles que queremos. A luxúria talvez seja a pior característica depois de nossa sede, mas não somos descontrolados. *Você não é um moleque diante de um pote de balas. É um vampiro experiente, brincando com a mente e o corpo de uma humana confusa. Acredita mesmo que ela não perceba que seu corpo foi usado durante a noite? Dessa vez até deixou rastros ao rasgar a roupa dela!... Acaso deseja enlouquecê-la? É essa sua boa intenção?*

— Não! — Ethan respondeu depois de alguns segundos.

— Pois saiba que é exatamente isso que está fazendo. Hoje, depois de reanimá-la, induzi Dana a me contar o que estava acontecendo, como se eu não soubesse... — enfatizou e prosseguiu: — Contudo queria saber como ela reagia a tanta... volúpia. Para sua informação, a garota acredita que está enlouquecendo. Graças a sua última gracinha em atacá-la ainda acordada, ela não sabe mais o que é real ou sonho. Está feliz?

Ethan ouviu em silêncio. Em sua ansiedade em tomar Danielle, não parou para considerar tais possibilidades. Joly estava certa. Ele realmente era uma criatura mimada, mas não admitiria isso justamente para ela. Com as outras mulheres, nunca se preocupou com o que sentiriam ou como ficariam seus corpos depois que ele as possuísse. Bebia-lhes o sangue, usava-as e só. O que pensassem depois ou seus respectivos parceiros quando descobrissem que estiveram com outro, não lhe importava.

Contudo, com Danielle era diferente e deveria ter tomado maior cuidado. Na primeira noite ela ainda teria a ilusão de que esteve com o ex-namorado, mas e nas seguintes? Não era de se estranhar que se considerasse maluca.

Suspirando, ainda mais preocupado e com o orgulho ferido por ter sido pego em uma falta vergonhosamente primária, Ethan ignorou a pergunta e disse apenas:

— Preciso ver Danielle... Poderia me levar até ela já que a confinou em um lugar onde não posso entrar?

— Claro! — Joly deixou que o assunto fosse encerrado. — Nunca foi minha intenção afastá-los. Disse que não mais o faria. Apenas precisava sair e não poderia deixar Dana sozinha ou desprotegida. Quando você viesse após a audiência, ela já estaria de volta ao seu apartamento. Porém, antes de irmos... Quero perguntar uma última coisa.

— O que é agora?

— Durante vinte e nove anos você foi humano... Não sobrou nada? Nem um restinho de humanidade ao menos para usar com quem ama?

— Cara, Joelle — Ethan fechou os olhos. — Estou realmente cansado e preciso ver Danielle... Se você tem algo a dizer seja objetiva.

Ao se calar a encarou e esperou.

— Como pôde ordenar que Paul terminasse com ela sem ao menos um motivo?

— Não vi necessidade — respondeu, entediado.

Assuntos que envolviam o rábula o irritavam. Com um pouco de sorte, àquela altura ele não era mais problema. Alheia ao seu pensamento, Joly bufou, irritada.

— Como espera que ela aceite a separação sem ouvir uma desculpa plausível para tanto? Para todos os efeitos eles estavam bem. Ninguém termina um relacionamento de anos do nada. Sempre tem de haver um motivo.

— Nunca tive relacionamentos duradouros para saber. Além do mais... Já está feito.

— Dana não se conforma nem segue adiante porque não entende.

Ethan bem o sabia. Danielle estava debilitada no apartamento de estranhos e ele sendo sabatinado justamente pela insistência dela em se humilhar. Contudo, o que estava feito estava feito. Se Paul tivesse cumprido suas ordens estaria morto e Danielle teria que conviver com a falta de respostas.

— Desculpe-me, Joly, mas não posso fazer nada quanto a isso. Danielle nunca mais chegará perto do ex, nem mesmo para satisfazer uma curiosidade mórbida.

— Por que sua resposta não me surpreende? — Joly parecia decepcionada.

Ethan se mostrou ainda mais impaciente.

— Por que você me conhece tempo suficiente para saber que mais de cento e cinquenta anos de imortalidade apagaram traços desnecessários de humanidade que pudessem existir em mim — disse baixo e incisivo. — Felizmente ou não... Estou revivendo alguns depois que descobri Danielle, apenas para dispensá-los a ela. Humanos me servem somente como alimento ou distração. De um modo geral, eles me irritam. Como espera que eu me recorde de todos os seus padrões limitados de comportamento?

Sustentando o olhar da amiga completou decidido:

— E asseguro-lhe que, no que depender de mim, assim que a humana me aceite como sou, ela não permanecerá sendo um deles por muito tempo.

Joly suspirou, cansada.

— Acho válido e certo desejar transformá-la, no mais, espero que nunca se arrependa por tanta arrogância. — Ao pegar as sacolas se dirigiu à porta. — Vamos?

Nunca se arrependeria, estava bem como estava. Quando trouxesse Danielle em definitivo para seu lado, estaria ainda melhor. Em silêncio Ethan seguiu sua secretária até o apartamento de Danielle e a esperou do lado de fora. A amiga entrou, deixou as sacolas sobre a poltrona então se dirigiram para o apartamento do segundo andar.

Ao parar diante da porta fechada, a breve discussão estava completamente esquecida. Depois que Joly tocou a campainha, Ethan ouviu o esperado arrastar de chinelos. Dessa vez, sentia-se tão miseravelmente culpado pelo que fizera a Danielle que nem se enfureceu pela demora da idosa em abrir a porta.

— Olá, senhora Flores — Joly cumprimentou cordialmente a idosa de baixa estatura que os atendeu.

— Joly... — A senhora lhe sorriu e a pegou pela mão. — Entre, querida.

Após levá-la ao interior do apartamento, voltou-se para Ethan.

— Boa tarde — cumprimentou, e nada mais.

O vampiro teve de se contentar em esperar do lado de fora, agradecendo que a porta não tivesse sido fechada. Com isso pôde ver as duas seguirem para os quartos. Ethan especulou se Danielle estaria tão debilitada que fosse preciso se deitar na cama de uma estranha.

Sendo mais uma vez visitado pela culpa, o vampiro apurou os ouvidos para captar ao menos a conversa. Ao que tudo indicava Danielle ainda dormia. Joly a chamou. A humana respondeu algo ininteligível e sua amiga achou graça. Joly conseguir se divertir naquela situação era indicativo de que a humana estava realmente bem, porém Ethan precisava vê-la para confirmar. Após alguns minutos angustiantes, ele finalmente ouviu a voz de Danielle que vinha rumo à sala.

— Já disse que estou bem, Joly... Não precisa me amparar como se fosse uma velha. Desculpe, senhora Flores.

— Tudo bem, minha cara... — disse a senhora com ar divertido. — Sou velha e não gosto que me amparem. Entendo-a perfeitamente.

Joly apenas riu como resposta às duas. Ethan acreditou que Danielle estivesse recuperada até que ela aparecesse no final do corredor. Seu inútil coração falhou ao vê-la pálida. Joly a sustentava pelos ombros enquanto avançavam lentamente até o meio da sala. Queria poder ajudá-la, mas a barreira invisível que bloqueava os lugares onde não fora convidado a entrar o impedia de ir até ela. Tudo que restou a Ethan foi esperar, impaciente, que chegassem à porta.

Capítulo 30

Dana reclamava com Joly, mas estava agradecida por sua ajuda. Sentia as pernas fracas, como se fosse cair a qualquer momento caso a amiga lhe soltasse. Gostaria de entender o que se passava com ela. Fora o cansaço, mais mental do que físico, sentia-se bem na noite anterior. No entanto, ali estava ela, dolorida e sem forças sequer para andar por conta própria. Talvez fosse o cansaço mental refletindo em seu corpo como a amiga diagnosticara. Contudo, para Dana era difícil acreditar que problemas psíquicos a afetassem a tal ponto.

Ainda se concentrava em andar com firmeza, quando sentiu a presença conhecida antes mesmo de erguer os olhos. Juntando toda sua coragem, sem acreditar no que veria, Dana olhou em direção à porta principal. Todo o seu sangue pareceu se concentrar em suas bochechas ao ver Ethan no corredor, imóvel, encarando-a fixamente. Os olhos verdes escurecidos, como na noite em que o viu no patamar. Ainda se forçando a respirar, ouviu a voz de Joly:

— Ah, Dana... Ethan veio me trazer umas coisas então aproveitei seu cavalheirismo e pedi que viesse me ajudar com você.

— Não era preciso — ela sussurrou, acreditando que somente a amiga a ouviria. — Não gosto de dar trabalho a ninguém.

— Não seja boba, Dana. — A amiga parecia se divertir com seu constrangimento.

— E sem dúvida não é trabalho algum para mim. — Ethan acrescentou, desconcertando-a mais.

Encabulada, Dana nada respondeu, apenas continuou a andar em sua direção, perguntando-se como Ethan pôde ter ouvido seus sussurros. Vez ou outra ela se aventurava a olhá-lo. Algumas vezes, parecia que ele estava tão constrangido tanto ela. Ou seria outra coisa? Ansiedade, talvez. Dana não saberia dizer.

Seja qual for o sentimento escondido sob a séria expressão, somente a deixava inquieta. Sua impressão era a de que Ethan contava seus passos. De súbito Dana se impacientou. Se ele estava ali para ajudá-la, deveria vir até ela em vez de apenas olhá-la daquela maneira intensa e perturbadora, que dificultava seu caminhar. Como jamais verbalizaria seu pensamento, concentrou-se em seguir, corada, rumo à porta.

Antes que chegasse até ela, Ethan lhe estendeu a mão pelo lado de fora. Dana ainda estava no interior do apartamento mesmo assim tentou alcançar a palma estendida. Tão logo a mão pequena cruzou o limiar do batente, ele a tomou na sua e a puxou intempestiva e diretamente para seus braços, pegando-a no colo. Dana arfou com o movimento brusco.

— Cuidado, Ethan! — Joly ralhou. — Dana está fraca, caso não tenha percebido.

Ethan sequer respondeu ou olhou na direção da amiga. Dana não se atreveu a encará-lo, mas podia sentir os olhos verdes cravados em seu rosto enquanto Ethan seguia pelo corredor até alcançar a escada.

Teria protestado por estar sendo carregada se encontrasse sua voz, ou não estivesse adorando. Cada fibra de seu corpo reagia à proximidade dele. Tudo que lhe restava era permanecer respirando. De muito longe, Dana ouviu Joly agradecer à senhora Flores por cuidá-la e se envergonhou por ter saído sem ao menos se despedir. Mas como poderia?

Ao cruzar a porta de seu apartamento, Ethan atravessou a pequena sala e, sem cerimônias, levou-a para o quarto onde a depositou gentilmente sobre a cama. Dana corou ainda mais ao ver o patrão de seu ex-namorado presente no cenário de suas fantasias. Aspirar seu odor real a excitava e na mesma proporção acentuava sua culpa. Ajeitando-se nos travesseiros, ainda sem encará-lo, disse num fio de voz:

— Obrigada, mas realmente não era necessário.

— Acredite — Ethan assegurou intensamente. — Não foi incômodo algum.

Sem qualquer convite, ele se sentou no colchão ao seu lado. Por puro reflexo, Dana afastou seu corpo, evitando o contato com o dele. Comparando-se a um animal acuado, ela recriminou sua reação instintiva, contudo não poderia rever o movimento. Apenas pôde desejar que este tivesse passado despercebido.

— Não tenha medo de mim, Danielle — Ethan pediu em tom indecifrável. — Sei que não tenho me comportado bem com você em nossos últimos encontros, mas... prometo melhorar de hoje em diante.

Evidente que ele notaria. Conformando-se que não tinha como apresentar um rosto mais vermelho do que antes, Dana se obrigou a encará-lo e, mesmo sem jeito, tentou reconfortá-lo:

— Não é verdade. Você se comportou muito bem quando me trouxe para casa na terça-feira passada, depois...

— De seu rompimento — Ethan a cortou. Não suportaria ouvi-la dizer o nome do rábula. Recuperando-se de um mau humor que não deveria ser demonstrado, esboçou um sorriso e retrucou mansamente: — Mas essa vez não conta... Seria muita canalhice de minha parte se tentasse beijá-la ou cortejá-la estando tão frágil.

Dana não soube o que responder. Nada que viesse dele seria considerado canalhice. Se assim fosse, ela o julgaria pelo simples fato de se insinuar para a namorada de um funcionário, e não o consideraria um perfeito cavalheiro que demonstrava interesse sem ser grosseiro ou vulgar. Mesmo que não acreditasse na sinceridade do sentimento, cabia a ela mantê-lo a distância uma vez que era comprometida.

Presa pelos olhos verdes, ela reconsiderou em pensamento. No momento não estava ligada a ninguém. Nada a impedia de aceitar alguma atenção especial da parte dele, sincera ou não. Mas, então... Por que ainda se sentia travada diante de Ethan como se algo estivesse errado?

— Por falar na última vez que nos vimos... Como está você agora? Melhor? — Ethan perguntou, livrando-a de seus pensamentos.

— Acredito que sim... — Então se lembrou de algo. — Nem pude agradecer por trazer meu carro. Obrigada!

— Não por isso... — O tom ainda era irreconhecível.

Após suas últimas palavras, nenhum dos dois falou. Em poucos minutos o silêncio se tornou constrangedor, porém Dana mal percebeu tão distraída estava no olhar que a mantinha refém. Por estar ligada a ele não perdeu nenhum de seus movimentos, quando Ethan baixou os olhos para sua mão repousada sobre o colchão.

Curiosa com a intensidade que captou, e livre do contato hipnótico, baixou o seu próprio olhar em tempo de vê-lo deslizar a mão lentamente até que seus dedos se tocassem. Dana prendeu a respiração ao sentir o toque delicado e frio. Exatamente o mesmo de seus sonhos. Quando Ethan falou, sua voz não passava de um sussurro rouco:

— Danielle, eu...

— Ethan pode vir aqui um minuto, por favor? — Joly requisitou sua presença na sala.

— Com sua licença, Danielle. — Ethan recolheu a mão e se levantou sem esperar resposta.

Trêmula, Dana viu-o se afastar. Zonza, tentou ouvir o que diziam. Conversavam em voz baixa. Ela apenas distinguia a voz feminina da masculina. Nenhuma palavra fora pronunciada em algum tom que ela pudesse entender. A conversa murmurada durou poucos minutos e tão logo as vozes silenciaram Ethan retornou ao quarto, trazendo o semblante carregado, evidenciando seu aborrecimento. Joly o seguia de perto com igual expressão consternada. Ignorando a amiga, Ethan se dirigiu à convalescente:

— Infelizmente preciso partir — anunciou.

— Tão cedo?... — Dana lamentou reflexiva, desconheceu-se.

Ethan não lhe respondeu, porém, demonstrando ter apreciado a reação espontânea presenteou-a com um sorriso perfeito. Então, como se o gesto fosse natural entre eles, curvou-se para beijá-la. Dana paralisou ante o inesperado da aproximação incomum.

Percebendo o inusitado do próprio movimento, Ethan parou a centímetros da boca feminina e se afastou bruscamente. Ato contínuo, ele ergueu a mão em direção aos cabelos dela ao que também se freou antes de tocá-los, cerrou o punho e o prendeu no bolso da calça. Nenhum dos três falou por segundos constrangedores, até que o protagonista dos movimentos estranhos desse um pigarro baixo e dissesse impassível:

— Estimo suas melhoras, Danielle. Caso precise de algo, basta...

— Ela ficará bem. — Joly assegurou, recostada ao batente. — Passarei a noite com ela para me certificar disso.

— Evidente que ficará aqui — ele ciciou, sarcástico. — É uma boa amiga.

— Dentre as boas eu sou a melhor!

Dana não os entendia. E a bem da verdade nem desejava entender, pois sua cabeça começava a latejar como resposta a sua tensão pela aproximação de Ethan. Sem responder ao último comentário de Joly, Ethan prendeu Dana pelo olhar e, fitando-a intensamente, falou:

— Boa noite, Danielle... Descanse e tenha bons sonhos.

"Comigo", acrescentou em pensamento. Sua despedida a Joly foi breve e ciciada.

Sim, lhe era grato, mas não ao ponto de relevar o aborrecimento que lhe causava. Com um bufar exasperado, caminhou sem pressa, lamentando ter de se afastar.

A noite tinha descido por completo sobre Manhattan, quando Ethan deixou o prédio antigo. Imerso em um misto de alívio e tensão seguiu para seu edifício na velocidade máxima permitida, nada animado com o iminente encontro com Thomas. Segundo a amiga o sócio o esperava no escritório, furioso.

A informação não era nova e Ethan pouco se importava. Naquele momento rogava apenas para que o amigo o entendesse, pois não desejava enveredar em nova discussão. Para arreliá-lo bastava Joly e sua decisão de passar a noite com Danielle.

"Para que nada de ruim acontecesse durante seu sono", ela dissera.

Sim, ele poderia encerrar com a empáfia e impor sua autoridade, mas decidiu não tomar nenhuma atitude temerária uma vez que a amiga se mostrava tão devotada à humana. Com isso aceitou ficar longe por 48 horas, no mínimo, para que Danielle se recuperasse.

Ao que percebia, teria apenas de lidar com sua contrariedade e a falta antecipada que sentiria dela. Como alento, teria a lembrança do corpo trêmulo em seus braços e a reação alarmada ao comunicar sua partida.

Distraído, Ethan sorriu. Cada vez mais a balança pendia para seu lado. Seu sorriso triunfante minguou ao considerar que Joly estragara o momento perfeito. Não fosse por ela, ele teria exposto suas intenções.

Após um expirar prolongado, Ethan flexionou seus longos dedos e voltou a apertar o volante, irritado por reconhecer seu engano. Joly o ajudara ao impedi-lo de confundir a mente de Danielle ainda mais ao externar o sentia em momento tão inoportuno. Consequentemente o preservou, pois não deveria precipitar suas declarações. Não suportaria rejeições ainda que momentâneas.

Friamente pensando, não poderia preconizar juras de amor eterno enquanto a humana estivesse debilitada, presa a um romance fracassado. Situações patrocinadas por ele.

"Dana não se conforma e segue adiante porque não entende", dissera Joly.

Ainda assim, não conseguia se arrepender de sua ordem. O que tinha para ser entendido? O rábula não a queria, ponto. Ethan se irritou. Aquele era um dos muitos defeitos humanos. Nunca estavam satisfeitos e tinham uma infinita propensão para não aceitar o inevitável. Evidente que sua Danielle não fugiria à regra.

Ele poderia lhe descortinar um mundo de novas possibilidades e experiências alucinantes, porém ela não se arriscava a uma mudança. Mantinha-se presa, de forma doentia, apenas por ter compartilhado míseros três anos com um mortal. O que significava aquele tempo ínfimo se comparado à eternidade que poderia oferecer?

— O mesmo não aconteceu com você, Ethan McCain? — ele se perguntou.

Sim, admitiu. Reagira da mesma forma ao ser transformado contra vontade. Ao despertar, e entender no que se tornara, enfureceu-se por aquilo que perdera, sem ter a mínima noção de todas as maravilhas que viriam nos anos seguintes.

Danielle tinha a mente limitada, porém caberia a ele descortinar o futuro glorioso que teria ao aceitá-lo. Quando acontecesse, Paul não seria nada se comparado a ele. Os três anos desperdiçados em um relacionamento insosso não contariam nem como milésimos de segundo ante a eternidade que compartilhariam.

Sim, seria exatamente o que aconteceria quando a conquistasse.

O vampiro voltou a sorrir, acelerando seu carro como se assim pudesse adiantar também os acontecimentos. Que se passassem as malditas 48 horas e que Danielle de fato se recuperasse, pois quando voltasse a vê-la não mediria esforços para transformar a humana em sua companheira.

Capítulo 31

A voz mansa ainda ecoava na mente de Danielle minutos depois de Ethan ter deixado o quarto de forma, no mínimo, estranha, depois de quase beijá-la. Somente por se lembrar do rosto perfeito crescendo em direção ao dela, seu coração saltava inquieto. De onde teria vindo aquilo sem que fossem íntimos?

Segundo Joly, Ethan estava de fato interessado, mas, com exceção às duas cantadas truncadas e um beijo fortuito, nenhum outro movimento que justificasse a aproximação fora feito naquele sentido. Por fim, Dana deu de ombros, resignada. Há muito tempo tinha desistido de entender o que acontecia em sua vida uma vez que esta estava de pernas para o ar.

O que seria um beijo roubado se comparado ao rompimento inexplicável, à debilidade súbita? Seria nada. E entre todas as esquisitices, teria sido a melhor. Talvez, por essa razão a voz de Ethan ainda lhe soasse nítida. Antes que partisse, sem despedidas formais, desejou que tivesse bons sonhos e fora quase como se acrescentasse, "comigo".

Dana especulou se ele teria esquecido o que esteve prestes a lhe dizer ao segurar sua mão, sobre a cama. Tudo que restou após a saída intempestiva, foi uma tensão palpável no ar e o resquício marcante de sua presença. Pareceu que uma eternidade havia se passado até que ela ouvisse a porta de seu apartamento ser fechada e entendesse que Ethan, por fim, partira.

Quando Joly voltou ao quarto, sorrindo para ela, igualmente pareceu que o tempo saltou. Era estranho.

— Comprei água de coco — anunciou à francesa, animada como se toda tensão tivesse sido ilusória. — Espero que goste. Ela possui todos os nutrientes que você precisa no momento. Agora descanse... Depois lhe trago mais um pouco de sopa.

Dana ainda se sentia fraca e a agitação interna parecia agravar seu esgotamento físico então, sem demora, escorregou sobre o colchão até estar com seu corpo dolorido estendido sobre a cama. Quando a amiga deixava o quarto, chamou-a:

— Joly... não precisa ficar durante a noite. Prometo te chamar caso precise.

— Em absoluto! — disse a amiga, impassível. — Não será incômodo algum. Além do mais, quero estar por perto caso você tenha algum pesadelo perturbador.

Sem dar-lhe chance de resposta, saiu. A Dana restava aceitar o oferecimento da nova amiga e vizinha, mesmo que desejasse ter mais dos *pesadelos perturbadores*, nos quais Ethan vinha encontrá-la. Nos quais não era errado, nem constrangedor, se render a ele.

∞

Enquanto cruzava ruas e avenidas rumo a Wall Street, Ethan McCain reforçava a decisão em ser mais direto em sua conquista. Não importava que tivesse errado até ali. Daquele momento em diante tentaria seguir no caminho certo, que o levaria ao coração de Danielle.

Evidente que tiraria proveito das vantagens adquiridas com a imortalidade, mas tentaria ser justo, na medida do possível. Começaria por se desculpar com Thomas, por tê-lo deixado sozinho em plena audiência para lidar com o caso Mazzili em um momento crucial.

Não se arrependia, porém não precisaria salientar que o destino de nenhum assassino, ou o de qualquer pessoa de bem, jamais teria a primazia em suas preocupações ao ponto de reter sua intempestividade. Para ele, apenas Danielle importava.

Ethan se encontrava a duas quadras do NY Offices quando o celular vibrou em seu bolso, despertando-o dos devaneios. Não o atendeu, pois tinha o forte pressentimento de que seria Thomas a procurá-lo. Logo estariam juntos e não se privaria de alguns minutos de calmaria antes de mais uma batalha.

Ansioso por prolongar esse tempo de paz, Ethan reduziu a velocidade de seu BMW até que chegasse ao edifício. Sem pressa, parou à entrada de sua garagem privativa e esperou que o portão abrisse, pacientemente, antes que entrasse.

Enquanto estacionava, lembrou-se de seu reflexo imprudente que quase o fizera beijar Danielle. Ethan escreveu uma nota mental para que se lembrasse e se policiasse nos encontros futuros. Não poderia se valer de tal licença carinhosa, afinal a jovem não estava ciente de que lhe pertencia. Para ela, os momentos de intimidade não passavam de sonhos. Com o pensamento, apesar de todos os sentimentos inquietantes que o invadiram durante aquele longo dia, Ethan sorriu.

No momento seu riso carregava um misto de diversão e nervosismo ante uma súbita constatação: pela primeira vez, fosse como mortal ou imortal, ele mantinha um relacionamento estável e monogâmico, porém não podia demonstrar sua afeição, pois a outra parte envolvida nem ao menos sabia da ligação. Ethan ainda ria de sua piada particular, quando Thomas se materializou próximo a sua janela.

— Que bom encontrá-lo de bom humor! — o sócio exclamou com seriedade.

Ethan lhe dirigiu um breve olhar, desligou o BMW e saiu do veículo. Thomas lhe deu passagem, afastando-se um passo. Cruzou os braços e ergueu o queixo, ao que foi imitado pelo recém-chegado que se recostou ao carro, livre do bom humor. Uma reprimenda estava a caminho por ter abandonado a audiência, e o imortal deixaria que o amigo a fizesse mesmo sabendo que sua saída em nada alterou o desfecho do julgamento.

Sem dúvida alguma o sócio fora nomeado seu substituto. E sendo Thomas tão competente quanto ele próprio na arte de advogar, Ethan folgava em imaginar que, àquela hora, sua presa estaria livre, cantando como um canário feliz sem saber que o gato faminto logo o abateria.

— Pode reclamar à vontade — Ethan liberou enfadado. — Estou cansado. Prometo ouvir em silêncio se você for breve. Depois lhe apresentarei minhas sinceras desculpas.

— Não seja cínico. Nós dois sabemos que você não sente ao ponto de se desculpar. Tanto que eu nem sei se vale a pena dizer qualquer coisa — Thomas comentou, cansado. — Olhe para você!... Aposto que nem ao menos se arrepende das atitudes desumanas que toma.

— Atitude desumana?! — Ethan franziu o cenho. — Por sair no meio de uma audiência que condenaria um assassino? Mesmo que o impossível acontecesse e eu perdesse a causa, o resultado ainda seria justo.

Thomas suspirou, exasperado.

— Acha mesmo que eu perderia meu tempo discutindo com você por isso?

— Então o que é? Fale de uma vez para que eu possa subir, já que dispensa minhas desculpas.

Toda sua passividade ameaçava se esvair. Ethan estava ansioso em iniciar a longa noite que passaria longe de sua humana e não queria protelá-la mais que o necessário.

— Onde estava com a cabeça para ordenar que Paul se atirasse pela janela?

— Como sabe disso? — Ethan indagou, em alerta, desencostando-se do carro.

— Antes de lhe dizer, já vou avisando que não aceitarei represálias.

— Recado dado, agora conte! — Ethan ordenou, soturno.

— Seager estranhou o comportamento de Paul ao voltar do julgamento antes da hora prevista. E mais ainda ao ver que ele juntava seus pertences. Por sorte ainda estávamos em recesso antes da retomada do julgamento, quando me telefonou. Dei-lhe permissão para ver o que estava acontecendo e que se fosse preciso, resolvesse.

— Eu não acredito! — Ethan sibilou. — Está me dizendo que o rábula ainda está vivo?

— Estou — o amigo confirmou. — E assim permanecerá.

— Somente até eu colocar minhas mãos sobre ele — Ethan afirmou, passando a andar de um lado ao outro, com o ódio a correr as veias. — Malditos! Não tinham o direito!

— Pare com isso, Ethan! — Thomas o encarava. — Seja racional! Cresça! Ou faça qualquer outra coisa que lhe traga à razão.

— Terei razão suficiente depois que me livrar do humano de uma vez por todas — vociferou.

— Por favor, pare! — Thomas alterou a voz, fazendo com que Ethan parasse de circular pela garagem. — Não percebe os absurdos que diz? Já não têm histórias demais nos jornais e nos arquivos policiais relacionadas a nós por conta desse intruso que o persegue para que você ainda piore nossa situação? Como se já não bastasse um imortal inconsequente, agora *você* está querendo nos expor?

O vampiro questionado bufou, sentindo um rugido se formar em seu peito. Thomas prosseguiu, sem intimidar-se:

— Se alguém mais observador prestar atenção verá que seu nome está envolvido em todos esses fatos. Ex-cliente morto no parque. Caso não se lembre, *seu* nome foi citado na matéria. Depois, ex-amante violentada e morta... Um assassinato na *sua* festa... Agora um funcionário *seu* se suicida? Pare e pense, Ethan... Acaso é pedir demais?

— Ninguém sabe do meu envolvimento com Laureen — retrucou, raivoso.

— Você não pode ter certeza. Somos eternos, mas não somos oniscientes.

Os rugidos no peito de Ethan se intensificaram. Não por raiva do amigo irritantemente consciencioso, mas por ter de admitir — mais uma vez — o quanto fora irracional. Contudo não conseguia agir de outra forma quando o assunto se referia à Danielle. E não ajudava em nada o fato de tê-la machucado. E, para piorar, não poderia estar com ela, da forma que desejava, nos próximos dois dias.

Thomas continuou sem esperar resposta:

— Estou feliz que finalmente esteja interessado em alguém, mas precisa lidar com a situação racionalmente. Esse humano infeliz a quem deseja tanto mal, nada pode contra você. Entenda que Paul não é ameaça e o deixe em paz, por favor... — Thomas rogou. — Você está a um passo de lhe tomar a garota, então não o prive de mais nada. E não se preocupe com uma possível aproximação, pois o induzi a não procurar Danielle assim que o encontrei.

— Terminou? — indagou Ethan, irritado

Thomas o encarou por um minuto, como se considerasse se valeria a pena continuar o sermão. De repente, deu de ombros, moveu as mãos para o alto em sinal de derrota e disse:

— Terminei.

— Bom... Ouvi e entendi tudo que disse. Ao contrário do que possa parecer, eu não desejo nos expor. Talvez eu tenha me excedido... Terei mais cuidado para não perder o controle. Apenas estava preocupado com Danielle.

— Sem necessidade. Joly me disse que a garota estava bem, mas, conhecendo você como conheço, sabia que não acreditaria até vê-la. Assim que a audiência acabasse eu lhe contaria. Nem pude acreditar quando Paul recebeu o telefonema. — Ao se lembrar de algo, perguntou: — Você sabe quem o avisou?

— Não. A princípio pensei que fosse Danielle, mas logo soube se tratar de um desconhecido.

— Muito estranho... — ponderou seu amigo.

Ethan partilhava da mesma estranheza, porém não sabia o que pensar. Estava mais intrigado com o fato de Paul lhe desobedecer, como se sua ordem tivesse sido retirada. Assim como, provavelmente acontecera naquela tarde, quando Thomas dera liberdade para Seager dissuadir o rábula de saltar pela janela. Ethan sempre acreditou que suas ordens fossem inquestionáveis e imutáveis; não gostava daquela novidade.

— Os únicos que sabiam sobre a fraqueza de Danielle éramos nós dois — Thomas comentou.

Ethan deu de ombros, não considerando aquele um fato relevante.

— Talvez ele tenha sido procurado pela senhora que cuidou de Danielle enquanto Joly esteve fora. Não sabemos. Talvez a pedido dela própria. — Ele não gostava daquela versão.

— É verdade... Os últimos acontecimentos têm me deixado desconfiado de tudo... Acho que você tem razão!

— Sim... — Impaciente por encerrar a reunião em sua garagem, Ethan indagou já a caminho do seu elevador. — Como foi o julgamento?

— Tudo terminou como esperávamos.

— Parabéns! — Ethan cumprimentou, orgulhoso. — Nunca espero menos de você.

— Obrigado, mas o mérito é seu. Tudo estava bem encaminhado. Só precisei dar continuidade.

— Então dividimos os créditos. — Antes de entrar em seu elevador, Ethan pigarreou e prosseguiu: — Desculpe-me por minha intempestividade. Entenda que, tudo o que se refere à Danielle, me afeta de uma forma que não saberia explicar.

— Como eu disse, não me aborreceria com você por causa do julgamento. Apenas espero sinceramente que aprenda a lidar com Paul. Você não pode apagá-lo das lembranças dela nem mesmo se o matar. Quanto à jovem, acredito que com o tempo você saiba administrar melhor o sentimento que nutre por ela. Você sempre foi o líder. Todos o respeitam. Por favor, não faça nada que abale o que construiu aqui.

— Não farei. Agora se me der licença... preciso subir.

— À vontade. — Thomas o liberou, educadamente.

Acenando em despedida, Ethan entrou no elevador e apertou o botão correspondente à cobertura. Ao fechar da porta dupla, ele deixou que a frustração e a fúria viessem à tona. O que não daria naquele momento para esmagar o pescoço de Seager. No momento não poderia correr o risco de se indispor com Thomas, porém não se furtaria de cobrar satisfações de tão observador e prestativo amigo.

Furioso por não ter se livrado de Paul e inquieto por não poder dormir com Danielle, Ethan se despiu e mergulhou em sua piscina, rogando que a água o acalmasse. Minutos depois, percebendo a inutilidade daquela ação, deixou a piscina e se dirigiu ao quarto. Apressado, secou-se, vestiu-se e saiu. Na garagem escolheu sua SW4 e ganhou as ruas.

Desnorteado, rodou a esmo por Nova York com a imagem da humana fragilizada a assombrar sua mente e os primeiros sinais de sua sede a provocar sua garganta. Sempre alheio a sua rota, Ethan atravessou a Queensboro e quando deu por si rodava pelo Queens. Talvez tenha tomado aquele caminho por saber que sempre encontrava bons espécimes nos bairros mais afastados do distrito vizinho.

Logo sua *fome* se intensificou, obrigando-o a relegar seus problemas a um segundo plano. Focado em sua procura, Ethan vagou pelas ruas pouco movimentadas: o refeitório ideal. Seu problema naquela noite era a pouca variedade. Com a proximidade do inverno, a frequência nas calçadas era drasticamente reduzida. Ethan conferiu as horas em seu relógio de pulso: 10h53.

Não era tarde, ainda assim apenas alguns grupos se aqueciam ao redor de fogueiras improvisadas em latas para se protegerem do frio. Seus componentes eram em geral barulhentos e se voltavam admirados ao ver o carro que passava lentamente. Alguns mais ousados sinalizavam para que Ethan parasse, talvez imaginando que ele fosse como tantos riquinhos que iam até ali à procura de alucinógenos.

Ethan riu mordaz. De certa forma era o que fazia, afinal, muitas vezes provar sangue humano o lançava em uma viagem vertiginosa. Ainda a sorrir, ignorando os chamados e os palavrões quando não lhes dava atenção, Ethan continuou sua procura. Deu algumas voltas pelos quarteirões, então resolveu deixar seu carro em um ponto mais afastado e voltar a pé.

Naquela noite queria escolher, não ser escolhido. Sentia falta da caça. Estava a poucos passos de um vão largo entre duas construções — aparentemente abandonadas —, quando viu um negro, alto e forte, se aproximar sendo seguido de longe por uma morena. Ambos vinham na extremidade oposta à calçada na qual seguia.

Sem querer ser visto, Ethan adiantou os passos e se ocultou na escuridão do beco. O lugar era fétido. Dois latões de lixo, um de cada lado da entrada, estavam cheios de todo resto podre deixado pelos moradores próximos ao local. Fungando, incomodado, o imortal se esgueirou mais para o fundo do beco, na esperança de que o vento frio mudasse de direção e levasse o mau cheiro para longe.

Desejou que o casal passasse de uma vez para que pudesse seguir seu caminho. Contudo, o homem parou a entrada do beco, olhou de um lado ao outro e entrou. Sem dar pela presença nefasta, recostou-se à parede de um dos prédios, onde a luz da rua lançava um facho fraco de luminosidade. Parecia muito à vontade apesar do fedor. Tranquilamente tirou algo do bolso. Quando a mulher apareceu, aproximando-se com expressão ansiosa, o homem acionava o isqueiro e o aproximava do cigarro mínimo.

— O que quer comigo? — o homem indagou rudemente, após sua primeira tragada. O vento trouxe o cheiro característico, indicando a Ethan se tratar de um *baseado*.

— Precisava te ver — ela respondeu, languidamente, tentando se aproximar mais.

— *Tá* querendo um pouco do que eu te oferecia? — ele falou ao colocar o cigarro nos lábios dela. Depois de uma tragada, ela respondeu:

— É da boa, mas não... Eu quero você!

— Nesse caso, não tenho nada pra você — ele pareceu se impacientar. — Já disse pra largar do meu pé, mulher. Volta lá *pro* teu marido idiota.

— Não consigo... — ela se lamuriou, tentando se aproximar mais uma vez. — Sabe que ele não é nada se comparado a você.

Ethan não podia crer no que ouvia. Seria fácil relevar uma simples barganha entre sexo e drogas, não traição. Não depois de ter machucado Danielle pelo mesmo motivo, não com a traição de sua mãe ao seu pai. A cena inesperada o deixava irritadiço. Inocente, o casal conversava sem saber que incitava o vampiro a atacar.

— Não *tô* interessado! — disse o negro, porém sua voz já não era rude. Talvez a mulher tenha percebido o mesmo, pois se aproximou e, sem cerimônias, o apertou por sobre a calça.

— Esqueceu como somos bons? — ela perguntou a massageá-lo. Tentando aparentar indiferença ele deu um trago, porém ao falar, sua voz estava rouca:

— Sou bom com todas, vadia.

— Comigo é diferente — ela disse, afastando-se para levantar o casaco e revelar os seios fartos. — Fica comigo... preciso de um homem de verdade.

O peito de Ethan rugiu. Aquela mulher, de fato, nada valia. Provavelmente o marido estivesse trabalhando para sustentá-la enquanto ela estava naquele buraco imundo, oferecendo-se a outro. Sem que pudesse evitar, Ethan se lembrou do pai, das palavras amargas por imaginar que a esposa e o amante o ridicularizavam. Para ele, adultério era e sempre seria o pior de todos os crimes e, assim como o único pai que conheceu, acreditava somente na morte como punição.

Cego por um ódio antigo, ele se esqueceu de sua resolução em não matar mulheres. Estava faminto, furioso desde o começo da tarde. Deixaria a adrenalina da caçada para outro dia. Bem diante de si tinha dois humanos abjetos e por eles, salivou. Ao ser liberado do seu transe corrosivo o homem já beijava a mulher, agora apoiada à parede.

Ethan não permitiria que fossem além. De um único salto, parou exatamente às costas do homem. A mulher o viu primeiro, mas não pôde sequer gritar. Ethan cravou seus dentes no pescoço masculino enquanto segurava a mulher, prendendo-a pela garganta. Furioso, sugou o sangue de sua vítima, olhando diretamente para a próxima. Agradava-o saber que ela por certo, arrependia-se de ter saído de casa. Liberou-a somente quando largou o corpo inerte do amante.

— Por favor!... Por favor... Não! — ela chorou, caindo de joelhos, sem forças para sustentar as pernas trêmulas. — Não... o que é você?

— Alguma coisa que não perderia tempo se apresentando a você — ciciou, enfadado.

Com ela ajoelhada, Ethan se abaixou e atacou. Estimulado, sugou de seu pescoço com força. Ele não se lembrava da vez que uma mulher se debateu em seus braços até a morte. Tinha esquecido de que a sensação era tão boa quanto à de quando as matava durante o sexo. Conferia-lhe poder. Aquele mesmo que parecia estar perdendo aos poucos depois que conheceu Danielle.

A verdade do pensamento atingiu-o com violência. Naquele momento, com os corpos largados aos seus pés, reconheceu mais uma vez que estava agindo irracionalmente como nos últimos dias. Não cabia a ele julgar nem condenar aquela mulher. Lamentável que notasse o erro tarde demais. Ethan olhou para o corpo feminino, então lhe fechou os olhos e lhe cobriu os seios. Não lamentava as mortes, apenas seu destempero.

Era chocante se reconhecer fraco e impulsivo, tão facilmente movido pelas paixões que a humana lhe despertava. Abalado pela verdade, talvez imutável, arrastou-se para o fundo do beco e se deixou cair sentado sobre uma pilha de papelão velho. Nem se importou com o vento contrário que trazia o cheiro do lixo humano até ele.

Thomas tinha razão, ele era o líder, respeitado por todos. Se de uma hora para outra agisse sem pensar, sem medir as consequências, logo teria problemas. Precisava de fato aprender a administrar seu recém-descoberto amor. Aquele novo sentimento não poderia ser maior do que seu poder e força.

Ethan ainda cismava distraído, quando o vento trouxe um odor conhecido, misturado ao fedor. Sem se mover, olhou para o ponto onde deixou seus cadáveres. Agachado sobre eles — alheio a sua presença —, um imortal improvável farejava os ferimentos de suas vítimas. O sangue ainda quente, colhido há poucos minutos, congelou em suas veias. Não era possível que seu intruso estivesse todo aquele tempo dentre os seus. Ou seria?

Capítulo 32

Com exceção a Thomas e Joly, Ethan nunca confiou cegamente em nenhum outro vampiro de seu grupo, porém dentre todos, Andrew Kelly seria o último em sua lista de desconfianças.

Agradecendo o vento favorável que não o denunciava, permaneceu imóvel apesar da ânsia crescente de avançar contra o traidor. Raivoso, Ethan assistiu Andrew farejar os corpos antes que atacasse o pescoço da mulher. Foi preciso grande esforço para se manter no lugar, enquanto Andrew sorvia o sangue restante, já impróprio para o consumo.

Provando o fato, Andrew cuspiu o pouco que sugou, torcendo o rosto em repulsa. Depois de cuspir uma vez mais, agiu com incrível rapidez. Atirou os corpos em um dos latões de lixo, cobriu-os com restos de papelão e ateou fogo, usando o isqueiro que pegou do morto. Foi quando Ethan avançou. O vampiro surpreso foi prensado contra a parede, preso pelo pescoço.

— Ethan?! — Andrew chiou, tentando livrar a garganta do aperto de ferro.

— O que significa isso? — Ethan bateu as costas do vampiro contra a parede mais uma vez, sibilando entre dentes: — O que quer de mim?

— Eu?... Nada... Estava só... ajudando. — Com as duas mãos Andrew forçava os dedos da única mão de Ethan que o comprimia contra a parede enquanto esperneava, tentando uma fuga. — Está... me... machucando...

— Nada comparado ao que vou fazer depois que explicar qual a razão de tudo isso — Ethan falava com dificuldade, tamanha a raiva que sentia. — O que lhe fiz para me provocar? Matar pessoas relacionadas a mim?... Beber de meus restos? Responda!

— Não é... nada disso... — Andrew ainda lutava. — Não fiz essas coisas... Eu apenas... Estava... tentando ajudar.

— Ajudar?! Explique-se!

— Minha garganta... por favor... — implorou.

— Vou soltá-lo, mas nem pense em correr — rosnou Ethan. — Quero respostas. E rápido. Logo alguém virá depois dessa sua gracinha.

Ao libertá-lo, Ethan bloqueou a passagem. Dependendo das respostas, Andrew alimentaria a própria fogueira.

— Eu não fiz nada disso. Estou do seu lado. Pode confiar em mim — Andrew assegurou enquanto movia o pescoço, olhando para Ethan, ressentido.

— Ultimamente não confio nem em minha sombra, Kelly. E não me venha com essa de ajudar. Eu o vi beber o sangue da mulher. Até onde eu sei você é do time de Thomas.

— Não estou mentindo... Raramente bebo de humanos, mas não o evito. Pensei que talvez ainda houvesse algo para mim, mas já era tarde. Quanto a ajudá-lo, saiba que desde a noite em que você me encontrou no Central Park eu o sigo para evitar que deixe corpos espalhados. Como fez com King e o infeliz que você jogou na lagoa.

A justificativa era válida. Desde aquela noite certas mortes não eram noticiadas, ainda assim, Ethan custava a confiar. De súbito uma ideia lhe ocorreu.

— Está obedecendo às ordens de quem? Thomas?

— Obedeço apenas a você! Como já disse, eu queria ajudar.

— Pois saiba que não preciso de sua ajuda. Mato pessoas antes mesmo que você nascesse e nunca tive problemas com os corpos. Os humanos não sabem de nossa existência, então invariavelmente acham uma desculpa plausível para os mortos que encontram exangue em algum beco fedorento como este.

— Até que algum vampiro resolva nos expor — Andrew corajosamente retrucou.

— Pois até mesmo quando esse infeliz apareceu só conseguiu chamar a nossa atenção. O que fez saiu na mídia, mas deu em nada como todas as outras vezes. Esse imprestável é um incompetente. Um covarde que ao invés de vir diretamente a mim, fica dando voltas ao meu redor como uma maldita mosca barulhenta. Uma que eu terei imenso prazer em esmagar assim que se arrisque a pousar em minha mão.

Ethan expressava sua vontade olhando diretamente para os olhos azuis de Andrew. Não saberia explicar, mas ainda sentia vontade de matá-lo. O jovem vampiro retribuía o olhar, porém com respeito e submissão.

— Perdoe-me, Ethan, não quis aborrecê-lo. Se soubesse que minha atitude fosse irritá-lo desse jeito não teria feito.

— Vou acreditar em você, mas não quero saber de novas perseguições — Ethan anunciou ainda tentando adquirir algum controle. Imediatamente outro detalhe lhe veio à mente e tão rápido que Andrew sequer percebeu seu movimento, novamente o prendeu contra a parede, segurando-o pela gola do casaco. — Até onde tem me seguido?

Não gostava da idéia de Andrew ou qualquer outro saber sobre sua humana.

— Sempre em suas caçadas, e de longe — Andrew respondeu calmamente —, quando você vai embora eu verifico o que deixou para trás. Contando com hoje, apenas três vezes foi preciso minha interferência.

— Não me seguiu para outro lugar além desses? — Ethan o encarava com o cenho franzido.

— Não, Ethan... Mas que inferno! É complicado ajudar você. — Com um empurrão Andrew afastou mais as mãos que já o soltavam. — Pensei que estivéssemos juntos nessa. Agora age como se eu fosse seu inimigo.

— Acredite, quando eu precisar de sua ajuda a pedirei — Ethan retorquiu, relevando a ousadia por recordar não ter sido o cheiro de Andrew que sentiu na sacada. Mas a constatação não ajudava a arrefecer sua raiva. — Não quero ser seguido. Sabe muito bem que vampiro algum gosta de ser espreitado.

— Desculpe-me. Não vai se repetir — Andrew prometeu arrumando o casaco. — Agora acho que é melhor sairmos daqui... Já ouço as sirenes.

— Ouço perfeitamente — Ethan retrucou, ríspido. Contudo, reconhecendo o valor da iniciativa, ele segurou o braço do vampiro que se preparava para partir. — Escute... Não pense que não reconheço seu esforço. Em condições normais eu talvez até apreciasse, mas... Eu realmente não quero ser seguido. Quando precisar de sua ajuda eu pedirei e, se ainda estiver disposto, eu lhe serei agradecido se a der.

— Sem problemas... — Andrew respondeu ao livrar o braço. — Até amanhã, McCain. Tenha uma boa noite!

— Boa noite, Kelly!

Andrew se foi pela entrada do beco. Ethan deixou o local galgando as saliências de um dos prédios até alcançar o topo. Com o peito a rugir, correu pelas coberturas. O movimento ajudava a aliviar a tensão. Sentia-se inquieto, raivoso, inútil.

Era inadmissível um vampiro mais jovem considerá-lo irresponsável ao ponto de segui-lo para limpar sua sujeira. Por sorte esperou, caso contrário teria decepado um colega por algo banal. E inadvertidamente baixaria a guarda enquanto o verdadeiro intruso continuaria livre.

Ethan ansiava pelo dia que aquele inferno de incertezas chegasse ao fim, porém, naquele momento, livre da sede e de Andrew, o sentimento que não conseguia domar prevaleceu sobre todos os outros e se tornou urgente. Com o tempo esclareceria aquele mistério e até lá, poderia aprender a dosar seu amor, mas ele percebia que talvez nunca soubesse como lidar com um afastamento.

Tanto era verdade, que Ethan corria com destino certo; um que não poderia alcançar facilmente de onde estava. À medida que avançava os prédios se tornavam mais altos, as ruas mais largas. Nem mesmo sua agilidade e força seriam capazes de ultrapassar tais distâncias. Ao se deparar com um edifício verdadeiramente alto e sem apoios ele desistiu de seguir adiante. Resignado, Ethan fez todo o caminho de volta até seu carro.

Sequer sabia a hora, pois qualquer que fosse apenas indicaria o tanto de tempo que ainda ficaria longe da humana. O que importava era à distância que, alheio ao trânsito, ao cruzar da ponte, às ruas e avenidas, Ethan eliminou até que estacionasse sob as copas das árvores da 8th Street. Joly não o impediria de ver Danielle.

Queria apenas tocar os cabelos dela e assisti-la dormir. Não pedia muito e tinha pressa, então, como toda discrição era dispensável durante a madrugada, ele transpôs a distância restante do carro até a sacada em segundos.

Parado diante da porta envidraçada hesitou em bater. Desejava se deitar com Danielle, porém estava farto de discussões. Com certeza Joly cumpria a promessa e ocupava o espaço vago na cama espaçosa. Ethan poderia obrigar a amiga a cedê-lo, mas achou por bem deixar as duas dormirem em paz. Saltando para o prédio vizinho, sentou-se na marquise mantendo o olhar fixo na porta da sacada; dar-se-ia por satisfeito em guardar a noite.

Transcorridos apenas alguns minutos, ele sentiu o movimento fortuito às suas costas. A criatura era tão leve que o vampiro sequer se abalou. Logo ouviu o rosnado baixo. Sinceramente não estava com paciência para brincar com o gato, mas se voltou para encará-lo quando o rosnado se intensificou.

Black, o gato preto de Danielle, estava a dois metros de distância, com o dorso arqueado e os pelos eriçados na tentativa inútil de impressionar o oponente ao se mostrar maior do que realmente era. Caso pertencesse a outro, Ethan teria achado graça da inocência felina e o mataria. Naquele caso saltou e se pôs agachado na beirada o prédio, pronto para o ataque.

Acuado, Black estacou, sustentando-lhe o olhar. Após meio minuto Ethan saltou sobre o gato, pegou-o pelo peito mínimo e o prendeu sobre as telhas velhas. Encarando-o, Ethan se manteve a rosnar baixo, demonstrando que acabaria com o enfrentamento facilmente. Somente então, abrandou o olhar e silenciou seu peito gradativamente antes de liberar o animal.

Quando Black sumiu de vista, Ethan voltou a sentar na borda da marquise. Não o espantou ver Joly de pé, parada sob o batente, encarando-o seriamente. Sabia que ela seria mais uma a enfrentar, porém, realmente não estava com disposição para duelar com todos os defensores de Danielle.

Sem cumprimentos, Ethan levantou para ir embora.

— McCain, espere!

Joly o chamou tão baixo que somente ele poderia ter ouvido. Ethan se voltou em tempo de ver a amiga fechar a porta da sacada e, rápida como um sopro, sentar-se na beirada do prédio, próxima a ele.

— Sente-se, por favor — pediu.

Ethan a olhou por alguns segundos, tentando adivinhar a intenção. Não poderia, mas como não dispunha da mínima vontade de ir embora, resolveu atendê-la. Ao sentar, Ethan mais uma vez mirou a porta da sacada, pensando apenas que o espaço na cama agora estava vago.

— Não tinha nada melhor a fazer além de vir brincar com o gato? — Joly gracejou.

Ethan não respondeu, nem a olhou. Não tinha nada melhor a fazer nem lugar melhor onde pudesse ir. Seu rumo certo era cruzar a porta que olhava e repousar em paz ao lado da mulher que amava, mas não diria. Se Joly não tinha entendido como ele se sentia, não perderia tempo com novas explicações.

— Você está horrível! — Joly exclamou a certa altura, torcendo o nariz. — E que cheiro horroroso é esse?

— A noite está horrível! E quanto ao cheiro, é uma longa história. Conto outra hora.

Ao se calar, Ethan voltou à sua muda contemplação. Sequer reparou que Joly o observou por cinco minutos inteiros.

— Não consegue fica longe, não é mesmo? — ela perguntou por fim.

— Eu estou longe, não estou?

— Ethan...

— Não posso causar danos daqui — cortou-a friamente. — Então agradeceria se me deixasse em paz.

Ethan queria ficar sozinho para padecer com a falta que se agravava a cada minuto. Não era hipócrita, nem um maldito poeta romântico ou assexuado. Sempre desejaria aquela humana ardentemente, porém naquela noite, se contentaria apenas em dormir abraçado a ela.

Deveria se orgulhar, pois o mérito por estar longe era exclusivamente dele, pensou sarcástico. Talvez Danielle estivesse melhor sozinha.

— Não está! — Joly murmurou, tocando-o no ombro.

— Como disse?! — perguntou aturdido. Incrédulo quanto a ter externado o pensamento.

— Não sei o que acontece — falou Joly, olhando em frente, aérea. — Acredito que Dana tenha criado algum tipo de dependência. Sei lá!... O fato é que agora está dormindo porque eu a induzi, mas antes... Quando eu queria que descansasse por conta própria, ela rolou pela cama e chamou por você mais do que qualquer outra coisa.

O coração decrépito pulsou uma batida além do normal. Antes que Ethan pudesse exigir mais detalhes Joly se pôs de pé e, espreguiçando-se casualmente, disse em tom queixoso, indo em direção à rua, equilibrando-se perfeitamente na marquise.

— O colchão da Dana é mole demais. Prefiro minha própria cama. — Após dar cinco passos ela o encarou. — Volto antes do amanhecer. Por favor, não faça com que eu me arrependa.

Uma vez sozinho Ethan voltou à sacada e entrou. Imediatamente fechou os olhos e requisitou todo o odor de Danielle para si como se dele dependesse sua vida. Seu corpo viciado reagiu de pronto, levando-o a sorrir com zombaria auto-indulgente. Decididamente não era um poeta romântico que enaltecia o amor virginal.

Controlando a eterna volúpia, Ethan fechou a porta atrás de si e se pôs ao lado da cama. Danielle exalava um cheiro tão bom que ele próprio se sentiu sujo. Não poderia se deitar ao lado dela cheirando a fumaça vinda de detritos orgânicos, papelão e carne humana. Desenvolto como se estivesse em seu próprio apartamento, Ethan seguiu para o banheiro. O espaço era mínimo se comparado à sua suíte, porém os múltiplos frascos coloridos o tornavam muito interessante.

Logo Ethan estava despido, de cabeça baixa sob a água morna, deixando que esta levasse os resquícios dos últimos acontecimentos para o ralo. Ao ouvir um resmungo, Ethan ergueu a cabeça e esperou. Danielle não emitiu novo som, ainda assim ele acelerou sua limpeza, livrando-se do mau cheiro com o sabonete rosa de odor floral.

De volta ao quarto, coberto pela roupa íntima, Ethan lentamente ergueu a coberta e escorregou para o lado de Danielle que dormia tranquilamente, como dito por Joly. Ainda assim o vampiro evitou tocá-la, deitando-se de costas para mirar o teto, deixando-se embalar pela respiração compassada da humana.

Não completou um minuto antes que, como que atraída por um imã, Danielle corresse a mão direita pela cama até tocá-lo. Alarmado, Ethan a olhou para descobrir que ela ainda dormia. E assim, de olhos fechados, ela tateou seu dorso e se aproximou até pousar a cabeça sobre seu peito.

Ethan não ousou respirar, sendo invadido por sentimentos conflitantes. A alegria e a culpa imperavam enquanto ele tentava entender como Danielle podia procurá-lo depois de ter sido maltratada. Não encontrou respostas, mas sentiu o desejo premente de protegê-la. Se ele padeceu apenas por algumas horas de separação, como seria caso a tivesse matado?

Contendo um lamento, Ethan fechou os olhos com força e num impulso abraçou Danielle, ignorando a dor em seu coração, afastando o pensamento. Ele não seria imprudente uma segunda vez e a protegeria até de si mesmo. E que os deuses o defendessem, pois não seria uma tarefa fácil.

Não, não seria, contudo Ethan se considerava forte. Seria o mínimo depois de seu erro.

— Algum dia seria capaz de me perdoar? — indagou, sabendo que não seria ouvido.

Perdoar? Dana pensou presa às brumas do sono. *Não sabia nada sobre perdão. Somente que precisava ficar sobre aquele monte que a acolhia.*

Alheio ao que se passava no inconsciente da humana, o vampiro estreitou mais seu abraço e beijou os cabelos castanhos. A respiração morna em seu peito inevitavelmente o excitou, tanto que foi preciso domar a lascívia que ameaçava denunciar seu desejo.

De fato, refrear sua paixão não seria nada fácil.

Com a confirmação do óbvio, sendo ele aquela criatura de sentimentos extremados, Ethan reiterou sua convicção de atrair Danielle em definitivo para que nada ou ninguém jamais os separasse.

Depois de gentilmente capturar uma das mãos delicadas, o vampiro cheirou o pulso e o lambeu, recordando a doçura do sangue que tão cedo não voltaria a provar. Ao elevar sua tortura particular, Ethan sorriu, beijou a palma macia e a prendeu em seu peito, sobre o coração.

— Durma em paz, meu amor... E ao acordar, venha para mim, pois não há vida sem você.

Seguindo seu próprio conselho, sabendo que somente ao lado dela poderia dormir em paz, Ethan fechou os olhos. Embalado e aquecido pela respiração regular, por fim ele conciliou o sono, contudo, não sem antes confirmar sua decisão.

Não importava quanto tempo demorasse, a humana seria definitivamente sua. Bastaria dar a ela um pouco de sua doce e infalível sedução.

Fim!

Próximo Lançamento

DOCE SEDUÇÃO

Amor Imortal
Livro 2

Leia também

Guarde-me para Sempre
de Halice FRS

Visite as páginas oficiais

www.lereditorial.com
twitter@Ler_Editorial
www.facebook.com/lereditorial

twitter@HaliceFRS
www.facebook.com/halice.frs
www.facebook.com/SerieAmorImortal